LINCOLN CHILD

DE VLOEK

BOEKERIJ

ISBN 978-90-225-6617-6
ISBN 978-94-6023-791-1 (e-boek)
NUR 332

Oorspronkelijke titel: *The Third Gate*
Oorspronkelijke uitgever: Doubleday, Random House
Vertaling: Marjolein van Velzen
Omslagontwerp: Wil Immink Design
Omslagbeeld: Wil Immink Design/Thinkstock
Zetwerk: Mat-Zet bv, Soest

This translation published by arrangement with Doubleday, an imprint of The Knopf
Doubleday Publishing Goup, a division of Random House, Inc.

Deze uitgave is mede tot stand gekomen door Sebes & van Gelderen Literair Agentschap.

Voor Luchie

PROLOOG

De dokter liep de kantine binnen. Hij schonk zich een kop koffie in, stak zijn hand uit naar de bus met koffiecreamer op het aanrecht, bedacht zich, liep naar de gebutste laboratoriumkoelkast en schonk een plens sojamelk in zijn beker. Hij roerde even met een plastic cocktailstaafje en wandelde in gedachten verzonken over de lichte linoleumvloer naar een stel identieke, zware stoelen. Achter de gesloten deur klonken gedempt de gebruikelijke geluiden: het geratel van rolstoelen en brancards, gepiep en geblaat van allerlei instrumenten, en het drenzen van de ziekenhuisintercom.

Een derdejaars coassistent, Deguello, had zijn pezige armen en benen over twee van de tot op de draad versleten fauteuils gedrapeerd. Typerend, dacht de dokter, dat talent van coassistenten om van het ene moment op het andere in slaap te vallen, rechtop of liggend, en in de ongemakkelijkste houdingen. Toen de arts zich neerliet in een stoel naast de assistent, hield die op met snurken en opende één oog.

'Hé, doc,' mompelde hij. 'Hoe laat is het?'

De dokter keek op de fabrieksklok boven de rij kluisjes achter in de kantine. 'Kwart voor elf.'

'God,' steunde Deguello. 'Dan heb ik nog maar tien minuten geslapen.'

'Beter dan niets,' zei de arts, en hij nam een slokje van zijn koffie. 'Lekker rustig, vanavond.'

Deguello's oog zakte weer dicht. 'Twee hartinfarcten. Een open schedelbreuk. Een keizersnede met spoed. Twee schotwonden, één kritiek. Iemand met derdegraadsverbrandingen. Een perforerende steekwond in de nierstreek. Eén simpele en één samengestelde breuk. Een oude man op de brancard bezweken: hersenbloeding. Overdosis oxycodon. Overdosis amfetaminen. En dat was nog maar de afgelopen...' Hij zweeg even. 'De afgelopen anderhalf uur.'

7

De dokter nam nog een slok koffie. 'Zei ik toch? Lekker rustig van-avond. Maar zie het van de zonnige kant. Voor hetzelfde geld liep je nog je rondes door Massachusetts General.'

De coassistent zweeg even. 'Het wil er bij mij niet in, doc,' mompelde hij even later. 'Waarom doet u dit? Waarom offert u zichzelf iedere tweede vrijdag op het altaar van de SEH? Kijk, ik moet wel. Maar u bent anesthe-sioloog, en niet de eerste de beste, ook.'

De arts dronk zijn bekertje leeg en mikte het in de prullenbak. 'Niet zo nieuwsgierig in bijzijn van je meerderen, graag.' Hij hees zich overeind. 'Terug naar de loopgraven.'

Op de gang keek de arts om zich heen naar de betrekkelijke kalmte. Hij was net op pad gegaan naar de balie aan de andere kant van de SEH, toen hij plotseling een uitbarsting van activiteit gewaarwerd. De hoofdverpleeg-kundige kwam op een drafje aanlopen. 'Aanrijding,' zei ze. 'Eén slachtoffer komt er zo aan. Ik heb hokje 2 gereserveerd.'

Meteen zette de arts koers naar de betreffende ruimte. Op datzelfde moment vlogen de deuren van de SEH open en kwam het ambulanceteam aan met een brancard, gevolgd door twee politieagenten. De arts zag in één oogopslag dat dit een ernstig geval was: de gespannen houding van de mensen, de blik in hun ogen, het bloed op hun uniformen en gezichten: stuk voor stuk tekenen van wanhoop.

'Vrouw, begin dertig!' riep een van de ambulancemensen. 'Reageert niet!'

De arts gebaarde hun onmiddellijk naar binnen en zei tegen een coas-sistent die al klaarstond: 'Haal de hechtspullen.' Met een korte knik liep de coassistent op een holletje weg. 'En roep Deguello en Corbin!' riep hij hem na.

De verpleegkundigen reden de brancard het hokje binnen en zetten hem naast de behandeltafel. 'Op drie,' zei een verpleegkundige. 'En voor-zichtig met die kraag. Een, twee, drie!' De patiënt werd op de tafel getild, de brancard weggereden. De arts ving een glimp op van een bleekwitte huid, rossig-bruin haar; een blouse die ooit wit was geweest, nu door-weekt van het bloed. Op de vloer leidde een spoor van bloeddruppels naar het hokje.

In zijn achterhoofd begon iets verontrustends te prikkelen, een soort kille stroomstoot.

'Aangereden door een dronken automobilist,' zei een van de verpleeg-kundigen in zijn oor. 'Onderweg gecrasht.'

Er stroomden coassistenten binnen, gevolgd door Deguello. 'Weet je de bloedgroep?' vroeg de arts.

De man knikte. 'Zo uit het rek. O-negatief.'

Er waren nu allerhande mensen bezig; ze koppelden beeldschermen aan, plaatsten infusen, kwamen met karretjes vol apparatuur aanlopen. De arts keek naar een van de coassistenten. 'Bel de bloedbank, vraag drie zakken.' Hij dacht aan het bloedspoor op het linoleum. 'Hoewel, doe maar vier.'

'Zuurstof zit erin,' riep een van de verpleegkundigen terwijl Corbin haastig kwam aanlopen.

Deguello liep naar het hoofdeinde van de tafel en keek naar het roerloze slachtoffer. 'Lijkt me cyanotisch.'

'Bloedgasbepaling,' riep de arts. Zijn aandacht was gevestigd op de buik van de vrouw, intussen ontbloot maar glibberig van het bloed. Snel trok hij het noodverband weg. Een afgrijselijke open wond, haastig door de ambulancemedewerkers gehecht, die hevig bloedde. Hij keek naar een verpleegkundige en wees naar het gebied. Ze veegde het schoon en hij keek nog eens.

'Gapende buikwond,' zei hij. 'Misschien subpulmonaire klaplong. Dat wordt een pericardiocentese.' Hij richtte zich tot de ambulancemedewerker. 'Hoe gebeurt zoiets in vredesnaam? Had ze geen airbag?'

'Daar is ze onder geschoten,' antwoordde de man. 'Het dashboard was dwars doormidden gebroken en daar is zij op gespiest. Ze moesten haar er via het dak uitzagen. Vreselijk wrak, die Porsche van haar was finaal platgewalst door de terreinwagen van die dronken klootzak.'

Porsche. Weer dat kille stroomstootje in zijn hoofd, vinniger nu. Hij rechtte zijn rug en probeerde een blik te werpen op het gezicht, maar daar stond Deguello voor. 'Aanzienlijk stomp letsel,' zei Deguello. 'We moeten een hersenscan maken.'

'Bloeddruk nog maar tachtig over vijfendertig,' zei een van de verpleegkundigen. 'Zuurstof negenenzeventig.'

'Zorg voor die bloeddruk!' beval Deguello.

Ze had al te veel bloed verloren, de shock was te ernstig: ze hadden een minuut, hoogstens twee, om haar leven te redden. Een nieuwe verpleegkundige kwam binnen en hing een aantal infuuszakken aan de paal. 'Dat wordt niets,' zei de dokter. 'We hebben een dikkere naald nodig, ze bloedt te snel.'

'Eén milligram epi,' zei Corbin tegen een coassistent.

De verpleegkundige draaide zich om naar het karretje met hechtmaterialen, greep een dikkere naald en trok de slap hangende hand van de vrouw naar zich toe om de naald in te brengen. En terwijl ze daarmee bezig was, viel de blik van de dokter op de hand: rank, heel bleek. Met een enkele ring: een platina trouwring met een schitterende stersaffier, whiskykleurig tegen een effen zwart veld. Afkomstig uit Sri Lanka en bijzonder duur. Dat wist hij, want hij had hem zelf gekocht.

Plotseling klonk er een scherpe toon door de ruimte. 'Hartstilstand!' riep een verpleegkundige.

Even was de arts verlamd door afgrijzen en kil ongeloof. Deguello had een stap opzij gedaan naar een van de coassistenten en nu zag hij het gezicht van de vrouw: donker haar, aan haar hoofd vastgekoekt en verward; wijd open, nietsziende ogen; mond en neus onzichtbaar door de beademingsapparatuur.

Zijn droge lippen bewogen. 'Jennifer,' bracht hij uit.

'Geen hartslag meer!' riep de verpleegkundige.

'Lidocaïne!' riep Corbin. 'Lido! Nú!'

En plotseling, even snel als ze was opgekomen, viel de verlamming van hem af. De arts draaide zich om naar een verpleegkundige van de afdeling, die vlak achter hem stond. 'Defib!' riep hij.

Ze rende naar de hoek van het kamertje en kwam terug met het karretje. 'Hij is al aan het opladen.'

Er kwam een coassistent aanlopen; hij injecteerde de lidocaïne en deed een stap achteruit. De arts greep de peddels; hij kon zijn handen amper stilhouden. Dit kon niet waar zijn. Dit moest een droom zijn, een nachtmerrie. Dadelijk zou hij wakker worden in de kantine, schuin in zijn stoel hangend, een ronkende Deguello in de stoel naast hem.

'Opgeladen!' riep de verpleegkundige.

'Bed los!' De arts hoorde de wanhopige klank in zijn eigen stem. De anderen lieten het bed los; hij plaatste de peddels op haar ontblote, bloederige borstkas, en drukte de knop in. Jennifers lichaam maakte een stuiptrekking en viel terug op de tafel.

'Niets!' riep de verpleegkundige bij de beeldschermen.

'Opladen!' riep hij. Een nieuwe pieptoon, zacht maar onafgebroken, mengde zich in de kakofonie.

'Hypovolemische shock,' mompelde Deguello. 'We hadden geen schijn van kans.'

Wat weten zij er nou van, dacht de dokter, alsof hij mijlen ver weg was.

Wat snappen zij er nou helemaal van. Hij voelde een eerste traan langs zijn wang biggelen.

'Opgeladen!' zei de verpleegkundige met de defibrillator.

Weer plaatste hij de peddels op Jennifers borstkas. Weer bokte haar ontzielde lichaam de lucht in.

'Geen reactie,' rapporteerde de coassistent naast hem.

'Dat is het dan,' zei Corbin met een zucht. 'Ik vrees dat je haar dood moet verklaren, Ethan.'

Maar de dokter smeet zijn peddels weg en begon met hartmassage. Hij voelde haar lichaam, koel en zonder enige reactie, traag meedeinen met zijn felle bewegingen.

'Pupillen star en verwijd,' zei de verpleegkundige.

Maar de arts lette niet op haar en ging door met zijn hartmassage, steeds ruwer en wanhopiger.

De geluiden in het hokje, die tot dan toe steeds koortsachtiger hadden geklonken, begonnen weg te sterven. 'Het hart doet absoluut niets,' zei de verpleegkundige.

'Je kunt er beter mee ophouden,' zei Corbin.

'Nee!' riep de arts.

Iedereen draaide zich om bij de klank van wanhoop in zijn stem.

'Ethan?' vroeg Corbin onzeker.

Maar in plaats van antwoord te geven, barstte de dokter in tranen uit.

Alles en iedereen viel stil; sommigen keken hem niet-begrijpend aan, anderen wendden gegeneerd hun blik af. Iedereen, behalve een van de co-assistenten, die de deur opendeed en woordeloos de gang in liep. De dokter, nog in tranen, wist waar hij naartoe ging. Hij ging een laken halen.

1

Drie jaar later

Hij was opgegroeid in Westport en doceerde momenteel aan Yale; Jeremy Logan dacht dus dat hij Connecticut, de staat waarin hij geboren was, wel zo'n beetje kende. Maar de omgeving waar hij nu doorheen reed, was geheel nieuw voor hem. Hij was begonnen in Groton en had de aanwijzingen opgevolgd die hij per e-mail had ontvangen. Hij was de US1 op gereden en had net voorbij Stonington de US1 Alternate genomen. De weg liep vlak langs de grijze kustlijn van de Atlantische Oceaan. Hij was langs Wequetequock gereden, over een brug die even oud leek te zijn als New England zelf, en was na een scherpe bocht naar rechts op een keurig geplaveide weg zonder naambordje beland. Plotseling had hij de bescheiden winkelcentra en motelletjes achter zich gelaten. Hij passeerde een slaperige inham met kreeftenboten die voor anker lagen te soezen, en reed een al even slaperig gehucht binnen. En toch was het een echt dorpje, met alles erop en eraan: een supermarkt, een winkel met vissersbenodigdheden en een protestants kerkje met een toren die drie maten te groot was, en huizen van grijze planken met keurige, witgeschilderde tuinhekjes. Er waren geen enorme terreinwagens te bekennen; de paar mensen die op bankjes zaten of uit hun ramen hingen, wuifden naar hem. De zon scheen helder op die middag in april, en er stond een fris, pittig briesje. Volgens een uithangbord aan het deurkozijn van het postkantoor bevond hij zich in Pevensey Point, inwoneraantal 182. Het gehucht had iets wat hem sterk deed denken aan Herman Melville.

'Karen,' zei hij, 'als je het hier gezien had, hadden we nooit een zomerhuisje in Hyannis gekocht.'

Hoewel zijn vrouw al jaren geleden aan kanker was overleden, vond Logan dat hij best af en toe nog met haar mocht praten. Het was natuurlijk meestal – zij het niet altijd – eerder een monoloog dan een echt ge-

13

sprek. Eerst had hij gezorgd dat hij het alleen deed als hij zeker wist dat niemand hem horen kon. Maar later, toen wat als een soort intellectuele hobby begonnen was gaandeweg steeds meer een beroep werd, nam hij niet meer de moeite zo discreet te doen. Gezien de manier waarop hij zijn brood verdiende, verwachtten de mensen dat hij ietwat eigenaardig was.

Drie kilometer buiten het dorpje, precies zoals in zijn routebeschrijving stond, liep een smal weggetje naar rechts. Logan sloeg af en bevond zich in een bos op een zandbodem: iele dennen die algauw plaatsmaakten voor donkere zandduinen. Die kwamen op hun beurt uit bij een metalen brug naar een laag, breed uitgestoeld eiland in de Fishers Island-zeestraat. Zelfs van die afstand zag Logan dat er minstens een tiental bouwsels op het eiland stond, allemaal opgetrokken uit dezelfde roodbruine steen. In het midden stonden drie grote gebouwen met vier verdiepingen. Ze leken nog het meest op barakken en stonden als dominostenen naast elkaar. Aan de achterzijde van het eiland, deels onzichtbaar achter de bebouwing, lag een verlaten landingsbaan. En daar weer achter lagen de oceaan en de donkergroene streep van Rhode Island.

Logan legde de laatste anderhalve kilometer af en stopte bij een brugwachtershuisje voor de brug. Hij hield de bewaker in het huisje de uitgeprinte e-mail voor. Met een glimlach wuifde de man hem verder. Naast het huisje stond een bord, onopvallend maar duur ogend, met het opschrift CTO.

Hij stak de brug over, passeerde een eerste bijgebouw en reed het parkeerterrein op. Dat laatste was verrassend groot: er stonden al minstens vijftig auto's, en er was ruimte voor nog eens zo veel. Hij manoeuvreerde zich een open plek op en zette de motor uit. Maar in plaats van uit te stappen bleef hij even zitten om het e-mailtje een laatste keer te lezen.

Jeremy,

Fijn dat je de uitnodiging aanneemt; dat is een hele opluchting. En dank voor je flexibiliteit: zoals ik al zei, valt voorlopig onmogelijk te zeggen hoe lang je onderzoek in beslag zal nemen. Hoe dan ook krijg je een honorarium voor minstens twee weken tegen het door jou opgegeven tarief. Sorry dat ik vooralsnog niet meer kan vertellen, maar daar ben je waarschijnlijk wel aan gewend. En ik moet zeggen dat ik me erop verheug je na al die tijd weer te zien.

Hieronder volgt de routebeschrijving naar het Centrum. Ik verwacht je op 18 april in de ochtend, ergens tussen tien en twaalf. Nog één ding: als je eenmaal aan het project begonnen bent, zul je misschien niet makkelijk naar buiten kunnen bellen, dus zorg alsjeblieft dat je je zaken regelt voordat je hier arriveert. Tot de achttiende!

Vriendelijke groeten,

E. R.

Logan keek op zijn horloge: halftwaalf. Hij draaide het briefje nog eens in zijn handen om. … *zul je misschien niet makkelijk naar buiten kunnen bellen.* Waarom zou dat zijn? Waren telefoontorens misschien niet doorgedrongen tot het schilderachtige Pevensey Point? Maar goed, wat er in de e-mail stond, klopte: die geheimzinnigheid, daar was hij inderdaad aan gewend. Hij pakte zijn weekendtas van de rechter stoel, borg het briefje erin op en stapte uit.

De receptie was gevestigd in een van de centraal gelegen, barakachtige gebouwen. Het was een eenvoudig ingerichte ruimte die Logan deed denken aan een ziekenhuis of kliniek: een handvol lege stoelen, tafeltjes met tijdschriften en vakbladen, een aantal nietszeggende olieverfschilderijen aan de beige muren, en één enkel bureau, waarachter een vrouw van in de dertig zat. Achter haar was een reliëf in de muur aangebracht met de letters CST, maar ook hier was niets wat erop duidde waar de afkorting voor kon staan.

Logan noemde zijn naam, en ze keek hem met een mengeling van nieuwsgierigheid en onbehagen aan. Hij nam plaats in een van de onbezette stoelen en verwachtte een hele tijd te moeten wachten. Maar zodra hij een recent nummer van *Harvard Medical Review* had gepakt, ging een deur tegenover de receptiebalie open en kwam Ethan Rush tevoorschijn.

'Jeremy,' zei Rush, terwijl hij met een brede glimlach zijn hand uitstak. 'Dank je wel voor je komst.'

'Ethan,' antwoordde Logan, en hij schudde de uitgestoken hand. 'Goed om je te zien.'

Hij had Rush niet meer gezien sinds hun dagen aan Johns Hopkins, meer dan vijftien jaar geleden; hij was toen bezig geweest met promotieonderzoek, Rush was student geneeskunde. Maar de man die nu voor hem stond, zag er nog opvallend jeugdig uit. Een netwerk van fijne kraaienpootjes was het enige teken dat er jaren verstreken waren. Maar alleen al door Ethans hand te schudden kreeg Logan twee heel sterke indrukken van hem: een verpletterende gebeurtenis die zijn leven had veranderd, en een niet-aflatende, bijna obsessieve toewijding aan de een of andere zaak.

Dr. Rush keek om zich heen. 'Heb je je bagage bij je?'

'In de kofferbak van mijn auto.'

'Geef me de sleuteltjes maar, dan zorg ik dat iemand hem ophaalt.'

'Het is een Lotus Elan s4.'

Rush floot. 'De roadster? Welk jaar?'

'1968.'

'Schitterend. Ik zal zeggen dat ze hem met zijden handschoenen moeten aanpakken.'

Logan groef in zijn zak en gaf de sleutels aan Rush, die ze op zijn beurt met enkele gefluisterde instructies aan de receptioniste gaf. Daarna draaide hij zich om en gebaarde dat Logan hem de open deur door moest volgen.

Rush nam de lift naar de bovenste verdieping en ging Logan voor door een lange gang waar het vaag naar schoonmaakmiddelen en chemicaliën rook. De gelijkenis met een ziekenhuis werd sterker – maar dan een ziekenhuis zonder patiënten; de paar mensen die ze zagen hadden normale kleding aan, liepen gewoon rond en zagen er gezond uit. Nieuwsgierig keek Logan naar binnen door de open deuren die ze passeerden. Hij zag vergaderkamers, een grote, verlaten collegezaal met minstens honderd zitplaatsen; laboratoria vol apparatuur; iets wat een bibliotheek voor vakliteratuur leek, vol ingenaaide vakbladen en computerterminals. Vreemder vond hij een aantal schijnbaar identieke kamertjes, elk met een smal bed en letterlijk tientallen, misschien wel honderden, kabeltjes die van het bed naar een batterij bewakingsapparatuur liepen. Andere deuren waren dicht, met gordijntjes voor de kleine raampjes. Ze passeerden een stel mannen en vrouwen in witte laboratoriumjassen in de gang, die naar Logan keken en naar Rush knikten.

Ze bleven staan voor een deur met het opschrift DIRECTEUR; Rush opende hem en wenkte Logan via een halletje waarin twee secretaresses en een groot aantal boekenkasten om ruimte streden, een privékantoor binnen. De ruimte was smaakvol ingericht, met een minimalisme dat even opvallend was als de bomvolle administratieve ruimte daarvoor. Aan drie van de wanden hingen sobere postmodernistische schilderijen in koele blauw- en grijstinten; de vierde muur leek geheel van glas te zijn, op dat moment afgedekt met jaloezieën.

Midden in de kamer stond een teakhouten tafel, glanzend opgewreven, met twee leren stoelen. Rush nam plaats in de ene, en gebaarde Logan naar de andere.

'Kan ik je iets aanbieden?' vroeg de directeur. 'Koffie, thee, mineraalwater?'

Logan schudde zijn hoofd.

Rush sloeg zijn ene been over het andere. 'Jeremy, ik moet eerlijk zijn. Ik wist niet zeker of je de opdracht zou willen aannemen; je hebt het tenslotte vreselijk druk, en ik heb niet bepaald veel losgelaten.'

'Je wist niet of ik het zou doen, ondanks het honorarium dat ik vraag?'

Rush glimlachte. 'Het is inderdaad een behoorlijke gage. Maar goed, jouw werk heeft de laatste tijd ook behoorlijk, eh, wat aandacht getrokken.' Hij aarzelde. 'Hoe noem jij jouw beroep ook weer?'

'Ik ben enigmatoloog.'

'Juist, ja. Enigmatoloog.' Rush wierp een nieuwsgierige blik op Logan. 'En klopt het dat je het bestaan van het monster van Loch Ness hebt kunnen documenteren?'

'Dan zou je contact moeten opnemen met mijn opdrachtgever, en voor die opdracht was dat de Universiteit van Edinburgh.'

'Inderdaad, dat was geen gepaste vraag.' Rush zweeg even. 'En over universiteiten gesproken, jij bént toch hoogleraar?'

'Geschiedenis. Aan Yale.'

'En wat vinden ze bij Yale van jouw andere bezigheden?'

'Bekendheid is nooit een probleem. Helpt om grote aantallen nieuwe studenten te werven.' Logan keek om zich heen. Hij had al vaak gemerkt dat nieuwe opdrachtgevers het liefst praatten over zijn eerdere successen. Daarmee konden ze het gesprek over hun eigen probleem uitstellen.

'Ik herinner me dat… onderzoek van je aan het Peabody-instituut en in het lab voor Toegepaste Fysica, toen we nog studeerden,' merkte Rush op. 'Wie had kunnen denken dat het uiteindelijk hierop zou uitlopen?'

'Nou, ik al helemaal niet.' Logan ging even verzitten. 'Zou je me dan nu misschien willen vertellen wat CTO betekent? Ik zie niets wat ook maar enige aanwijzing geeft.'

'We geven niet veel ruchtbaarheid aan ons werk. CTO staat voor Centrum voor Transmortaliteitsonderzoek.'

'Transmortaliteitsonderzoek,' herhaalde Logan.

Rush knikte. 'Mijn bedrijf; ik heb het twee jaar geleden opgericht.'

Logan keek hem verbaasd aan. 'Heb jij dit Centrum opgericht?'

Rush haalde diep adem. Zijn gezicht kreeg een grimmige uitdrukking. 'Kijk, Jeremy, het zit zo. Iets meer dan drie jaar geleden had ik dienst op de SEH toen mijn vrouw Jennifer per ambulance binnengebracht werd. Ze had een zwaar auto-ongeluk gehad en was volledig onbereikbaar. We hebben alles geprobeerd – hartmassage, peddels – maar het was hopeloos. Het vreselijkste moment van mijn leven. Daar stond ik dan: niet alleen had ik mijn eigen vrouw niet kunnen redden... maar ik moest haar nog dood verklaren ook.'

Logan schudde meelevend zijn hoofd.

'Alleen, ik kon het niet. Ik kon me er niet toe zetten. Tegen het advies van de aanwezige artsen in ging ik door met vergaande reddingspogingen.' Hij leunde voorover. 'En, Jeremy – ze haalde het. Uiteindelijk heb ik haar weten te reanimeren, op het moment dat er veertien minuten lang geen enkele hersenactiviteit was geweest.'

'Hoe heb je dat voor elkaar gekregen?'

Rush spreidde zijn handen. 'Het was een wonder. Althans, zo leek het op dat moment. Het was de verbijsterendste ervaring die je je kunt indenken. Een onthulling, mijn leven is sindsdien niet meer hetzelfde geweest. Dat ik haar had kunnen terughalen, terwijl ze op het randje had gestaan...' Hij zweeg even. 'Op dat moment vielen de schellen me van de ogen. Plotseling werd me duidelijk wat ik met mijn leven moest doen. Ik verliet Rhode Island Hospital en mijn praktijk als anesthesioloog, en sindsdien heb ik bijna-doodervaringen bestudeerd.'

Dat was dus die verpletterende gebeurtenis, dacht Logan. Hardop zei hij: 'Onderzoek naar transmortaliteit dus. Naar mensen die klinisch dood zijn geweest en zijn teruggekomen.'

'Precies. Ik heb de verschillende manifestaties in kaart gebracht, geprobeerd het fenomeen te analyseren en in een code te vervatten. Je staat ervan te kijken hoeveel mensen bijna-doodervaringen hebben gehad, Jeremy. En vooral, hoe groot de overeenkomsten tussen die ervaringen zijn. Als je eenmaal aan de rand van die afgrond hebt gestaan, ben je daarna nooit meer dezelfde. Zoals je zult begrijpen is dit iets wat je je leven lang bij blijft – en je nabije omgeving ook.' Hij maakte een handgebaar naar zijn kantoor. 'Het kostte vrijwel geen moeite om geld bijeen te brengen voor het Centrum, voor dit alles. Massa's mensen met een bijna-doodervaring zijn hartstochtelijk geïnteresseerd in het delen van hun ervaringen, en ze willen graag meer weten over wat die ervaringen kunnen betekenen.'

'Wat gebeurt hier dus precies?' vroeg Logan.

'In wezen zijn we een kleine gemeenschap van artsen en onderzoekers – voor het merendeel met familieleden of vrienden die "over" zijn. Mensen die een BDE hebben gehad, worden uitgenodigd hier een paar weken of maanden te bivakkeren zodat we precies kunnen documenteren wat er met hen is gebeurd, en zodat we een reeks tests kunnen afnemen.'

'Tests?' informeerde Logan.

Rush knikte. 'Hoewel we nog maar anderhalf jaar echt volop draaien, is er al behoorlijk wat onderzoek verricht. En we hebben het een en ander ontdekt.'

'Maar, zoals je zegt, dat hang je voorlopig niet aan de grote klok.'

Rush glimlachte. 'Je kunt je wel indenken wat de brave burgers van Pevensey Point zouden zeggen als ze precies wisten wie de voormalige trainingsbasis van de kustwacht had overgenomen, of waarom.'

'Inderdaad.' Ze zouden zeggen dat je het lot tart, dacht hij. Dat je zit te knoeien met mensen die uit de dood zijn opgestaan. Nu begon hij enig idee te krijgen waarom zijn eigen kennis was ingeroepen. 'En wat doen jullie precies waarbij ik jullie kan helpen?'

Even gleed er een blik van verbazing over Rush' gezicht. 'O, dan begrijp je me verkeerd. Hier niets.'

Logan aarzelde. 'Dat klopt – ik begrijp het inderdaad niet. Als je probleem niet hier is, waarom heb je me dan laten komen?'

'Sorry dat ik zo ontwijkend doe, Jeremy. Ik kan je meer vertellen als je eenmaal aan boord bent.'

'Maar ik bén al aan boord. Daarvoor ben ik hier.'

Als enige reactie stond Rush op. Hij liep naar de muur met het gordijn ervoor. 'Nee.' En met één ruk trok hij het gordijn weg, zodat er een glazen wand zichtbaar werd. Daarachter lag de startbaan die Logan bij aankomst al was opgevallen. Maar nu merkte hij dat de baan bij nader inzien niet verlaten was: er stond een LearJet NXT op, rank en glanzend in het middaglicht. Rush stak er een vinger naar uit.

'Als je dáár aan boord bent,' zei hij.

2

Er waren vijf mensen aan boord van het vliegtuig: een tweekoppige bemanning, Logan, Rush en een CTO-medewerker met twee laptops en een aantal mappen vol met, zo te zien, testuitslagen. Na het opstijgen excuseerde Ethan Rush zich. Hij liep naar achteren om met zijn medewerker te overleggen. Logan viste het laatste nummer van *Nature* uit zijn tas en bladerde erdoorheen, op zoek naar nieuwe ontdekkingen of opzienbarende zaken die hem professioneel gezien konden interesseren. Even later legde hij met een slaperig gevoel het blad weg en sloot zijn ogen voor een dutje van vijf of tien minuten. Maar toen hij wakker werd, was het buiten donker en had hij dat gedesoriënteerde gevoel dat je krijgt als je lang en diep geslapen hebt. Het vliegtuig was aan het dalen. Rush zat aan de andere kant van het gangpad naar hem te kijken.

'Waar zijn we?' vroeg Logan.

'We komen net aan op Heathrow.' Hij knikte naar de medewerker die nog achter in het toestel zat. 'Sorry voor daarstraks – net als jij wist ik ook niet hoe lang ik weg zal zijn, en er lag nog wat werk dat niet kon wachten tot ik terug ben.'

'Geen probleem.' Logan tuurde naar buiten, waar de lichtjes van Londen zich als een enorme gele deken beneden hen uitstrekten. 'Is dat onze bestemming?'

Rush schudde zijn hoofd, en glimlachte. 'Weet je, ik vond het best grappig, zoals jij zonder ook maar één vraag instapte. Ik dacht dat je tenminste éven verbaasd zou zijn.'

'In mijn beroep ben je continu op reis. Ik heb altijd mijn paspoort bij me.'

'Ja, dat heb ik gelezen in een interview met jou. Daarom heb ik je ook niet gevraagd het mee te nemen.'

'Het afgelopen halfjaar ben ik bijna eens per maand in het buitenland geweest: Sri Lanka, Ierland, Monaco, Peru, Atlantic City.'

'Atlantic City is geen buitenland.' Rush lachte.

'Zo voelde het anders wel.'

Na de landing taxieden ze naar een particuliere hangar, waar de CTO-medewerker met de laptops en de dossiermappen van boord ging om een lijnvlucht terug te nemen naar New York. Rush en Logan gebruikten een licht avondmaal terwijl de jet werd volgetankt. Toen ze weer in de lucht zaten, kwam Rush met een zwartleren aktetas in zijn hand naast Logan zitten.

'Ik ga je een foto laten zien,' zei hij. 'Ik denk dat je dan zult begrijpen waarom we zo geheimzinnig moesten doen.' Hij drukte op de sluiting van de tas en opende hem op een kier. Hij rommelde erin rond, haalde er een *Fortune* uit en liet die even aan Logan zien.

Op de omslag stond een portretfoto van een man van in de vijftig met een middenscheiding in zijn dikke, vroegtijdig witte haar: een eigenaardig anachronisme dat Logan deed denken aan een negentiende-eeuwse leerling van een dure Engelse kostschool, Eton of Harrow of Sandhurst. De man was mager, en die indruk werd nog versterkt door de belichting van de foto. De zachte, bijna vrouwelijke contouren van zijn gezicht stonden in scherp contrast met de ongewoon getaande huid, alsof hij jaren was blootgesteld aan zon en zilte lucht, en hoewel hij niet glimlachte, lag er een licht geamuseerde blik in de blauwe ogen waarmee hij naar de camera keek, alsof hij een binnenpretje had dat hij niet met de rest van de wereld zou delen.

Logan herkende het gezicht – en zoals Rush had gezegd: plotseling werd een groot deel van het mysterie begrijpelijk. Dit was het gezicht van H. Porter Stone, zonder enige twijfel de beroemdste, en verreweg de rijkste, schatjager ter wereld. Hoewel 'schatjager' waarschijnlijk geen eerlijke term was, bedacht Logan: Stone had archeologie gestudeerd en had dit vak zelfs aan UCLA onderwezen voordat hij twee schepen had ontdekt van de Spaanse Zilvervloot, die in 1648 waren gezonken in internationale wateren. Door de vondst van die schepen, vol zilver, goud en edelstenen, vanuit de koloniën op weg terug naar Spanje, was Stone niet alleen van het ene moment op het andere steenrijk geworden, maar ook wereldberoemd. Die roem nam alleen nog maar toe door zijn daaropvolgende ontdekkingen: een Inca-mausoleum en een schat, verborgen in een bergpas op dertig kilometer van Machu Picchu; daarna een immense berg zeepstenen beeldjes van vogels, dieren en menselijke figuren onder een heu-velcomplex in de vroegste ruïnes van Groot-Zimbabwe. En nog meer ont-dekkingen hadden elkaar in rap tempo opgevolgd. Wat voor eeuwenoude beschaving, vroeg de kop op de omslag van het tijdschrift, gaat hij hierna plunderen?

'Daar gaan we naartoe?' vroeg Logan ongelovig. 'Gaan we schatjagen? Gaan we naar een archeologische opgraving?'

Rush knikte. 'Een beetje van allebei, kan ik wel zeggen. Stones jongste project.'

'Wat is dat?'

'Dat wordt heel binnenkort duidelijk.' En Rush opende het koffertje weer. Toen Logan even die kant uitkeek, zag hij de arts het tijdschrift on-der een dun stapeltje papieren steken. Hij ving een glimp op, meer niet, maar toch zag Logan dat de papieren overdekt waren met wat volgens hem hiëroglifen waren.

Rush klapte het koffertje dicht. 'Ik kan je wel alvast vertellen dat dit zijn grootste expeditie ooit is. En tevens de geheimste. Niet alleen moeten we als gebruikelijk onder de radar blijven, maar er zijn ook enkele... onge-bruikelijke logistieke kwesties.'

Logan knikte. Hij was niet verbaasd: Stones expedities hadden steeds meer publiciteit gekregen. Ze trokken vaak heel veel aandacht, zowel van een nieuwsgierige pers als van profiteurs. Tegenwoordig hield Stone niet meer zelf toezicht op het werk maar stond hij bekend als kluizenaar en leidde hij de expedities op afstand, vaak van de andere kant van de wereld. 'Ik moet het vragen. Wat heb jij hier precies mee te maken? Het kan niets van doen hebben met jouw Centrum: degenen voor wie Stone belangstel-ling heeft, zijn beslist dood. Al eeuwen.'

'Ik ben als arts aan de expeditie verbonden. Maar ik heb zelf ook, recht-streeks, belangstelling.' Rush aarzelde. 'Kijk, ik wil geen dingen voor je ver-zwijgen. Maar er zijn nu eenmaal dingen die je pas gewaar kunt worden als we vaste grond onder de voeten hebben, als we ter plekke zijn. Maar ik kan al wel zeggen dat bij deze opgraving de afgelopen week bepaalde, eh, eigen-aardige aspecten aan het licht zijn gekomen. En daar kom jij in het spel.'

'Oké. Dan een vraag die je misschien wel kunt beantwoorden. Toen we bij jou op kantoor zaten, zei je dat je voor de oprichting van het Centrum anesthesioloog was geweest. Maar als dat zo is, wat deed jij dan op de SEH, die dag dat je vrouw binnengebracht werd? Dat had al jaren achter je moe-ten liggen.'

De glimlach op Rush' gezicht vervaagde. 'Die vraag heb ik ik weet niet hoe vaak gehoord. Althans, vóór Jennifers BDE. Ik heb altijd een ontwijkend antwoord gegeven, de paljas uitgehangen. Weet je wat het is, Jeremy, ik ben opgeleid als SEH-specialist. Maar op de een of andere manier kon ik er niet aan wennen als mensen doodgingen.' Hij schudde zijn hoofd. 'Ironisch, nietwaar? O, natuurlijke oorzaken kon ik wel aan: kanker en longontsteking en nierfalen. Maar een plotselinge, gewelddadige dood...' Zijn stem stierf weg.

'Dat is inderdaad niet handig voor een SEH-arts,' antwoordde Logan.

'Precies. Die angst voor de dood – voor omgaan met de dood, bedoel ik – is de reden waarom ik van specialisme ben veranderd, waarom ik anesthesioloog ben geworden in plaats van SEH-arts. Maar het bleef door mijn hoofd spoken. Weglopen had geen zin: ik móést in staat zijn de dood in de ogen te kijken. Dus om in vorm te blijven draaide ik om de twee weken een dienst op de SEH. Een soort haren hemd, zeg maar.'

'Doet me denken aan Mithridates,' zei Logan.

'Wie?'

'Koning Mithridates VI van Pontus. Die leefde in voortdurende angst voor vergiftiging. Dus probeerde hij zichzelf te harden door dagelijks een niet-dodelijke dosis gif in te nemen, tot zijn lijf eraan was gewend.'

'Gif innemen om er immuun voor te worden,' zei Rush. 'Dat lijkt inderdaad wel op wat ik aan het doen was. Maar goed, na de ervaring met mijn vrouw ben ik helemaal opgehouden als arts en heb ik de kliniek opgericht. Ik heb mijn weerzin tegen de dood geaccepteerd en getracht er een positieve invulling aan te geven: ik bestudeer diegenen die aan zijn klauwen zijn ontkomen.'

'Maar, sorry dat ik het vraag: waarom richt je daarvoor een eigen kliniek op? Volgens mij is er al een aantal organisaties dat bijna-doodervaringen onderzoekt. Er zijn studenten die afstuderen op BDE's en "bewustzijnsstudies".'

'Dat is zo. Maar geen van die organisaties is zo groot, of zo gecentraliseerd, of zo gefocust als CTO. En bovendien hebben we onze activiteiten uitgebreid naar een aantal hoogst uitzonderlijke onderzoeksgebieden.'

Hij excuseerde zich en Logan draaide zich om naar het raampje, dat uitkeek op de duisternis. Het was een heldere nacht en na een korte blik op de sterrenbeelden wist hij dat ze, zoals hij al vermoed had, in oostelijke richting reisden. Maar waarnaartoe precies? Porter Stone had in het verleden expedities georganiseerd naar alle uithoeken van de aarde: Peru, Tibet, Cambodja, Marokko. De man was een soort wetenschappelijke Midas: hij boekte opmerkelijke successen, en het leek wel of ieder project dat hij ondernam inderdaad in goud veranderde.

Logan dacht even aan de aktetas en aan de vellen papier vol hiëroglieffen. Hij deed zijn ogen dicht.

Toen hij weer wakker werd, begon de dageraad net de hemel in te kruipen. Hij rekte zich uit, ging verzitten en tuurde opnieuw uit het raampje. Bij het vage licht zag hij beneden zich een brede, bruine rivier met smalle stroken groen langs beide oevers. Daarachter lag een droog, kaal landschap. Plotseling verstarde hij. Daar, aan de horizon, zag hij een onmiskenbare, monolithische vorm: een piramide.

'Als ik het niet dacht,' fluisterde hij.

Rush zat aan de andere kant van het middenpad. Hij hoorde de woorden en keek op.

'We zijn in Egypte,' zei Logan.

Rush knikte.

Ondanks een zorgvuldig aangekweekte stoïcijnse houding voelde Logan een huivering van opwinding. 'Ik heb altijd al een keer in Egypte willen werken.'

Rush zuchtte – half geamuseerd, half, misschien, spijtig. 'Sorry dat ik u moet teleurstellen, dr. Logan,' zei hij. 'Maar ik vrees dat het toch iets ingewikkelder in elkaar zit.'

3

Logan was nog maar één keer eerder in Caïro geweest, toen hij als student onderzoek deed naar de manoeuvres van de Friese soldaten tijdens de Vijfde Kruistocht. En terwijl ze over de snelweg van het vliegveld naar de stad reden, kreeg hij de indruk dat alle auto's die hij twintig jaar eerder had gezien, nog steeds op de weg waren. Stokoude Fiatjes en Mercedessen vol deuken en met kapotte koplampen verdrongen elkaar koortsachtig om maar vooraan te komen en creëerden hun eigen rijbanen met een snelheid van negentig kilometer per uur. Ze passeerden aftandse, roestige bussen vol mensen die precair uit open gaten puilden waar deuren hadden moeten zitten. Nu en dan ving Logan een glimp op van ultramoderne Europese modellen, blinkend gepoetst en bijna onveranderlijk zwart. Maar op die paar uitzonderingen na leek het snelwegverkeer één groot, koortsachtig anachronisme, een tijdscapsule uit een eerdere periode.

Logan en Rush zaten achter in de auto zwijgend naar buiten te kijken. Logans bagage was in het vliegtuig achtergebleven. De chauffeur, een plaatselijke inwoner met een Renaultje dat maar weinig jonger leek dan de overige auto's op de weg, had zich geroutineerd een weg gezocht door het doolhof van wegen naar de luchthaven en reed nu de binnenstad van Caïro binnen. Logan zag een eindeloze opeenvolging van vrijwel identieke blokvormige cementen gebouwen, mosterdgeel geschilderd en een zestal verdiepingen hoog. Op de meeste balkons hingen kleren te drogen; voor de ramen zat canvas zonwering met daarop een overweldigend aantal reclames. De platte daken waren gepavoiseerd met satellietschotels, en tussen de gebouwen was een talloos aantal kabels gespannen. Er hing een vaaloranje nevel over het hele tafereel. De zon scheen genadeloos en nietaflatend. Logan stak zijn hoofd uit het wijd open raampje en hijgde in de met diesel bezwangerde lucht.

'Eenentwintig miljoen mensen,' zei dr. Rush met een blik zijn richting uit. 'Opgepropt op ruim tweehonderd vierkante kilometer stad.'

'Maar als Egypte niet onze bestemming is, waarom zijn we hier dan?'

'Dit is maar een tussenstop. Heel binnenkort vliegen we verder.'

Naarmate ze het stadscentrum naderden en de snelweg plaatsmaakte voor provinciewegen, werd het nog drukker op de weg. In Logans ogen leek ieder kruispunt nog het meest op de nadering van de Lincoln-tunnel in New York: tien auto's die allemaal hun best deden zich samen te persen in één of twee rijbanen. Voetgangers dromden vanaf de stoep het wegdek op en maakten gebruik van de file om lukraak over te steken, waarbij ze de auto's op luttele centimeters misten. Op de een of andere manier raakte niemand ernstig gewond. In het centrum van de stad waren de gebouwen niet hoger, maar was de architectuur interessanter en deed eigenaardig genoeg denken aan de Rive Gauche in Parijs. Er kwam steeds meer beveiliging in beeld: in hokjes op kruispunten stonden agenten in zwart uniform; hotels en warenhuizen gingen schuil achter betonnen barricades om autobommen te voorkomen. Ze passeerden de Amerikaanse ambassade, een burcht die stekelig zag van de .50-kaliber geweerlopen.

Een paar minuten later remde de auto plotseling, en stopte. 'We zijn er,' zei Rush, terwijl hij zijn portier opende.

'Waar zijn we?'

'Het Museum van Egyptische Oudheden.' En daarmee stapte Rush de auto uit.

Logan volgde, zorgvuldig het contact met de massa mensenlijven mijdend en de auto's ontwijkend die zo dicht langsreden dat de stof van zijn shirt ervan opbolde. Hij keek op naar de indrukwekkende gevel van rozekleurige steen aan de overkant van het plein. Ook hier was hij bij zijn afstudeerproject geweest. De prikkeling van opwinding die hij voor het eerst aan boord van het vliegtuig had gehoord werd sterker.

Ze staken het plein over, onderweg souvenirverkopers afwerend die fluorescerende piramides en speelgoedkamelen op batterijen ventten: Logan voelde zich van alle kanten gebombardeerd met salvo's staccato Arabisch. Ze passeerden een koppel bewakers bij de hoofdingang. Net voordat ze naar binnen gingen hoorde Logan een stem, knetterend door de luidsprekers, boven het verkeerslawaai en het gekakel van chartertoeristen uit: de roep van de muezzin in de plaatselijke moskee aan de overkant van het Tahrirplein die de gelovigen opriep tot het gebed. Terwijl hij even bleef staan om te luisteren hoorde Logan hoe de roep werd overgenomen door een tweede moskee, een derde, tot de roep zich met een doppler-effect steeds verder uitbreidde en uiteindelijk over de hele stad leek te weergalmen.

Hij voelde iets aan zijn elleboog trekken. Het was Rush. Hij draaide zich om en stapte naar binnen.

Ondanks het vroege uur was het al druk in het eeuwenoude gebouw, maar de zwetende massa's hadden de stenen wandelgangen nog niet opgewarmd. Na het schelle zonlicht leek het binnen in het museum pikdonker. Ze liepen langs talloze beelden en stenen tafels de begane grond door. Overal hingen bordjes met waarschuwingen tegen cameragebruik en het aanraken van de kunstvoorwerpen, maar Logan zag dat een groot aantal tentoongestelde schatten nog steeds niet in hermetisch afgesloten vitrines stond, maar aan de openlucht was blootgesteld en tekenen vertoonde van vele, vele aanrakingen. Toen ze de laatste gang door waren, klommen ze een brede trap op naar de eerste verdieping. Hier stonden rijen en nog eens rijen sarcofagen op stenen plinten als evenzovele bewakers van de schaduwwereld. Langs de wanden stonden glazen vitrinekasten met grafobjecten van goud en faience, de vitrines afgesloten met simpele zegels van lood en metaaldraad.

'O, mag ik even naar de grafgiften van Ramses III kijken?' vroeg Logan met een gebaar naar een van de deuren. 'Volgens mij liggen die dáár. Ik las onlangs in de *Journal of Antiquarian Studies* over een bepaalde albasten canope waarin ze…'

Maar Rush glimlachte verontschuldigend en gebaarde naar zijn horloge: ze moesten opschieten.

Ze liepen naar een tweede trap, smaller en zonder leuning, en klommen naar de volgende verdieping. Hier was het veel rustiger en stonden de collecties die eerder voor onderzoek waren bestemd: stelae met inscripties en fragmenten vergeelde, verkruimelende papyri. Het was er schemerig, en de muren zaten onder het vuil. Eenmaal bleef Rush staan om op een plattegrondje te kijken dat hij uit zijn zak had gehaald, een met de hand getekend vodje.

Logan tuurde nieuwsgierig door de halfopen deuren naar binnen. Hij zag stapels papyrusrollen, hoog opgetast in nissen die van de vloer tot aan het plafond liepen, als evenzovele wijnflessen in een professionele wijnkelder. Een ander vertrek bevatte een verzameling maskers van goden uit het oude Egypte: Set, Osiris, Thoth. Het enorme aantal voorwerpen en onbetaalbare schatten, het gewicht van zo veel oudheid, waar je maar keek, was bijna deprimerend.

Ze sloegen een hoek om en Rush bleef staan voor een gesloten houten deur met een opschrift in gouden letters, zo verschoten dat de woorden bijna onleesbaar waren: ARCHIEVEN III – TANIS – SEHEL – FAYUM. Rush wierp een korte blik op Logan, keek even – althans zo leek het – over zijn schouder de verlaten zaal door. En toen opende hij de deur en wenkte Logan naar binnen.

Ze kwamen binnen in een vertrek dat nog schemeriger was dan de gang. Een rij ramen vlak onder het hoge plafond leek met tegenzin enkele banen zonlicht binnen te laten, sterk gefilterd door een aanslag van talloze jaren. Dat was de enige verlichting. Langs alle vier de wanden stonden boekenkasten bomvol jarenoude tijdschriften, ingebonden manuscripten, half vermolmde in leer gebonden notitieboeken en dikke bundels papyri, samengebonden met verdroogde leren stiksels en in erbarmelijke toestand verkerend.

Toen Rush de deur achter zich dichtdeed, liep Logan de ruimte binnen. Het rook er sterk naar was en naar beschimmeld papier. Dit was precies het soort ruimte waarin hij zich uitstekend op zijn gemak kon voelen: een rommelzolder van het verre verleden, een magazijn vol geheimen en raadsels en vreemde kronieken die allemaal geduldig lagen te wachten tot ze herontdekt en aan het licht gebracht werden. Dagen had hij doorgebracht in dit soort ruimtes; wéken. Maar zijn ervaring betrof voornamelijk middeleeuwse abdijen, de crypten onder kathedralen, en de collecties van universiteitsbibliotheken, die normaal gesproken achter slot en grendel zaten. De kunstvoorwerpen hier, de historiën en verhalen en de dode taal waarin de meeste waren geschreven, waren heel erg veel ouder.

Midden in de ruimte stond één grote tafel, lang en smal, met een handvol stoelen eromheen. Het was zo donker en stil in de kamer geweest dat Logan had gedacht dat ze alleen waren. Maar nu zijn ogen aan de schemering gewend raakten, zag hij een man in Arabische kleding met zijn rug naar hen toe aan de tafel zitten, over een oude schriftrol gebogen. Hij was roerloos blijven zitten toen ze binnenkwamen, en hij bleef ook nu roerloos zitten. Hij leek volkomen verdiept te zijn in zijn lectuur.

Rush deed een stap naar voren zodat hij naast Logan stond. Toen schraapte hij zachtjes zijn keel.

Een tijdlang bleef de gestalte zitten. Toen draaide hij zich een heel klein eindje in hun richting. De oude man – want het was Logan duidelijk dat dit een geleerde op leeftijd was – nam niet de moeite hen aan te kijken; hij erkende hun aanwezigheid, maar meer niet. Hij had een formele maar bijna tot op de draad versleten grijze *thobe* aan, met een vale katoenen broek en een linnen jas met een capuchon waaronder gedeeltelijk een eenvoudige *ghutra* met een zwart-witpatroon rond zijn voorhoofd schuilging: kleding die zelfs voor iemand van gevorderde leeftijd al ouderwets was. Naast hem stond een klein kopje Turkse koffie op een versleten aardewerk onderzetter.

Logan voelde een onverklaarbare irritatie opkomen over zijn aanwezigheid. Het was duidelijk dat Rush hem hierheen had gebracht om een of ander privédocument te raadplegen. Maar hoe moesten ze hun woorden nu geheimhouden, ook al had de bejaarde geleerde amper gereageerd op hun binnenkomst?

Plotseling en tot Logans verbazing schoof de oude man zijn stoel weg van het bureau. Hij stond met weloverwogen gebaren op en wendde zich naar hen toe. Hij had een oude leesbril op, gebarsten en stoffig, en zijn rimpelige gezicht ging schuil achter de plooien van zijn capuchon. Hij stond naar hen te kijken met ogen die niet goed te zien waren achter de oude brillenglazen.

'Mijn excuses voor onze late komst,' zei Rush.

De man knikte. 'Geeft niet. Die rol hier begon net interessant te worden.'

Niet-begrijpend keek Logan van de een naar de ander. De vreemdeling die voor hen stond had in perfect Engels geantwoord; Amerikaans Engels, waarin een zweempje Boston doorklonk.

Nu zette de oude man langzaam en voorzichtig zijn capuchon af zodat er onder de ghutra een bos helderwit, zorgvuldig gekamd haar tevoorschijn kwam. Hij zette de bril af, vouwde hem op en stak hem in een zak van zijn lange jas. Twee blauwe ogen keken Logan aan. Zelfs in het schemerlicht van de archiefruimte zagen ze bleekblauw, als een zwembad op de eerste frisse dag van de zomervakantie.

Plotseling snapte Logan het. De man tegenover hem was Porter Stone.

4

Logan deed een stap achteruit. Hij voelde Rush' hand naar zijn elleboog toe komen en veegde die instinctief weg. De grootste schok was al aan het afnemen en had plaatsgemaakt voor stijgende nieuwsgierigheid.

'Dr. Logan,' zei Stone. 'Sorry dat ik u zo overval. Maar zoals u ongetwijfeld zult begrijpen kan mijn aanwezigheid beter niet bekend worden.'

Hij glimlachte, maar de glimlach bereikte zijn ogen niet. Die ogen waren doordringender, helderder dan de indruk die Logan had gekregen van de korrelige foto op de omslag van *Fortune*. Het leed geen twijfel dat achter die felle ogen niet alleen een enorme intelligentie schuilging, maar ook een onverzadigbare honger – naar oudheden, of rijkdom, of simpelweg naar kennis, daar viel niet naar te raden. Stone was langer dan hij verwacht had. Maar onder de Arabische kleding was hij even mager als op de foto's in de pers.

Stone knikte naar Rush. Toen de dokter zich omdraaide naar de deur, schudde Stone Logans hand en gebaarde naar een van de stoelen. Logan kreeg geen uitgesproken indruk van de hand – niets meer dan een sterke energie, onverwacht bij zo'n graatmager figuur en die bijna vrouwelijke trekken.

'Ik had u hier niet verwacht, dr. Stone,' zei hij, terwijl hij ging zitten. 'Ik dacht dat u zich tegenwoordig verre hield van uw projecten.'

'Die indruk wil ik inderdaad geven,' antwoordde Stone. 'En grotendeels klopt dat ook. Maar oude gewoonten raak je niet zomaar kwijt. Ook nu nog zijn er momenten dat ik geen weerstand kan bieden aan een beetje graafwerk, en wil ik zelf met mijn handen in de aarde.'

Logan knikte. Dat begreep hij volkomen.

'Bovendien praat ik het liefst in eigen persoon met vooraanstaande leden van een nieuw team, vooral bij zo'n belangrijk project als dit. En uiteraard wilde ik u graag persoonlijk ontmoeten.'

Logan was zich ervan bewust dat de blauwe ogen hem nog steeds vorsend opnamen. Er lag iets bijna meedogenloos in die intense blik: dit was iemand die talloze malen het kaf van het koren had gescheiden.

'Ik ben dus een belangrijk lid van het team?' vroeg Logan.

Stone knikte. 'Uiteraard. Hoewel ik dat eerlijk gezegd niet verwacht had. U bent, zeg maar, een toevoeging van het laatste uur.'

Rush ging tegenover hen aan tafel zitten. Stone legde de rol weg die hij had zitten lezen. Eronder bleek een dunne dossiermap te liggen. 'Ik was natuurlijk bekend met uw werk. Ik heb uw artikel gelezen over de Draugen van Trondheim.'

'Dat was een interessante zaak. En het was prettig om eens te kunnen publiceren; dat overkomt me maar zelden.'

Stone glimlachte dat hij het begreep. 'En het schijnt dat we al iets gezamenlijks hebben, dr. Logan.'

'Jeremy, graag. Wat is dat dan, als ik vragen mag?'

'Pembridge Barrow.'

Logan veerde verrast overeind. 'Bedoelt u dat u mijn...'

'Inderdaad,' antwoordde Stone.

Logan nam de schatjager met hernieuwd respect op. Pembridge Barrow was een van Stones kleinere, maar historisch gezien spectaculairste ontdekkingen geweest: een grafput in Wales met daarin de overblijfselen van wat volgens de meeste geleerden de Engelse koningin Boadicea moest zijn: eerste eeuw na Christus. Ze was gevonden, begraven in een oude strijdwagen, omringd door wapens, gouden armbanden en andere snuisterijen. Met die vondst had Stone een mysterie opgehelderd dat Engelse historici eeuwenlang had dwarsgezeten.

'Zoals je weet,' vervolgde Stone, 'heeft de academische elite altijd volgehouden dat Boadicea aan haar einde was gekomen bij de confrontatie met de Romeinse legioenen in Exeter, of misschien Warwickshire. Maar jouw eigen dissertatie – waarin je argumenteerde dat zij beide veldslagen had overleefd en met alle militaire eer was begraven – was de aanleiding om naar Pembridge te gaan.'

'Op basis van geprognosticeerde manoeuvres van Romeinse zoekpatrouilles, ver van Watling Road,' antwoordde Logan. 'Ik kan wel zeggen: ik voel me vereerd.' Hij was onder de indruk van Stones grondigheid.

'Maar daarvoor heb ik je niet hier laten komen. Ik wilde dat je begrijpt waar je je in begeeft.' Stone leunde voorover. 'Ik ga je niet vragen om een bloedeed te ondertekenen of dat soort melodramatische zaken.'

'Dat is een opluchting.'

'Bovendien, iemand in jouw unieke tak van sport zal ongetwijfeld een geheim kunnen bewaren.' Stone leunde weer achterover. 'Ooit gehoord van Flinders Petrie?'

'De Egyptoloog? De ontdekker van de nieuwe dynastie in Tell-el-Amarna, toch? En de Merneptah-stèle, onder andere.'

'Precies. Uitstekend.' Stone en Rush wisselden een veelbetekenende blik. 'Dan weet je waarschijnlijk ook dat hij een van die hoogst uitzonderlijke Egyptologen was: een waar geleerde, begenadigd met een grenzeloze honger naar geleerdheid. Tegen het einde van de negentiende eeuw, op een moment dat alle anderen koortsachtig aan het schatgraven waren, was hij op zoek naar iets anders: naar kennis. Hij vond het heerlijk om de voor de hand liggende sites te mijden, de piramides en de tempels, en om hoog stroomopwaarts langs de Nijl op zoek te gaan naar potscherven of stukjes kleien ideogrammen. In vele opzichten had hij de Egyptologie tot een respectabele wetenschap verheven door zijn felle stellingname tegen plundering en lukrake documentatie.'

Logan knikte. Tot nu toe was dit allemaal betrekkelijk bekend.

'Tegen 1933 behoorde Petrie tot de éminence grise van de Britse archeologie. Hij was geridderd. Hij zou zijn hersenen nalaten aan het Koninklijk Instituut voor de Chirurgie zodat zijn unieke brille tot in alle eeuwigheid kon worden bestudeerd. Hij trok zich met zijn vrouw terug in Jeruzalem, waar hij zijn laatste jaren kon doorbrengen te midden van de ruïnes waar hij zo van hield. En daarmee is het verhaal afgelopen.'

Er viel een korte stilte over de archieven. Stone haalde zijn vettige bril tevoorschijn, speelde er even mee en legde hem op tafel.

'Alleen, daarmee wás het niet afgelopen. Want in 1941, na jaren tevreden achter de geraniums te hebben gezeten, vertrok Petrie halsoverkop uit Jeruzalem naar Caïro. Tegen geen van zijn voormalige collega's aan de Britse School voor de Archeologie vertelde hij over deze nieuwe expeditie, want er is geen twijfel mogelijk: het was een expeditie. Hij nam een absoluut minimum aan stafleden mee: twee, hooguit drie, en ik vermoed dat die paar mensen alleen mee moesten vanwege zijn gevorderde leeftijd en toenemende invaliditeit. Hij vroeg geen financiering aan; het schijnt dat hij een aantal van zijn duurste kunstvoorwerpen verkocht om de reis te bekostigen. Die hele gang van zaken was niets voor Petrie – maar het vreemdst van alles was wel zijn haast. Hij had altijd bekendgestaan om zijn behoedzame, weloverwogen eruditie. Maar die reis naar Egypte, terwijl Noord-Afrika al in hevige staat van oorlog verkeerde, was allesbehalve weloverwogen. Het lijkt een koortsachtige, bijna wanhopige onderneming geweest te zijn.'

Stone zweeg even en nam een slok van zijn koffie. Even dreef de geur van *ahwa sada* door de lucht.

'Waar Petrie precies naartoe is gegaan, en waarom, weet niemand. Wél bekend is dat hij vijf maanden later naar Jeruzalem terugkeerde, alleen en berooid. Hij wilde niet zeggen waar hij geweest was. Dat wanhopige verlangen naar een nieuwe expeditie is hij niet meer kwijtgeraakt, hoewel de reis zijn toch al verzwakte gestel hevig op de proef had gesteld. Niet veel later overleed hij in Jeruzalem, in 1942, naar het schijnt terwijl hij bezig was geld bijeen te brengen voor een nieuwe expeditie naar Egypte.'

Stone zette de kop terug op de aardewerk onderzetter en wierp een blik op Logan.

'Daar is niets van te lezen in de officiële verslagen,' zei Logan. 'Hoe bent u hierachter gekomen?'

'Hoe kom ik ooit achter dingen, dr. Logan?' Stone spreidde zijn handen. 'Ik gluur in die donkere hoekjes waarvoor anderen hun neus ophalen. Ik zoek in openbare en particuliere archieven naar dat ene verloren document dat per ongeluk achter de rest was geschoven en vergeten. Ik lees alles wat ik maar in handen kan krijgen, waaronder, zou ik willen toevoegen, obscure dissertaties.'

Logan legde een hand op zijn hart in een geveinsd eerbiedige buiging.

'Er wordt gezegd dat ik op koning Midas lijk, dat ik alles wat ik aanraak in goud verander.' Stone sprak die laatste woorden laatdunkend uit. 'Wat een onzin. Er ligt niets geheimzinnigs ten grondslag aan mijn succes, het is gewoon hard werken. Dankzij het fortuin dat ik heb verdiend met de Zilvervloot kon ik de dingen aanpakken zoals ik graag wilde: geleerden en onderzoekers naar alle uithoeken van de aarde sturen, onopvallend op zoek naar die ene prikkelende maas in het historische net, dat ene zweempje van een gerucht, dat van belang kan blijken – en, misschien, meer dan zomaar van belang.'

De bitterheid verdween even snel uit Stones stem als ze was opgekomen. 'In het geval van Flinders Petrie heb ik een oud dagboek bemachtigd, gekocht als deel van een kavel in een bazaar in Alexandrië. Het was het dagboek van een onderzoeksassistent van Petrie tijdens zijn laatste jaren in Jeruzalem: een jongeman die niet was meegevraagd op die laatste expeditie en die nadien, gepikeerd, bij het leger ging. Hij is omgekomen bij de Slag om de Kasserinepas. Het verhaal in zijn dagboek trok natuurlijk mijn belangstelling. Wat kon Petrie, die weinig gaf om schatten, die een enorme roem had verworven onder archeologen, om nog maar te zwijgen van het feit dat hij een rustige oude dag dubbel en dwars had verdiend, wat kon zo iemand bewegen om zijn gerieflijke huis te verlaten en zich op bijna negentigjarige leeftijd in een oorlogsgebied te begeven? Het was een raadsel.' Stone zweeg even. 'Maar u moet begrijpen, dr. Logan: ik heb wel honderd, tweehonderd van dat soort mysteries in de crypten van mijn lab op Cyprus. Sommige heb ik zelf ontdekt, andere heb ik tegen riante betaling laten opgraven. En ze zijn allemaal interessant. Maar mijn tijd is beperkt. Ik kan me pas honderd procent aan een project wijden als ik er alle vertrouwen in heb dat ik over voldoende kennis beschik om succes te garanderen.'

Het Midas-verhaal, dacht Logan. Hardop zei hij: 'Ik neem dus aan dat die onderzoeksassistent van Petrie niet de laatste was die u over dit onderwerp raadpleegde?'

Stone glimlachte flauwtjes en terwijl hij Logans blik beantwoordde verscheen die kritische uitdrukking weer op zijn gezicht. 'Petries huishoudster. Een van mijn collega's hoorde van haar bestaan, spoorde haar op en had kort voor haar dood een gesprek met haar, in een hospice voor ouden van dagen in Haifa. Dit is zes jaar geleden. Ze kon zich moeilijk tot het onderwerp bepalen en was maar half lucide. Maar hij hield vriendelijk aan en ze bleek zich één bepaalde middag in 1941 heel goed te herinneren: Petrie toonde een deel van zijn enorme collectie oudheden aan een gast. Het was geen erg belangrijke gast, en Petrie ontving heel vaak mensen op die manier. Hoe dan ook, bij deze gelegenheid herinnerde de huishoudster zich dat Petrie en zijn naamloze gast de inhoud bekeken van een houten krat, afkomstig van een van de eerste Nijl-expedities van de Egyptoloog. Plotseling was Petrie stijf overeind geveerd, alsof hij een elektrische shock had gekregen. Hij zat een minuut lang te stamelen en ontdeed zich toen haastig en met de een of andere smoes van zijn bezoeker. Daarna deed hij de deur van zijn studeerkamer dicht én op slot – dat had hij nog nooit gedaan. Zo kwam het dat de huishoudster zich het voorval herinnerde. Enkele dagen later was hij vertrokken op die laatste reis naar Egypte.'

'Hij had iets gevonden,' zei Logan. 'In zijn voorraad kunstvoorwerpen.'

Stone knikte. 'Al die tijd had daar iets gelegen, open en bloot. Of, wat me waarschijnlijker lijkt, nooit echt zorgvuldig bekeken voordat die bezoeker er was – Petrie had zo'n enorme persoonlijke collectie vergaard dat hij amper wist wat hij in huis had.'

'En ik neem aan, aangezien we hier zitten, dat u het bewuste object hebt gevonden.'

'Ik heb het gevonden,' zei Stone langzaam.

'Mag ik vragen hoe?'

'Nee, dat mag u niet.' Als dat antwoord bedoeld was als grapje, bleek dat uit niets. 'Mijn methodes zijn, laten we zeggen, geheel de mijne. Laat ik ermee volstaan te zeggen dat het een langdurige, zware, irritante, saaie en vooral ook dure taak was. Als u dacht dat ik veel geld had besteed om dat dagboek en die huishoudster te vinden – en dat is zo –, dan heb ik wel twintig maal zo veel uitgegeven om erachter te komen wat Petrie die dag in 1941 had ontdekt. Maar ik wil u het object wel – heel even – laten zien.' En Stone pakte zijn koffiekopje en bracht het naar zijn lippen.

Logan wachtte, denkende dat Stone misschien een zorgvuldig verzegeld kistje tevoorschijn zou halen, of dat hij dr. Rush zou verzoeken een object uit een verborgen hoek van het stoffige archief te halen. Maar Stone beperkte zich ertoe een lange, genietende slok uit zijn kopje te nemen. Toen knikte hij naar de versleten onderzetter op tafel, waarop nu een vage, vochtige koffiekring te zien was.

'Pak maar op,' zei hij.

5

E ven aarzelde Logan. Begreep hij dit nu goed? Stone bleef hem zwijgend en met een ondoordringbare blik zitten aankijken, het kopje in zijn hand.

Logan stak zijn hand uit naar het oude onderzettertje; wachtte, stak zijn hand verder uit en pakte het heel voorzichtig op. En terwijl hij dat deed, drong tot hem door dat het geen aardewerk was, maar een dun stukje kalksteen, hevig geschilferd langs de randen. Toen hij het omdraaide, zag hij een stel schimmige ideogrammen in bleekbruine inkt.

'Niet het origineel, uiteraard,' zei Stone. 'Maar een exacte kopie.' Hij zweeg even. 'Weet u wat dat is?'

Logan draaide het schijfje om in zijn handen. 'Het lijkt mij een ostrakon.'

'Bravo!' Stone wendde zich tot Rush. 'Ethan, ik raak met de minuut meer onder de indruk van die kennis van je.' Hij keek weer naar Logan. 'Als u weet dat dit een ostrakon is, dan weet u ongetwijfeld ook waar het voor dient.'

'Ostrakons waren weggegooide stukjes overgebleven steen, aardewerk – het kon van alles zijn – waarop onbelangrijke dingen werden genoteerd. Een soort kladblok van de oudheid.'

'Precies. Met de nadruk op "onbelangrijk". Ze werden gebruikt voor facturen, of voor boodschappenlijstjes. En dat is dan ook precies de reden waarom ik dit hier als onderzetter gebruikte. Een melodramatisch gebaar, maar er zit wat in: voor iemand als Flinders Petrie waren ostrakons niets bijzonders: af en toe interessant vanwege het kijkje dat ze gaven op het alledaagse leven in de klassieke wereld, maar verder van weinig belang.'

'En daarom zou het Petrie ook niet eerder opgevallen zijn.' Logan keek omlaag naar het vale opschrift op het kalksteen. Er stonden in totaal vier ideogrammen, onder de krassen en sterk verschoten. 'Ik weet bijna niets van hiërogliefen. Wat is hier zo bijzonder aan?'

'Ik geef u de beknopte versie. Hebt u gehoord van koning Narmer?'

Logan dacht even na. 'Was dat niet de koning die Egypte verenigde?'

'Precies. Vóór Narmer waren er twee koninkrijken: Opper- en Neder-Egypte. "Opper" verwees naar de Nijl en betekende: verder stroomopwaarts, dus naar het zuiden. Beide rijken hadden een eigen koning, en een eigen kroon. De koningen van Opper-Egypte droegen een witte, conische kroon, bijna een soort bowlingpin, en de vorsten van Neder-Egypte hadden een rode kroon met een uitstekende punt aan de achterzijde. Rond 3200 voor onze jaartelling kwam koning Narmer, de leider van Opper-Egypte, naar het noorden, vermoordde de koning van Neder-Egypte, verenigde daarmee het land, en kroonde zichzelf tot farao. Volgens mij was hij de eerste god-koning van een lange lijn die daarna volgde – en wie weet? Misschien had alleen een god de beide Egyptes kunnen verenigen. Er werd zeker geloofd dat hij zeggenschap had over leven en dood.' Stone zweeg even. 'Hoe dan ook, hij verenigde nog iets. Hij verenigde de kronen van beide vorstendommen. Want ziet u, dr. Logan, de kroon van de Egyptische farao was een uitzonderlijk belangrijk teken van macht. Dat wist Narmer uiteraard. Dus zodra Egypte één enkel rijk was geworden, droeg hij een "dubbele" kroon: een combinatie van de voormalige witte en rode kroon, als symbool van zijn heerschappij over zowel Opper- als Neder-Egypte. En de daaropvolgende drieduizend jaar werd dat voorbeeld gevolgd door iedere farao die in zijn voetstappen trad.'

Hij dronk het kleine kopje leeg en zette het weg. 'Maar terug naar Narmer. De eenmaking van Egypte werd vereeuwigd op een grote stenen plaat van schist, waarop afgebeeld staat hoe hij zijn rivaal verslaat. Dit zogeheten Narmerpalet wordt wel het "eerste historische document ter wereld" genoemd. Het bevat de vroegste afbeelding van Egyptische farao's die ooit gevonden is. En het bevat ook primitieve – maar absoluut onmiskenbare – hiërogliefen.'

Stone hield zijn hand uit, en Logan gaf hem het stukje kalksteen.

'Wat Petrie op dit ostrakon zag waren hiërogliefen uit die heel vroege periode. Zoals u ziet zijn het er in totaal vier.' Hij stak een slanke vinger uit en wees ze een voor een aan.

'Wat staat er?' vroeg Logan.

'U zult begrijpen dat ik wat terughoudend ben met de details. Laten we zeggen dat dit niet zomaar een waslijstje is. Integendeel. Dit ostrakon is de sleutel tot het grootste, en dan bedoel ik ook echt het allergrootste, archeologische geheim aller tijden. Hier staat wat koning Narmer met zich meenam op zijn reis naar de onderwereld.'

'U bedoelt: wat er daadwerkelijk met hem mee begraven is?'

Stone knikte. 'Maar ziet u, er is één probleempje. Narmers graf – we weten waar het zich bevindt, een ietwat trieste aangelegenheid met twee kamers in Abydos, in Umm el-Qa'ab om precies te zijn – bevatte geen van de zaken die hier op dit ostrakon beschreven staan.'

'Maar wat…?' Logan onderbrak zichzelf. 'U zegt dus dat het graf dat ze indertijd gevonden hebben, helemaal geen graf was.'

'O, het is wel degelijk "een" graf. Maar niet hét graf. Misschien is het een vroeg voorbeeld van een cenotaaf: geen echt graf maar een symbolische tombe. Zelf denk ik echter dat het een afleidingsmanoeuvre was. En toen Flinders Petrie het ostrakon zag, en tot die conclusie kwam… tja, toen heeft hij ogenblikkelijk alles uit zijn handen laten vallen, heeft zijn gerieflijke gepensioneerde bestaan opgegeven, zijn gezondheid en zijn fortuin op het spel gezet… in een poging om Narmers échte graf te vinden.'

Daar dacht Logan even over na. 'Maar wat kan er dan zo kostbaar zijn dat…?'

Stone maakte een handgebaar om hem te onderbreken. 'Dat zeg ik u niet. Maar wanneer u eenmaal weet waar het graf te vinden is – ik laat het aan dr. Rush over om dat uit te leggen – zult u begrijpen waarom we ook zonder te weten wat het graf precies bevat volkómen overtuigd zijn van het onvoorstelbare belang van dat graf.'

Stone leunde voorover en zette zijn vingers tegen elkaar. 'Dr. Logan, mijn methodes zijn niet de geijkte. Dat heb ik al laten doorschemeren. Wanneer ik aan een nieuw project begin, spendeer ik het merendeel van de totale tijd en minstens de helft van de kosten aan voorbereiding. Ik onderzoek iedere mogelijke kans op succes, ik haal er een reusachtige stoet onderzoekers en geleerden bij, en dat alles voordat de eerste spade de grond in gaat. Het zal u dus niet verbazen dat ik, zodra ik dat ostrakon met zijn hiërogliefen eenmaal in bezit had, het groene licht heb gegeven voor dit project. Het heeft zelfs de allerhoogste prioriteit gekregen.'

Hij leunde weer achterover en keek even naar Rush.

Die sprak nu voor het eerst. 'Waar Petrie faalde, zijn wij geslaagd. We hebben de locatie van het graf gevonden. Alles is in gereedheid, alles staat klaar. Het werk vordert.'

'Vordert zelfs bijzonder snel,' voegde Stone daaraan toe. 'We staan onder grote tijdsdruk.'

Logan ging even verzitten. De enormiteit van de vondst was nog niet helemaal tot hem doorgedrongen. 'U weet dus dat het graf inderdaad bestaat. U weet waar het zich bevindt. U bent met de opgraving begonnen. Waarom hebt u mij dan nog nodig?'

'Ik had liever dat u daar zelf, ter plekke, achter kwam. Het zou geen enkel doel dienen als ik u nu bevooroordeel of uw mening kleur. Maar laten we zeggen, er zijn complicaties die onder uw expertise vallen.'

'Met andere woorden, er gebeuren op de site vreemde, misschien onverklaarbare, en waarschijnlijk griezelige dingen. Een vloek, bijvoorbeeld.'

'Er is toch altijd wel een vloek?' vroeg Stone rustig.

Hierop volgde een stilte.

Na een tijdje sprak Stone verder. 'Die complicaties moeten geanalyseerd worden, begrepen, en dan afgehandeld. Ethan hier zal u onderweg bijpraten.' Hij zweeg even. 'De site is overigens wel zo uniek dat hij uiteindelijk best eens in uw analyse zou kunnen passen.'

'En waar is die site precies?'

'Dat, mijn beste doctor Logan, is misschien nog wel het eigenaardigste element in een toch al eigenaardig verhaal.' Stone stond op en schudde opnieuw Logans hand. Zijn greep was koel en licht. 'Het is een genoegen geweest u te ontmoeten. Ethan neemt het verder van me over. Hij heeft het volste vertrouwen in uw unieke talenten – en nu ik u ontmoet heb, deel ik dat vertrouwen.'

Een niet mis te verstaan teken dat de bespreking voorbij was. Logan knikte en draaide zich om op weg naar de deur.

'En, dr. Logan?'

Logan keek om.

'Er is haast bij. Grote haast.'

6

Het vliegtuig steeg steil op vanaf de luchthaven van Caïro en zwenkte onmiddellijk af naar de Nijl. Ze vlogen in zuidelijke richting, de lome wendingen van de rivier volgend. Logan keek uit het raampje naar het trage, chocoladebruine water. Ze hadden een hoogte van nog geen duizend meter en hij zag *dhows* en rivierbootjes door het water klieven en een kielzog trekken door rode vlekken lotusbloesems. Langs de oever en landinwaarts waren naast een netwerk van kanalen de wuivende groene kruinen van bananen- en granaatappelboomgaarden te zien.

Rush verontschuldigde zich en liep naar voren om met de bemanning te overleggen. Dat kwam Logan goed uit: hij had even wat tijd nodig om te verwerken wat hij zojuist had gehoord.

Hij merkte dat hij diep onder de indruk was van de magere, bijna broos ogende Porter Stone. Zelden was een eerste indruk zo misleidend. De passie en het doorzettingsvermogen om zo'n mager spoor van bewijzen tot het einde toe te volgen dwongen groot ontzag af.

De ontdekking zelf was al even indrukwekkend. De ware tombe van de eerste Egyptische farao, de god-koning Narmer, met zijn mysterieuze inhoud – dit was de heilige graal van de Egyptologie.

Geleidelijk aan werd de begroeiing langs de oevers spaarzamer en maakten de weelderige palmen en grassen plaats voor papyrusgrassen. Rush kwam vanuit de cockpit aanlopen. 'Oké,' zei hij met een glimlach. 'Ik had me voorgenomen het niet te vragen. Maar ik kan niet anders. Hoe doe je dat in vredesnaam?'

'Hoe doe ik wat?' reageerde Logan bescheiden.

'Je weet wel. Wat je doet. Bijvoorbeeld, hoe heb je dat legendarische "spook" verdreven dat al zeshonderd jaar door de Universiteit van Exeter rondwaarde? En hoe heb je ontdekt in welke mijn van het Ertsgebergte tsaar Peters Amberzaal was verborgen? En hoe…?'

Logan hief een hand om verdere vragen af te kappen. Hij had geweten dat deze vraag vroeg of laat gesteld zou worden – dat gebeurde altijd. 'Tja,' mijmerde hij. 'Je zou het natuurlijk tegen niemand mogen zeggen.'

'Natuurlijk niet.'

'Je snapt dat je het aan geen sterveling mag doorvertellen.'

Rush knikte enthousiast.

'Uitstekend.' Logan keek met een samenzweerdersblik om zich heen en leunde voorover alsof hij een groot geheim ging onthullen. 'Twee woorden,' fluisterde hij. 'Gezond leven.'

Even keek Rush hem niet-begrijpend aan. Toen grinnikte hij, en schudde zijn hoofd. 'Dat is verdiend; had ik het maar niet moeten vragen.'

'Serieus: het gaat bijna nooit om strengen knoflook of buisjes kosmisch stof. Je hebt een behoorlijk uitgebreide kennis nodig van allerhande onderwerpen; sommige liggen voor de hand, zoals geschiedenis en vergelijkende theologie, andere minder, zoals astrologie en de, ehm, geheime kunsten. En een bereidheid om overal voor open te staan. Je bent bekend met het scheermes van Ockham?'

Rush knikte.

'"Entia non sunt multiplicanda praeter necessitatem." Oftewel: de simpelste oplossing is vaak de juiste. Nou, in mijn soort werk neem ik juist het tegenovergestelde standpunt in. De juiste verklaring is vaak de minst verwachte, de meest ongebruikelijke – althans voor jou en mij: moderne mensen met een westerse opvoeding, zonder oog voor de natuur en zonder tolerantie voor praktijken en overtuigingen uit het verleden.' Hij zweeg even. 'Neem nou dat spook in Exeter waar je het net over had. Dankzij een boel onderzoek in oude stadsarchieven en door de plaatselijke inwoners te vragen naar oude legendes kwam ik erachter dat er rond 1400 een door de gemeenschap gesanctioneerde moord op een vermeende heks had plaatsgevonden. En daarmee wist ik wat ik nodig had. Met die kennis, en toen ik had achterhaald waar die heks begraven was, kon ik simpelweg een aantal rituelen, en enkele chemicaliën, toepassen.'

'Bedoel je…' begon Rush verbluft. 'Bedoel je dat er écht een spook was?'

'Natuurlijk. Wat dacht jij dan?'

Hierop volgde stilte. Na een minuut of twee ging Logan verzitten. 'Maar terug naar het huidige onderwerp. Dat verhaal van Stone is heel opmerkelijk, maar het werpt even veel vragen op als het beantwoordt. En niet alleen over wat zich in dat graf bevindt. Hoe is hij bijvoorbeeld achter de werkelijke locatie gekomen? Dat ostrakon is natuurlijk een fascinerend object, maar het is niet bepaald een landkaart.'

Even leek Rush in gedachten heel ver weg te zijn. Toen schudde hij zijn hoofd en keerde terug naar het heden. 'De details ken ik zelf ook niet allemaal. Hij heeft een vermogen geïnvesteerd, en er zit een enorme organisatie achter. Allemaal heel discreet, uiteraard. Ik weet wel dat hij begonnen is met kijken waar Petrie precies was geweest. Die had het ostrakon dus ontcijferd – maar hoe wist hij daarna waar hij moest zoeken? Hij zou niet zo overhaast naar Egypte zijn vertrokken als hij geen redelijk vastomlijnd idee had. Dus ging Porter de feiten bij elkaar optellen. Hij is begonnen met zoeken bij de tempel van Horus in Hiërakonpolis.'

'Waar?'

'De hoofdstad van Opper-Egypte. Daar had koning Narmer gewoond voordat hij de weelderige landen in het noorden binnenviel en het land verenigde. Daar is rond het begin van de twintigste eeuw de Narmerpalet ontdekt. En Petrie was in zijn vroegste expedities tot aan Hiërakonpolis getrokken, dat was bekend.'

'Narmers hoofdstad,' zei Logan. 'Vindplaats van de Narmerpalet – en, naar ik aanneem, het ostrakon. En dan ook nog eens het middelpunt van Petries ontdekkingsreizen. Dus daar ligt Narmers graf, in Hiërakonpolis?'

Rush schudde zijn hoofd. 'Maar het was wel de locatie van het document dat naar de echte vindplaats leidde.'

Logan dacht even na. 'Dat klopt,' zei hij. 'Het kon Hiërakonpolis niet zijn. Want je zei net dat de plek lang niet zo voor de hand liggend was als Egypte.' Hij keek de arts uit zijn ooghoek aan. 'Wat bedoelde je daar precies mee?'

Rush grinnikte. 'Ik vroeg me al af wanneer je met die vraag zou komen. Daar hebben we het straks op de boot over.'

'Op de boot?'

Terwijl Rush knikte, voelde Logan dat het toestel een milde daling inzette. Hij keek weer uit het raampje en zag dat de Nijl zich had verbreed: ze zaten nu boven het Nassermeer. Een kwartier later waren ze geland op een naamloze landingsbaan iets voorbij het meer: een strook asfalt vol gaten en kuilen, met aan weerszijden een uitgestrekte woestijn. Ze stapten uit het vliegtuig en gingen een jeep in die op hen had staan wachten. De chauffeur zette Logans bagage achterin, haalde een grote metalen kist zonder opschrift uit de buik van het vliegtuig en zette die ernaast. Hij stapte zelf in en reed in westelijke richting, naar de rivier toe. De zon was een meedogenloze witte bal, zinderend boven de verdroogde grond. Binnen enkele minuten hadden ze de oever bereikt. Hier en daar vlogen ibissen op, laag boven het water. Ergens in de verte loeide een nijlpaard. De jeep stopte op een lange, houten steiger die al even verlaten aandeed als de landingsbaan. Rush stapte uit en ging Logan voor naar het vreemdste scheepje dat Logan ooit gezien had.

Het was minstens vijfentwintig meter lang, maar opvallend smal voor die lengte, en het lag opmerkelijk hoog op het water: Logan schatte dat het een diepgang van misschien een halve meter moest hebben, meer niet. De bovenbouw bestond uit een enkele twee verdiepingen hoge structuur, die het grootste deel van het dek besloeg. Aan weerszijden van de boeg waren plateautjes te zien die open en bloot boven het water uitstaken en Logan deden denken aan kraaiennesten. Maar het opvallendst aan de boot was de achtersteven: een enorme, kegelvormige stalen kooi met het smalle eind naar voren, zo groot als een Gemini-ruimtecapsule en met ruwweg diezelfde vorm. Binnen de kooiconstructie was een enorme, vlijmscherp ogende propeller met vijf schoepen te zien. De hele constructie was permanent vastgeklonken aan de achtersteven van het hoofddek.

'Grote goedheid,' zei Logan vanaf de steiger. 'Een catamaran aan de doping.'

'Dat kun je wel zeggen,' klonk een rauwe stem. Logan keek op en zag iemand in een deuropening voor in de bovenbouw staan: een jaar of vijftig oud, met diepliggende ogen en een kort wit baardje. Hij stapte de loopplank op en nodigde hen met een gebaar aan boord.

'Dit is James Plowright,' zei Rush. 'De eerste loods van de expeditie.'

'Dat is me nogal een boot,' zei Logan.

'Aye,' knikte de man.

'Hoe ligt ze in het water?' vroeg Logan.

'Heel behoorlijk.' Plowright had een ruig Schots accent en de bijbehorende Schotse karigheid met woorden.

Logan keek naar de schroef. 'En het vermogen?'

'Lycoming P53 gasturbine. Afkomstig van een Huey-jetcopter.'

Logan floot.

'Deze kant uit,' zei Rush. Hij richtte zich tot Plowright. 'Trossen los zodra je zover bent, Jimmy.'

Plowright knikte.

Rush ging hem voor over het dek. Door de afmetingen van de boven-bouw en de bescheiden breedte van het schip was het dek heel smal, en Logan was dankbaar voor de reling. Ze liepen langs een aantal deuren tot Rush door een openstaand luik naar binnen verdween en Logan een sche-merige hut in noodde. Toen Logans ogen aan het halfdonker waren ge-wend, merkte hij dat hij in een sfeervolle kajuit verkeerde, met bankjes en ligstoelen. Aan de wanden hing een aantal ingelijste zeezichten en jacht-prenten. Er hing een sterke geur van gepoetst leer en insectwerend mid-del.

De chauffeur van de jeep zette Logans tassen en de metalen kist in een hoek neer, maakte een buiging en keerde terug aan dek.

Logan wees naar de kist. 'Wat zit daarin?' vroeg hij.

Rush glimlachte. 'Vaste schijven met de dossiers van mijn Centrum. Ik kan mijn baan niet helemaal negeren zolang ik hier vertoef.'

Binnen een minuut hoorde Logan vage geluiden van de voorsteven ko-men; de straalmotor werd gestart; er klonk een gejank, en de boot voer weg van de kade, licht deinend op weg stroomopwaarts, richting Soedan.

'We hebben twee van dit soort vaartuigen, speciaal voor deze expeditie gebouwd,' vertelde Rush terwijl ze zich op een van de bankjes installeer-den. 'Daarmee brengen we dingen naar de site. Dingen die te groot of te breekbaar zijn voor een dropping vanuit de lucht: hightech apparatuur, bijvoorbeeld. Of vaklieden.'

'Ik kan me geen plek voorstellen waar zo'n boot nodig hebt.'

'Als we straks ter plekke zijn begrijp je het maar al te goed, dat garan-deer ik je.'

Logan leunde achterover tegen de glanzende leren bank. 'Oké, Ethan. Ik heb kennisgemaakt met Stone. Ik weet waarnaar je op zoek bent. Dus dan is het nu tijd dat je me vertelt waarheen we op weg zijn.'

Rush glimlachte even. 'Ken je de term "een hel op aarde"?'

'Natuurlijk.'

'Nou, zet je dan maar schrap. Want dat is precies waarnaar we op weg zijn.'

7

Rush leunde achterover. 'Heb je ooit gehoord van de Sudd?'
Logan dacht even na. 'Dat klinkt me ergens bekend in de oren.'
'Meestal wordt gedacht dat de Nijl gewoon een brede rivier is
die ongehinderd vanuit donker Afrika komt aanstromen. Maar niets is
minder waar. De eerste Britse ontdekkingsreizigers – de Richard Burtons
en de Livingstones – kwamen daar tot hun schade achter toen ze in de
Sudd belandden. Kijk hier maar eens naar; dat is een veel sprekender beschrijving dan ik ooit geven kan.' En Rush gebaarde naar een boek op een
tafeltje.

Logan had het nog niet eerder gezien, en pakte het op. Het was een be-
duimeld exemplaar van Alan Mooreheads *The White Nile*. Het was een
historisch overzicht van de ontdekking van de bronnen van de rivier; hij
herinnerde zich vaag dat hij als kind het boek had doorgebladerd.

'Pagina 95,' zei Rush.

Logan bladerde, vond de pagina en begon, terwijl de hele kajuit om
hem heen trilde en huiverde, te lezen.

De Nijl is een complexe rivier. [Ze] stroomt door de woestijn, en
volgt daarbij een brede en relatief regelmatige bedding. [Maar uit-
eindelijk] maakt ze een wending naar het westen; de atmosfeer wordt
vochtiger, de oevers worden groener, en dit is de eerste waarschuwing
voor het enorme obstakel van de Sudd, die even verderop ligt. Er is
geen uitgestrekter moeras ter wereld dan de Sudd. De Nijl verliest
zich in een enorme zee van papyrusvarens en rottende plantengroei,
en in die onwelriekende hitte krioelt een tropisch leven dat amper
veranderd kan zijn sinds het begin van de wereld: primitief en men-
sonvriendelijk als de Sargassozee. [Het] is er land noch water. Jaar in,

jaar uit voert de stroming meer drijvende plantenmassa aan en pakt die samen tot solide brokstukken van wel zeven meter dik, zo stevig dat een olifant eroverheen kan lopen. Maar dan breekt dit groenafval weg in eilandjes en hergroepeert zich elders, en dat wordt herhaald in wel duizend onherkenbare patronen die zich eindeloos herhalen... Hier is geen heden, laat staan een verleden; afgezien van hier en daar een eilandje van vaste grond heeft hier nooit iemand gewoond. Er zou ook nooit iemand kunnen wonen in die troosteloze massa drijvend gewas en slijm. Die is zelfs de primitiefste mens te veel. Lagere vormen van leven gedijen hier, maar voor de mens betekent de Sudd niets dan het gevaar van verhongering, ziekte en dood.

Logan legde het boek weg. 'Mijn god. En zo'n plek bestaat echt?'

'Jazeker. Voor het donker wordt kun je dat met eigen ogen aanschouwen.' Rush ging even verzitten op zijn bankje. 'Denk je in: een regio van vele duizenden vierkante kilometers, niet eens zozeer een moeras als wel een ondoordringbaar labyrint van papyrus en gezonken boomstammen – én modder. Overal modder, verraderlijker dan drijfzand. De Sudd is niet diep, vaak maar tien, hoogstens twaalf meter, maar het is niet alleen een honingraat van verstrengelde plantengroei onder water: het water zelf is zo dik, zo vol slib, dat duikers geen hand voor ogen kunnen zien. Overdag krioelt het er van de alligators, 's avonds van de muggen. Alle eerdere ontdekkingsreizigers hebben hun pogingen het terrein over te steken opgegeven en zijn er uiteindelijk omheen gereisd. De Sudd ligt niet ver van de grens met Soedan af, en is omgeven door een brede, ondiepe vallei. En het moeras breidt zich jaarlijks uit. Niet veel, maar het breidt zich uit. Daarom hebben we zo'n smal vaartuig nodig. Proberen de Sudd over te steken is zoiets als een naald door een boombast steken. Iedere dag gaat er een verkenningsvliegtuigje op pad dat de nieuwe positie in kaart brengt van draaikolken en nieuwe paden daartussendoor. En iedere dag liggen die routes anders.'

'Het schip is dus een soort ijsbreker,' zei Logan. Hij zat te denken aan de vreemdsoortige apparatuur die hij bij de boeg had gezien.

Rush knikte. 'De ondiepe ligging helpt om obstructies onder water te mijden, en de turbo aan de achtersteven levert de brute kracht die nodig is om door dichtbegroeide zones te varen.'

'Sodeju,' zei Logan. 'Dat klinkt inderdaad hels. Maar waarom zijn we...' Hij onderbrak zichzelf. 'O, nee.'

Rush knikte. 'O, ja.'

'Mijn hemel.' Logan zweeg even. 'Dus daar ligt Narmers graf. Maar waarom daar?'

'Weet je nog wat Porter zei? Denk er even over na. Narmer nam volledig ongeëvenaarde moeite om de locatie van zijn graf te verhullen. Hij verliet Egypte zelf, reisde langs de zes cataracten van de Nijl naar Nubië – een gevaarlijke reis naar vijandig gebied. Gezien hoe vroeg in de Egyptische geschiedenis dit was – vergeet niet, dit is de archaïsche periode, het eerste rijk – is het een prestatie die niet onderdoet voor de Piramide van Gizeh. En dat niet alleen, maar Narmer is ook de enige farao die niet in Egypte is begraven; zoals je waarschijnlijk weet moesten alle farao's op Egyptisch grondgebied worden begraven.'

Logan knikte. 'En daarom heeft Egypte nooit koloniën verworven.'

'Als je dat allemaal op een rijtje zet, Jeremy, al die ongelooflijke inspanningen en kosten en risico's, lijkt het je dan echt waarschijnlijk dat Narmers graf weinig waardevols bevat?'

'Maar een ondoordringbaar moeras...' Logan schudde zijn hoofd. 'Denk eens aan de logistiek van het bouwen van zo'n graf, en dat dan voor een primitieve beschaving, werkend in een vijandig gebied.'

'Dat is nu juist de duivelse schoonheid van het plan. Weet je nog dat ik zei dat de Sudd zich ieder jaar een beetje uitbreidt? Narmer wist dat. Hij kon zijn graf bouwen aan wat toen de rand van de Sudd was, en de locatie strikt geheimhouden. Vlak onder het oppervlak van de Sudd-vallei ligt een enorm stelsel van vulkanische grotten. Na zijn dood zou het moeras, dat zich steeds verder naar buiten uitstrekte, alle sporen van zijn graf verbergen. De natuur zou het werk voor hem doen.' Rush' gezicht kreeg een bezorgde uitdrukking. 'En deed dat ook – bijna té goed, zelfs.'

'Hoezo?'

'Je hebt Stone gehoord. De site draait als een zonnetje. Alle experts zijn ter plekke, de laboranten en de archeologen en monteurs en noem maar op. Maar...' Hij aarzelde. 'Maar de exacte locatie blijkt moeilijker te vinden te zijn dan Stones experts hadden aangenomen.' Rush slaakte een zucht. 'Uiteraard moeten we als gebruikelijk discreet te werk gaan – niet zo discreet als bij gewone opgravingen natuurlijk, maar toch. De hebzucht neemt toe, de smeergelden worden moeilijker regelbaar. En het is ook nog eens de ergste tijd van het jaar voor dit soort werk: het regenseizoen. Daardoor wordt de Sudd een nog veel moeilijker en onplezieriger en ongezondere werkomgeving.'

Logan dacht terug aan Stones woorden: *We staan onder grote tijdsdruk.* 'Waarom dus die koortsige haast? Waarom niet wachten tot het droge seizoen? Dat graf heeft daar vijfduizend jaar gelegen – dan kan het toch nog wel een halfjaartje wachten?'

Ten antwoord stond Rush op en gebaarde dat Logan hem de kajuit uit moest volgen. Ze kwamen op het dek aan en liepen voorzichtig naar de boeg. De zon was naar de horizon aan het zinken, de meedogenloze witte bal nu een boos oranje. De Nijl spreidde zich onder de voorsteven uit in een patroon van dikke, golvende lijnen. De kreten van watervogels maakten plaats voor een eigenaardig getrompetter van beide oevers.

Rush spreidde zijn handen. Logan keek voor zich en zag aan weerszijden van de rivier een heuvelrij oprijzen tot een reusachtig amfitheater dat voor hen lag en zich uitstrekte tot verder dan het oog reikte. 'Zie je dat?' vroeg Rush. 'Daarachter ligt de Af'ayalah-dam. Aan de Soedanese kant van de grens is die al bijna klaar. Over vijf maanden staat dit, de hele toestand, die hele ellendige pokkenzooi, onder water.'

Logan tuurde de invallende duisternis in. Nu begreep hij de haast.

Terwijl hij peinzend in het water voor de boeg staarde, begon hij plantendelen gewaar te worden die loom op de stroming meedobberden. Eerst waren het enkele bossen papyrus. Maar even verderop vormden die bossen riet eilandjes die zich vasthechtten aan uitstekende modderpunten die als miniatuurvulkaantjes oprezen uit het water.

'Die dam biedt ons een geweldig excuus,' vervolgde Rush. 'We doen ons voor als onderzoekers van het ecosysteem; we zeggen dat we het documenteren voordat het voorgoed verdwijnt. Maar dat bedrog kost weer extra geld en ook hier geldt: hoe langer het duurt, des te moeilijker de leugen vol te houden is.'

Naarmate er meer rotzooi in het water dreef begon de boot allengs vaart te minderen. Logan zag nu complete boomstammen, verstrengeld als in een titanenstrijd, met mos en rottend onkruid als webben van hun flanken afhangend. Er hing een stank van bederf en overrijp groen. In de bovenbouw ging een deur open en er kwamen twee zeelieden naar buiten, elk met een eigenaardig, harpoenachtig wapen aan een hogedrukslang gekoppeld. Ze vatten post aan weerszijden van de boeg en leunden met hun wapens in de aanslag over de reling.

Plotseling floepte er een schijnwerper aan op de voorkajuit, die een bundel onwerkelijk aandoend blauw licht op het water voor de boeg wierp. De stuurman nam nog verder vermogen terug. Er dreven steeds meer planten in het water, en ze voeren nu te midden van een bijna ondoordringbaar tapijt van onkruid en papyrus en takken en stinkende rotzooi. De mannen aan de boeg begonnen met hun hogedrukwapens de zwaardere boomstammen en de samengekoekte plantenmassa weg te duwen. De apparaten maakten een diep, akelig geluid: *snok, snok.* Voor hen, in de smalle baan open water die de boot nu volgde, zag Logan een lichtje op het moeras drijven dat lag te knipperen in de weerspiegelde gloed van hun zoeklicht. Een van de zeelui viste het in het voorbijvaren op.

'Het dagelijkse verkenningsvliegtuig laat bakens vallen wanneer het een nieuwe koers uitzet door die hel hier,' legde Rush uit. 'Dat is de enige manier waarop de boten erdoor komen.'

Ze kropen verder door een steeds dichtere wirwar van hout en varens. De geluiden van de oevers – als er ten minste nog oevers te vinden waren in deze gigantische modderplas – waren vrijwel weggestorven. Het leek wel of ze nu omringd waren door een eindeloze overvloed aan vegetatie, dood of halfdood, allemaal samengebald in één kolossale klit. Zwijgend zaten ze te wachten terwijl de boot de rij knipperende bakens volgde. Nu en dan leek het pad dood te lopen, maar telkens merkte Logan dat de onwelriekende plantenmassa na een zoveelste bocht toch weer voor hen week. Regelmatig moest de boot zijn eigen bovenbouw gebruiken om het druipende weefsel uiteen te duwen.

Op een zeker punt was niet duidelijk waar de route liep. Hoog in de stuurhut gaf Plowright, de kapitein, vol gas; het vaartuig verhief zich lijfelijk uit het water en baande zich met een afgrijselijk gekletter en geschraap langs de onderzijde een weg over de samengeklonterde plantenbrij – tien, twintig meter. Het werd Logan steeds duidelijker waarom de schroef van de boot, die enorme propeller, óp het dek was gemonteerd: een normale scheepsschroef zou binnen een minuut vastzitten in de troep. De twee zeelieden leunden over de reling naar voren en zwaaiden met hun hogedrukslangen. De kleverige hitte en de stank van rottend groen werden overweldigend.

'Je zult wel moe zijn,' zei Rush plotseling vanuit de schemering. 'Het is een lange dag geweest. Morgen maak je kennis met een paar belangrijke teamleden. En dan krijg je waar je volgens mij het hardst op hebt zitten vlassen.'

'Wat dan?'

'Het laatste stukje van de puzzel. Het antwoord op je andere vraag: waarom jij hier aanwezig bent.'

Hier? Logan keek voor zich. En plotseling begreep hij het.

De boot had een scherpe bocht gemaakt door een enorm plateau van verstrengelde takken en riet, en nu zag Logan een wel heel ongebruikelijk tafereel. Voor hem, drijvend op een handvol gigantische dokken, lag wat nog het meest op een bescheiden stadje leek. Van onder talloze muskietennetten flonkerden lichtjes, en over de gebouwen heen waren zeilen gespannen ter grootte van complete voetbalvelden, zodat ze afgeschermd waren van de hemel. Er klonk een vaag gonzen van generatoren, amper luider dan het janken van de insecten die in wolken rond hun boot dansten. Het was een volslagen onverwachte aanblik hier in dit afgelegen, afgrijselijke oord: een oase van beschaving die net zo goed op een van Jupiters manen had kunnen liggen.

Ze waren er.

8

De boot minderde vaart tot loopsnelheid en gaf een stoot op de hoorn. Bijna meteen sprong er een nieuwe reeks lichten aan onder een van de gigantische zeilen. Ondanks zijn vermoeidheid keek Logan gefascineerd hoe een gordijn van muskietengaas als een theatergordijn onder het overkoepelende zeil opzij werd getrokken. Langzaam gleden ze onder het zeil, de overdekte haven binnen. Links van hen lag een reusachtige jetboat, identiek aan het schip waarop zij zich bevonden; rechts lag een groot aantal kleinere bootjes en jetski's afgemeerd aan korte drijfdokken.

Plowright manoeuvreerde het vaartuig naar zijn plek, en iemand met een short en een bloemetjeshemd aan draafde de steiger op om hen vast te leggen. Met een fluistering schoof het net weer op zijn plaats. Logan keek ernaar; voorbij de lichten en de fonkeling van de lichtjes in de haven was de Sudd nu een muur van duisternis.

Dr. Rush liep voor hem uit de loopplank over en de steiger op. 'Deze kant uit,' zei hij, terwijl hij Logan een metalen looppad op wenkte, een deur door en via een lange, tunnelvormige drijvende steiger naar wat schijnbaar een immense, bootachtige structuur was, afgedekt met alweer een enorm zeil, zo te zien ondoorzichtig mylar – het geheel had nog het meest weg van een circustent.

'Zeven uur 's avonds, plaatselijke tijd,' zei Rush. Ondanks het late uur hing er nog een plakkerige, drukkende hitte. Vanuit het donker aan de andere kant van het muskietengaas hoorde Logan een vreemde fuga: een mengeling van de geluiden van insecten, kikkers en andere, minder makkelijk herkenbare dieren.

Hij keek om zich heen. 'Heeft dit ding ook een naam?'

Rush lachte. 'Officieel niet. De meeste mensen hier noemen het "het

Station" – naar *Hart der Duisternis,* neem ik aan. De zes primaire drijf-lichamen, de "vleugels" waaruit de basis bestaat, hebben een kleurcode en worden naar hun kleuren genoemd. Waar we nu binnengaan, is Groen. Daar gebeurt het logistieke werk van de expeditie: contacten met toeleve-ranciers, de coördinatie van transporten, onderhoud van schepen en ap-paratuur, dat soort dingen. Het is ook het, eh, publieke gezicht van de ex-peditie.'

Ze liepen nu een smalle gang door, tamelijk groezelig en haveloos, met aan weerszijden open deuren. Binnen in het gebouw was het koeler, en Logan zag dat de muren inderdaad groen geschilderd waren. Hij tuurde nieuwsgierig de kamers langs de gang in. Die stonden vol computers, vi-deocamera's op statieven, whiteboards vol schema's en bijschriften. Rommelige laboratoria – kennelijk ecologische en biologische onder-zoekscentra – bevatten complete uitrustingen en parafernalia voor het vergaren van monsters. Alle vertrekken hadden één ding gemeen: het was er donker, en er gebeurde helemaal niets.

'Wat is dit allemaal?' vroeg Logan met een hoofdknik naar een van de open deuren.

'Het publieke gezicht waar ik het net al over had. Ons verhaal voor de buitenwacht is dat dit een wetenschappelijke onderneming is, groot en saai, en dat we hier zitten om het unieke ecosysteem van de Sudd in kaart te brengen voordat het voorgoed ondergaat in het water van de Af'ayalah-dam.'

Logan schudde zijn hoofd. 'Uniek of niet, waarom zou je zo'n godver-geten uithoek als deze hier willen bestuderen?'

Rush grinnikte. 'Dat is precies wat de plaatselijke overheid ook denkt, en dat is dan weer precies wat wij willen. Waarom zou je een moeras in kaart brengen waarover mensen sinds ze het ontdekten alleen maar heb-ben lopen ketteren? Maar natuurlijk vonden ze het geen enkel probleem om geld aan te nemen voor de benodigde vergunningen. Dat is waar-schijnlijk het enige voordeel van die ligging hier – de kans is klein dat ie-mand zomaar even onaangekondigd langskomt. Toen we pas bezig waren is er een inspecteur over de vloer geweest. We hadden het hem niet mak-kelijk gemaakt om hier te komen, hij arriveerde per vliegtuig, en we had-den zorgvuldig de airco uit gezet tijdens zijn bezoek. Verder verwachten we geen onderbrekingen meer – maar indien nodig kunnen al die neplabs en -kantoren natuurlijk binnen vijf minuten operationeel zijn.'

Ze liepen langs de centrale gang van Groen, en passeerden nu kantoren die er echt uitzagen: Logan zag iemand achter een computer zitten typen, en iemand anders die in een portofoon stond te praten. Ze liepen een nieuwe gang in, die naar een donkere, ronde opening leidde waar brede stroken halfdoorzichtig plastic voor hingen. Logan moest denken aan de opening van de bagagebanden op luchthavens. Rush liep tussen de stroken kunststof door, en Logan volgde. Plotseling stond hij weer buiten, in een smalle buis van muskietengaas, op een rij pontons. Het was pikdonker en het gonzen van de insecten leek er nog erger op geworden te zijn: de generatoren waren niet meer te horen door het gezoem. Logan stond ernaar te luisteren; het leek hem ondraaglijk een nacht buitenshuis te moeten doorbrengen met zo'n vreselijke herrie.

Toen ze het lange pad af liepen, deinde dat heen en weer; Logan hoorde zuigende, slurpende geluiden onder hun voeten. Kennelijk liepen ze nu van een van de primaire drijvende platbodems naar een andere.

'Al deze structuren zijn verankerd in de bedding van de Sudd,' merkte Rush op. 'En heel precies verankerd; niets mag verschuiven, nog geen halve meter. Ons werk hangt af van satellietpositionering. Maar dat zie je zelf gauw genoeg.'

'Opmerkelijk.'

'Het opmerkelijkste deel zie je niet eens. Zoals je je kunt indenken produceert een moeras als de Sudd enorme hoeveelheden methaangas. Onder elk van de vleugels zitten opvangbakken. Het methaan wordt geconcentreerd en in speciale kamers verwerkt tot schone brandstof. Daarna wordt het naar de twee externe generatoren gepompt. Het wordt ook gebruikt als brandstof voor alles: van de boten tot de bunsenbranders. We zijn vrijwel zelfvoorzienend wat betreft onze energie.'

'Verbijsterend. Waarom doet niet iedereen dat?'

'Nou, de rest van de aarde is goddank niet overdekt met rottende plantenresten.'

'Aha.' Logan lachte. 'Maar is dat niet gevaarlijk?'

'Aardgaspijpen door je huis zijn waarschijnlijk ook gevaarlijk. Het is een gesloten systeem dat vierentwintig uur per dag wordt bewaakt, zeven dagen per week, en de hele toestand is voorzien van een volledig geautomatiseerd beveiligingsmechanisme. Daarbij komt: als we regelmatig duizenden liters olie en gas laten aanvoeren, kon dat wel eens vragen oproepen. En Stone wil niet alleen onder het maaiveld blijven, maar laat het liefst ook geen enkel spoor achter. Hij wil het milieu zo weinig mogelijk schade toebrengen. En dit helpt daarbij.'

Ze passeerden nog een barrière en arriveerden in een tweede, enorme ruimte, lichtblauw geschilderd, met een koepelvormig dak boven vertrekken met wanden van ruim twee meter hoog. 'Dit is Blauw,' zei Rush. 'De woonvertrekken.'

Hier was meer activiteit gaande. Ze liepen door een recreatieruimte met pinballmachines en shuffleboards; daarna volgde een minibibliotheekje met gemakkelijke stoelen, tijdschriften en kasten vol pocketboeken; een salon waar mensen in groepjes van vier rond kaarttafeltjes zaten, verdiept in hun spel. Logan hoorde mensen lachen, en ving flarden op van gesprekken in het Frans, Duits en Engels.

'Geloof het of niet, maar bridge is een echte traditie geworden bij de opgravingen van Porter Stone,' zei Rush. 'Het wordt zeer gestimuleerd tijdens de vrije uren. Volgens Stone is het goed tegen de stress van alledag, voorkomt het dat mensen gaan zitten piekeren over de eenzaamheid en het gemis van hun vrienden en familie, en houdt het tegelijkertijd de geest scherp.'

'Hoeveel mensen werken er aan de opgraving?'

'Het exacte aantal ben ik even kwijt. Rond de honderdvijftig.'

Ze bleven staan bij wat deels winkeltje, deels kantine leek te zijn. 'Wil je wat eten voordat ik je naar je kamer breng?' vroeg Rush.

Logan schudde zijn hoofd. 'Nee, dank je.'

'Wacht, ik haal toch even iets, voor de zekerheid.' Rush verdween het winkeltje in, en Logan bleef op de gang naar binnen staan kijken. Er zaten minstens tien mensen in de kantine te eten. Het was een opvallend gemengd publiek: wetenschappers in laboratoriumjassen schouder aan schouder met ruig ogende monteurs die zwart van de modder of de olie zagen.

Rush verscheen in de deuropening met een papieren zak. 'Kijk, een broodje BLT, een appel en een blikje ijsthee,' zei hij. 'Voor het geval je honger krijgt.'

Hij ging Logan voor, een hoek om naar een zone met slaapvertrekken. Hier was het geprat luider: gesprekken, gelach, muziek uit digitale players, films op laptops of flatscreen-tv's.

Rush bleef staan voor een gesloten deur met het opschrift 032. 'Dit is jouw kamer,' zei hij, terwijl hij de deur opende en Logan naar binnen gebaarde. Hij zag een spartaans ingerichte maar schone kamer met een bureau, een bed, twee stoelen, een kast en een stel in de muur ingebouwde laden.

'Over een paar minuten komen ze met je bagage,' zei Rush. 'En morgen zorgen we dat je alle pasjes krijgt die je nodig hebt, en beginnen we met de training. Nu zul je wel moe zijn.'

'Overvoed, eerder.'

Rush glimlachte. 'Ik moet even naar de medische dienst. Zullen we elkaar voor het ontbijt treffen? Zeg, om acht uur?'

'Prima.'

'Tot dan.' Rush greep even zijn schouder, draaide zich om en liep weg, de deur achter zich dichttrekkend.

De geluidsisolatie was beter dan hij verwacht had: meteen zwakten de geluiden op de gang af tot een gemurmel. Logan was net bezig zijn horloge op de plaatselijke tijd te zetten toen er werd aangeklopt en een jongeman met een bos peenhaar zijn bagage binnenbracht. Logan bedankte hem, deed de deur dicht en ging op het bed liggen. Hij was niet echt moe, maar had even nodig om alle verbazing en nieuwtjes van het afgelopen anderhalve etmaal op een rijtje te zetten. Het leek bijna ongelooflijk: hier zat hij, te midden van een uitgestrekt complex van vlotten, met elkaar verbonden door looppaden, in sluiers van tentdoek en muskietengaas, dat alles boven op een walgelijk moeras, honderden kilometers overal vandaan...

Vijf minuten later was hij in een diepe slaap verzonken en droomde hij dat hij boven op een piramide stond, helemaal in zijn eentje, gestrand, omgeven door een onafzienbare zee van zwalpend, dampend drijfzand.

9

De volgende ochtend vloog voorbij met een lange reeks bezigheden. Logan trof Rush aan het ontbijt, zoals afgesproken. Daarna bracht Rush hem terug naar Groen, waar alle officiële zaken werden afgehandeld; hij kreeg een pasje, en een nuchtere vrouw met een Cockney accent gaf hem een rondleiding van twintig minuten. Het hele proces was doeltreffend en had iets klinisch, met een bijna militaire precisie: dit was zonder enige twijfel een machine die in de loop van vele eerdere expedities uitstekend geolied en gestroomlijnd was. Aan het einde van de rondleiding kreeg hij het verzoek zijn mobiele telefoon in te leveren, met de verzekering dat hij die aan het eind van zijn verblijf terug zou krijgen. '… als je eenmaal aan het project begonnen bent, zul je misschien niet makkelijk naar buiten kunnen bellen,' had Rush in zijn eerste e-mailtje geschreven. Nu begreep Logan waarom: Stone, en zijn fanatieke obsessie met geheimhouding. Hoewel het onwaarschijnlijk leek dat wat voor mobiele telefoon dan ook op zo'n afgelegen plek signaal had.

'Na de lunch maak je kennis met Tina,' zei Rush toen ze de smalle gang weer in liepen.

'Tina?'

'Dr. Christina Romero. Dat is ons hoofd Egyptologie. Zij geeft je de laatste info, zodat je helemaal bij bent. Ze kan soms een beetje stekelig doen, en ze heeft een uitgesproken mening over het plunderen van grafgoederen, maar ze is verschrikkelijk goed in haar werk.' Hij aarzelde even, alsof hij nog iets wilde zeggen. 'Intussen dacht ik dat je misschien het lopende onderzoek zou willen zien.'

'Jazeker,' antwoordde Logan. 'Vooral als ik daarmee enig idee krijg wat er hier van me verwacht wordt.'

Samen liepen ze langs nog een stel kantoren, laboratoria en gereedschapsschuren. Algauw was Logan de weg kwijt in het doolhof van gangen. Ze passeerden wetenschappers in witte jassen, een machinist in een overall, en vreemd genoeg ook een gezette man met een baard, rubberlaarzen en een cowboyhoed.

'Een sjouwer,' zei Rush, alsof dat alles verklaarde.

Ze liepen nog een drijvende gang door, overdekt met mylar en muskietengaas, op luttele centimeters boven het moerasoppervlak, en de arts dook onder een zoveelste geïmproviseerde afscheiding van verticale stroken kunststof door. Logan volgde hem – en bleef als aan de grond genageld staan. Ze bevonden zich op de drempel van een enorme ruimte. Een van de gele wanden werd in beslag genomen door een rij kluisjes – een stuk of twintig, vijfentwintig, allemaal slagschipgrijs geschilderd. Langs de muur daartegenover zag hij rijen instrumenten: servers, oscilloscopen, apparatuur die eruitzag als ultramoderne dieptemeters en sonar, en een tiental nog exotischer ogende toestellen. Snoeren, stroomkabels en computerkabels slingerden zich over de grond en kwamen bijeen in het midden van de zaal, waar een groot, rond gat in de vloer gezaagd was. Rondom dit wak stond een reling, met nog meer apparatuur.

'Dit is Geel,' zei Rush met een handgebaar. Zijn stem kreeg een trotse klank. 'Het gezicht van de opgraving.'

Hij ging Logan voor naar het midden van de ruimte. Logan volgde, behoedzaam zijn weg kiezend te midden van de zee van kabels. Rond het wak zat een aantal mensen: sommigen hielden instrumenten in de gaten, anderen zaten met duikpakken aan op bankjes te praten. Achter een kleine balie zat een vrouw met een verpleegstersuniform aan op haar laptop te typen.

Logan liep naar het gat toe en tuurde behoedzaam de diepte in. Het wak had een doorsnee van minstens tweeënhalve meter. Hij zag het groen-bruine oppervlak van de Sudd op nog geen halve meter beneden zijn voeten. De damp rees als een kwalijk miasma, een onwelriekende adem, naar zijn neusgaten. Twee ladders en een aantal dikke kabels liepen de duistere diepte in.

Rush knikte naar het gat. 'Ons punt van contact met het moeras. De Muil, noemen we het.'

'De Muil?'

Rush glimlachte grimmig. 'Toepasselijk, vind je niet?'

Dat kon Logan niet ontkennen.

Aan de andere kant van de Muil hing een reusachtig flatscreen, aangesloten op een hele rij computerapparatuur. Op het scherm was iets te zien wat in Logans ogen nog het meest leek op een kruising tussen een schaakbord en een soort buitenaards lottobiljet: een raster van vierkanten, tien hoog en tien breed, in een veelheid aan kleuren. Sommige vierkanten bevatten eigenaardige symbolen; andere hadden kleine logo's en regels tekst. Weer andere waren leeg.

Naast het scherm stond een industriële schuifladder, van het soort dat wordt gebruikt voor het vullen van vakken in een magazijn. Daarbovenop, met zijn handen gevouwen op een borstkas als een ton, stond een man met een sigaar in zijn mond, ondanks de bordjes VERBODEN TE ROKEN die overal hingen. Hij was kaal, en zijn schedeldak blonk onder de felle operatiekamerlampen; het was te zien dat hij jaren in de zon had doorgebracht: zijn huid had de kleur van pruimtabak. Ondanks zijn lengte van hoogstens een meter vijftig straalde hij zelfvertrouwen en gezag uit.

Dr. Rush liep om de Muil heen en bleef onder aan de ladder staan. 'Frank?' zei hij tegen de man boven. 'Ik zou je graag aan iemand willen voorstellen.'

De man op de ladder keek op hen neer. Daarna loerde hij omzichtig de ruimte door, alles in zich opnemend alsof hij zich ervan wilde verzekeren dat alles in orde was. Uiteindelijk kwam hij aan zijn sigaar lurkend de ladder af.

'Jeremy, dit is Frank Valentino,' zei Rush. 'Onze plaatselijke expert op het gebied van duiken en graven.'

Valentino nam de sigaar uit zijn mond, keek peinzend naar het doorweekte uiteinde, schoof hem terug tussen zijn lippen en stak een vlezige klauw uit.

'Frank, dit is Jeremy Logan,' vervolgde Rush. 'Hij is hier gisteravond aangekomen; ik heb hem opgehaald.'

Op Valentino's gezicht verscheen een licht geïnteresseerde uitdrukking. 'Dat heb ik gehoord, ja,' zei hij. Zijn stem klonk opmerkelijk diep en accentloos. 'De spookdokter.'

Even stond Logan roerloos. Toen hief hij plotseling beide handen en boog zich naar Valentino over. 'Boe!' zei hij.

Valentino deinsde geschrokken achteruit. 'Madonna,' mompelde hij binnensmonds, terwijl hij een kruisje sloeg. Vanuit zijn ooghoek zag Logan dat Rush een glimlach stond te verbijten.

Op de achtergrond, voorbij het geroezemoes van de laboranten en duikers, hoorde Logan af en toe het gekwaak van een elektrisch versterkte stem door de radio aan de andere kant van het grote beeldscherm komen. Daar was hij weer: 'Romeo Foxtrot Twee, aan de afdaling.'

'Romeo Foxtrot Twee, roger,' zei een man die bij de radiomicrofoon zat. 'Je komt luid en duidelijk door.'

Rush gebaarde naar de Muil. 'Zolang de werkelijke locatie van het graf niet is vastgesteld, gebeurt al het verkennings- en cartografische werk hier.'

'Maar de Sudd is zo enorm,' zei Logan. 'Hoe wisten jullie waar je moest beginnen?'

'Dat kan Tina Romero uitleggen. Laat ik ermee volstaan te zeggen dat de locatie aanvankelijk was vastgesteld als een vierkant met zijden van ettelijke kilometers lang. Met onderzoek en, eh… andere overwegingen… hebben we dat vak intussen verkleind tot een kilometer per zijde.'

Rush wees naar het enorme flatscreen. 'Wat je daar ziet is een reproductie van het bodemprofiel van de Sudd: het vlak van een kilometer, opgedeeld in een raster van tien bij tien. Met behulp van een gps-satelliet zijn we bezig heel nauwkeurig ieder vakje afzonderlijk te verkennen. Er gaan duikers omlaag om de site af te speuren en alles wat maar enigszins veelbelovend lijkt, te bekijken.'

'Romeo Foxtrot, Echo Bravo,' zei de radioman. 'Een update, graag.'

Even later kwaakte de radio weer: 'Romeo Foxtrot. We zitten op mintien meter en dalen verder af.'

'En je zuurstof?'

'Tweeëntachtig procent.'

'Hou die zuurstof in de gaten, Romeo Foxtrot.'

'Roger.'

'Wat je hoort, zijn de gesprekken met het duikteam van het moment,' legde Rush uit. 'Ze duiken altijd met twee personen, voor de veiligheid. En ze gebruiken speciale apparatuur om zich te oriënteren. Je kunt je niet voorstellen hoe het is om in de Sudd af te dalen: het is er pikdonker, de modder en het drijfzand kleven om je heen als een verstikkende deken, je kunt onmogelijk zien wat boven of onder is…' Hij zweeg.

'Je zei net dat de site wordt afgezocht,' zei Logan. 'Dat je veelbelovende vondsten nagaat.'

'Ja,' zei Rush, en hij richtte zijn blik weer op Logan. 'Zie je, dit is de locatie van een prehistorische vulkaan. Ook in Narmers tijd was die vulkaan allang dood. Maar er waren sporen achtergebleven in de vorm van onderaardse lavagangen. Volgens ons heeft de farao een geschikte lavagang uitgezocht als graf, en heeft hij die door zijn slaven laten uitbreiden en waar nodig versterken. Als het graf eenmaal afgesloten was, zouden de optrekkende modder en het water van de Sudd de rest doen. Maar goed, als we naar een nieuwe sector van ons raster gaan, moeten we eerst alle slibafzettingen van de moerasbodem wegblazen.'

'En daar zorgt Dikke Bertha voor,' zei Valentino met een glimlach. Hij gebaarde met zijn duim over zijn schouder, waar Logan in de schemerige diepten van de hangarachtige ruimte een enorme machine zag staan: half sneeuwschuiver, half ijsbreker.

'Narmer dacht dat zijn graf voor altijd verborgen zou zijn,' zei Rush. 'Maar hij had zich nooit kunnen indenken wat voor technologie wij tegenwoordig kunnen inzetten: langeafstandsradar, scuba-uitrustingen, gps.'

'Romeo Foxtrot hier,' onderbrak de krakende, blikkerige stem. 'De zuurstoftoevoer doet een beetje raar. Volgens de meter zitten we nu op drieënveertig procent.'

De man bij de microfoon keek naar Valentino, die knikte. 'Diepte?' zei hij in het toestel.

'Twaalf meter.'

'Hou het scherp in de gaten,' zei de radioman. 'Terugkomen als je beneden de vijfentwintig procent komt.'

'Roger.'

'Dikke Bertha doet het grove werk,' hervatte Rush. 'Vervolgens wordt het rastervak afgespeurd naar vondsten – gaten of tunnels in de moerasbedding. Als die er niet zijn, wordt het vak afgevinkt en gaan we naar het volgende. Worden er wel tunnels gevonden, dan worden die aangetekend als zoekgebied voor het volgende duikteam.'

'Soms blijkt het een zogeheten *sinkhole* te zijn,' zei Valentino. 'Soms is het niets. Maar we moeten alles nagaan. Soms zijn die tunnels vertakt. Dan moeten we die vertakkingen in kaart brengen – stuk voor stuk.'

Rush knikte weer naar het scherm. 'De resultaten worden daarop vastgelegd, en op de grote cartografische display in het commandocentrum. Dat gebeurt met archeologische precisie.'

'Hebben jullie al iets gevonden?'

Rush schudde zijn hoofd.

'En hoeveel is al in kaart gebracht?'

'Vijfenveertig procent,' antwoordde Valentino. 'En vanavond wordt dat deo volente vijftig procent.'

'Dat is snel,' zei Logan. 'Ik had gedacht…'

Hij werd onderbroken door een luide stem uit de radio. 'Echo Bravo hier. Ik heb een probleem met mijn regulator.'

'Kijk even naar de klep,' zei de man bij de radio.

'Heb ik gedaan. Niks.'

Logan wierp een snelle blik op Rush.

'Waarschijnlijk is het niets,' zei de arts. 'Je kunt je indenken dat duiken onder deze omstandigheden hoge eisen stelt aan de apparatuur. Hoe dan ook, de ademautomaat is zo ontworpen dat hij ook bij falen openblijft – dus ook als de regulator kapot is, blijft hij zuurstof leveren.'

'Echo Bravo voor basis,' kwam de stem. 'Ik krijg geen lucht!'

Meteen liep Valentino naar de radio en pakte zelf de microfoon. 'Valentino hier. Gebruik je tweede trap, de reserve.'

'Dat probeer ik! Ik zweer het! Maar er komt niets uit. Volgens mij zit de stofkap verstopt.' Zelfs door de radio was de paniek in de stem van de man duidelijk hoorbaar.

'Romeo Foxtrot,' zei Valentino in de radio. 'Zie je Echo Bravo? Zijn regulator doet het niet en zijn octopus is zo te horen losgeraakt. Hij heeft zuurstof nodig. Zie je hem? Over!'

'Romeo Foxtrot hier,' kwam de tweede versterkte stem. 'Nergens te bekennen. Volgens mij is hij aan de decompressie, op weg naar boven.'

'O, jezus,' zei Rush. 'Forsythe is in paniek. Hij vergeet de regels.' Hij richtte zich tot de verpleegkundige. 'Haal een crash cart en een team artsen – nú. En zeg dat ze de uitzuigmachine meenemen.'

'Wat is er aan de hand?' vroeg Logan.

'Als hij aan zijn training denkt, niets. Maar als hij in paniek raakt, zijn adem inhoudt als hij bovenkomt…' Rush zweeg even. 'Bij iedere tien meter die je afdaalt wordt de lucht in je longen samengeperst tot de helft van het volume. Bij hun laatste melding zaten ze op ruim tien meter. Als hij bovenkomt met al die lucht in zijn longen…'

'Dan zet die uit, verdubbelt in volume,' vulde Logan aan.

'En dan barsten zijn longen.' Met een grimmig gezicht liep Rush haastig naar de verpleegkundige, die rad in een telefoon stond te praten.

10

Gespannen, met strakke gezichten, dromden ze samen rond de donkere, gapende Muil. Valentino gaf kortaf een bevel, en er gingen meer lampen aan, zodat het huiverende, bevende oppervlak zich scherp aftekende. Terwijl Logan het gat in keek, kreeg hij even de indruk dat de Sudd een levend wezen was, het bruinige oppervlak de huid van een of ander gigantisch beest, en dat het pure waanzin was om daarbovenop te gaan zitten zoals zij nu deden…

Plotseling werd er een krampachtige ruk gegeven aan een van de kabels die de blubber in liepen. Via de radio klonk een eigenaardig, gorgelend geluid.

Valentino rende terug naar de microfoon. 'Echo Bravo? Echo Bravo!'

'Romeo Foxtrot hier,' klonk de ontzielde stem. 'Ik zie hem nog steeds niet. Het is hier pikzwart, ik zie geen…'

Luid ratelend verschenen er bij de opening naar Geel twee in het wit geklede verplegers, elk met een enorme kar vol medische apparatuur.

Er werd nogmaals aan de kabel gerukt, en de stem klonk weer door de radio. 'Romeo Foxtrot voor Centrum, ik zie hem. Ik heb hem te pakken. We komen boven.'

Plotseling ontstond er hevige deining aan het vlekkerige oppervlak van water vol rottende plantenresten. Even later dook een hand in een zwarte handschoen boven de modder uit en greep een van de ladders beet. Vervolgens verschenen een neopreen kap en masker. Ondanks de tastbare spanning in de lucht was Logan even getroffen door het vreemde beeld: de duiker die als een insect bovenkwam, probeerde zich te ontworstelen aan de oersoep.

Naast hem had dr. Rush zwijgend staan wachten, gespannen als een veer. Nu holde hij naar voren en samen met een van de medische verzorgers begon hij de man los te trekken uit de greep van de Sudd. De duiker had zijn arm om een tweede in neopreen gehulde man geslagen; die laatste stribbelde zwak tegen. De twee werden uit de Muil aan land gehesen, en op de vloer van de grote open ruimte gelegd. Beiden zaten van top tot teen onder de prut, een derrie zo dik als havermout. Er hing plotseling een sterke geur van bederf en dode vis.

'Spoel ze af,' zei Valentino.

Maar terwijl er een team aankwam om de smurrie van de duikers af te spoelen, was Rush al bezig het slachtoffer naar een klaarstaande brancard te helpen. Hij plukte het masker en de kap van zijn gezicht en sneed met een scalpel het neopreen pak van hals tot navel open. De man kreunde en sloeg met zijn armen en benen; er stond bloederig schuim op zijn lippen.

Snel zette Rush een stethoscoop op de ontblote borst van de man.

'Hij raakte in paniek,' zei de andere duiker, die met een handdoek zijn gezicht en haar afveegde terwijl hij kwam aanlopen. 'Een beginnersfout. Maar als je in die blubber moet duiken, vergeet je…'

Rush hief een hand: stilte! Hij zette de stethoscoop op verschillende plaatsen op de borstkas, en luisterde. Zijn bewegingen waren bruusk, bijna gewelddadig. Na een tijdje rechtte hij zijn rug. 'Extravasatie van lucht,' zei hij. 'Met als gevolg een klaplong.'

'Dokter,' zei de verpleger, 'we kunnen hem naar de ziekenboeg brengen, en daar…'

'Geen tijd!' grauwde Rush, terwijl hij een stel latex handschoenen aantrok. De man op de brancard spartelde wat, klauwde naar zijn keel, rochelde iets onverstaanbaars.

Rush richtte zich tot de verplegers. 'Naaldaspiratie volstaat hier niet. Onze enige optie is een thoracoscopie. De adembuis, nú!'

Logan keek met een mengeling van verbazing en bezorgdheid toe. Tot nu toe was Ethan Rush een toonbeeld van rustige zelfverzekerdheid geweest. Maar dit, de abrupte, bijna koortsige manier van doen, de ongeduldige houding, de geblafte orders, dit was een Rush die hij nog niet eerder had meegemaakt.

Terwijl een van de verplegers terugliep naar zijn kar met apparatuur, smeerde Rush een gebied onder de linkerarm van de duiker in met jodium en een plaatselijk verdovingsmiddel, en daarna maakte hij met een haal van zijn scalpel een snee van vijf centimeter tussen twee ribben in. 'Schiet eens op met die buis!' zei hij over zijn schouder.

De verpleger bracht de drain en haalde de plastic slang uit de steriele verpakking. Rush knielde voor de hevig tegenstribbelende man en stak de slang zorgvuldig in de snee die hij zojuist had gemaakt. Hij keek of de buis goed zat, gromde even en stond op.

'Thoraxdrain,' blafte hij.

Er kwam een andere verpleger aanlopen, met een karretje waarop een blauw-wit kunststof apparaat stond dat Logan nog het meest voorkwam als een uit zijn krachten gegroeide bloeddrukmeter. Er zat een stel verticaal geplaatste meters op, en uit de bovenkant staken twee doorzichtige plastic slangen.

'Stopkraan voor krachtregeling?' riep Rush.

'Staat aan.'

'Waterslot vullen tot twee millimeter.'

'Ja, dokter.'

Terwijl de verpleger water in het apparaat goot, zag Logan het reservoir blauw kleuren. Intussen had Rush een van de plastic slangen vastgemaakt aan de lijn in de borstkas van de gewonde duiker. Logan keek naar de man: hij stribbelde nu minder tegen, zijn bewegingen waren krampachtig.

'Katheter geplaatst,' zei Rush. 'We beginnen met zuigen. Druk ingesteld op min twintig centimeter H_2O.' Hij haalde een schakelaar op de machine om en begon een stopkraantje op de behuizing van het apparaat open te draaien. Meteen begon de vloeistof in het reservoir te borrelen. Rush draaide het kraantje verder open, en het borrelen nam toe. De slang die uit de snee in de flank van de duiker kwam, begon zich te vullen met water en bloed.

'Als we de vloeistof snel genoeg uit de borstholte krijgen, kunnen de longen zich misschien spontaan herstellen,' zei Rush tegen de verzorger. 'We hebben geen tijd voor een operatie.'

Het werd stil in de grote ruimte. Alleen het gonzen van de machine en het borrelen van het water uit de slang waren te horen.

Rush keek met een steeds ongerustere blik van de man op de brancard naar de uitzuigmachine en terug. 'Hij wordt cyanotisch,' zei hij. 'Voer de vacuümdruk op naar min vijftig millimeter kwikdruk.'

'Maar bij zo'n hoog…'

Rush viel uit tegen de man: 'Verdomme, doe wat ik zeg!' Daarna liep hij met grote passen om de brancard heen, opende de mond van de nu roerloze duiker en begon met kunstmatige ademhaling. Er verstreken vijftien seconden, dertig. En toen, heel plotseling, trok de duiker met zijn armen en benen; hij hoestte water en bloed op en haalde diep, hortend adem.

Langzaam kwam Rush overeind. Hij keek naar de duiker, en daarna naar de machine. 'Draai maar terug naar min twintig,' prevelde hij.

Hij keek naar de gezichten van de aanwezigen en trok zijn handschoenen uit. 'Hou dat reservoir in de gaten,' zei hij tegen de verpleger. 'Ik ga de ziekenboeg inseinen voor een grondige evaluatie.' En zonder verder nog een woord te zeggen draaide hij zich op zijn hakken om en beende de grote, hoge zaal uit.

Logan liep een tijd rond door het complex en probeerde er wegwijs te worden. Toen het lunchtijd werd, merkte Logan dat zijn passen hem ongevraagd hadden gebracht naar wat de ziekenboeg leek te zijn. Als er echt maar honderdvijftig mensen aan het project werkten, leek die afdeling hem groter dan nodig was; tot hij plotseling bedacht hoe ver ze van de bewoonde wereld af zaten.

Het was er rustig, bijna slaperig. Logan liep de centrale gang door en keek door openstaande deuren naar binnen naar de onbezette bedden en de ongebruikte apparatuur. Bij het verpleegstation zat een vrouw aantekeningen te maken op een klembord. Hij kwam langs een grote, open ruimte met een bordje OBSERVATIE. Daar lag de gewonde duiker, omringd door een reeks diagnostische apparaten.

Logan liep verder en bleef bij de volgende kamer staan. Dit was kennelijk Rush' kantoor: de arts zat met zijn rug naar de deur toe in een digitale dictafoon te praten.

'… een katheter ingebracht in de borstholte, waardoor de klaplong kon worden verlicht voordat de conditie kon verslechteren tot een verplaatsing van het mediastinum of een luchtembolie,' dicteerde hij. 'Beide complicaties hadden tot een dodelijke afloop kunnen leiden, omdat het onder de omstandigheden onmogelijk was geweest om…'

Zodra hij besefte dat hij niet alleen was, klikte Rush de recorder uit en draaide zich om. Logan schrok toen hij hem zag: Rush had een grauw gezicht, en zijn ogen waren dik en rood. Het leek bijna alsof hij had gehuild.

De arts glimlachte even. 'Jeremy. Ga zitten.'

'Dat was een knap staaltje,' zei Logan.

De glimlach vervaagde. 'Een interessante manier om je verblijf in te luiden.'

Logan knikte. 'Ja. Om zo'n ongeluk mee te maken.'

'Ongeluk,' herhaalde Rush. 'Alwéér een ongeluk.' Even leek hij in ge-

dachten verzonken, maar toen klaarde zijn gezicht iets op. 'Sorry dat je...
tja, dat je me zo moest zien.'

'Je hebt die man z'n leven gered.'

Rush maakte een handgebaar alsof dat wel meeviel. 'Sinds die ervaring
met mijn vrouw heb ik uitsluitend te maken gehad met mensen die aan de
dood ontkomen waren. Dit was voor het eerst dat ik met een kwestie van
leven of dood te maken kreeg sinds... sinds zij naar de SEH van Providence
was gebracht, geloof ik. Ik had geen idee dat het me zo zou aangrijpen.' Hij
zweeg even en keek Logan aan. 'Dit zou ik tegen niemand anders zeggen,
Jeremy, maar ik hoop dat Porter Stone geen vergissing heeft begaan door
mij als arts aan de expeditie toe te voegen.'

'Beslist niet. Stone heeft een prima dokter uitgekozen. En je zult zien en
beleven: dit blijft de enige medische crisis waarmee je te maken krijgt. Van
nu af aan gaat het allemaal van een leien dakje. En zullen we dan nu even
wat gaan eten voordat ik naar die Tina Romero moet?'

Opnieuw verscheen er een glimlach op Rush' gezicht, veel oprechter
ditmaal. 'Geef me vijf minuten om dit dictaat af te maken, en dan ga ik
mee.'

11

Christina Romero's kantoor bevond zich in Rood, de afdeling van het Medisch Centrum en de diverse onderzoekslaboratoria. Het deed Logan denken aan zijn eigen kantoor aan de Universiteit van Yale: ordelijk en schoon, met rijen en rijen boeken op volgorde van auteur en onderwerp in lange metalen boekenrekken. Midden in de ruimte stond een groot bureau dat welisw aar vol lag met objecten en notitieboekjes, maar er toch op de een of andere manier netjes uitzag; tegen de achterwand stonden nog meer spullen, in een stapel plastic dozen met keurige etiketten. Aan de andere drie wanden hingen enkele ingelijste diploma's en prenten: een foto van een Egyptische wandschildering, een kopie van Turners *Regulus* en, vreemd genoeg, een kinderlijk aandoende tekening van de Sfinx.

Maar terwijl het kantoor vertrouwd aandeed, was dr. Romero zelf een openbaring: slank en heel jong, hoogstens dertig. Logan bedacht dat hij een in tweed gehulde, verfomfaaide vrouw op leeftijd voor zich had gezien, een vrouwelijke Flinders Petrie. Romero voldeed beslist niet aan dat beeld. Ze had een spijkerbroek en een zwart coltruitje aan, met de mouwen opgestroopt tot aan haar ellebogen. Ze had kroezend, zwart haar tot op haar schouders, met een scheiding in het midden. Zoals het van haar gezicht afstond, deed het denken aan de hoofdtooi van een Egyptische koning. Toen Logan binnenkwam, zat ze achter het bureau, geconcentreerd bezig een vulpen te vullen uit een flesje blauwzwarte inkt.

Hij klopte beleefd aan de deurstijl. Romero veerde geschrokken overeind en liet bijna haar pen vallen.

'Shit!' zei ze, terwijl ze een tissue greep om de geknoeide inkt op te deppen.

'Sorry,' zei Logan vanaf de drempel. 'Hebt u inkt op uw kleren gekregen?'

'Dat maakt niets uit,' zei ze. 'Maar déze hier had kapot kunnen vallen.' Ze hield de pen voor hem op. 'Weet u wat dit is? Een Parker Duofold Senior, mandarijngeel, uit 1927, het eerste productiejaar. Héél zeldzaam. Kijk, hij heeft zelfs de gele schroefdraad, dus voordat ze op zwart overgingen.' Ze wuifde ermee naar hem alsof het een dirigeerstok was.

'Bijzonder indrukwekkend. Hoewel ik zelf liever een Waterman heb.'

Ze legde de pen neer en keek hem aan. 'De Silver Overlay?'

'Nee. De Patrician.'

'O.' Ze schroefde de dop op de pen en stak hem in de zak van haar spijkerbroek voordat ze opstond om zijn hand te schudden.

Romero's stevige greep zei Logan meer dan de inrichting van haar kantoor. Hij hield haar hand iets langer dan gebruikelijk vast.

'Wat komt u hier doen?' vroeg ze. 'Ik heb u hier nog nooit gezien.'

'Dat komt doordat ik pas gisteren aangekomen ben. Ik ben Jeremy Logan.'

'Logan.' Ze fronste haar wenkbrauwen.

'Ik heb een afspraak met u.'

Haar gezicht klaarde op. 'O, ja, natuurlijk. U bent de spoken...' Ze onderbrak zichzelf, maar haar groene ogen fonkelden van een binnenpretje.

Weer hetzelfde liedje. Logan was eraan gewend. 'Zelf geef ik de voorkeur aan de term "enigmatoloog".'

'Enigmatoloog. Ja, dat klinkt wel mooi officieel.' Met een half sceptische, half vijandelijke blik nam ze hem van top tot teen op. 'Enne... waar hebt u de spullen? In die tas die u daar bij u hebt?'

'Wat voor spullen?'

'Nou, u weet wel: de ectoplasmameter, de glazen bol... de wichelroede. U hebt toch zeker wel een wichelroede op zak?'

'Geen denken aan. Maar overigens, een glazen bol kan bijzonder handig zijn; niet per se om de toekomst te voorspellen, maar wel om het hoofd leeg te maken, zonder nodeloze gedachten en afleidingen, bijvoorbeeld voorafgaand aan de meditatie. Hoe goed dat werkt, hangt uiteraard wel samen met de onzuiverheden in de steen en de brekingsindex.'

Daar moest ze schijnbaar even over nadenken. 'Komt u binnen, gaat u zitten.'

'Dank u.' Logan stapte naar binnen en ging bij het bureau zitten. Zijn tas zette hij op de grond.

'Sorry, ik wilde niet oneerbiedig doen. Maar ik heb nog nooit een... enigmatoloog ontmoet.'

'Dat hebben de meeste mensen niet. Op feestjes en partijen zit ik nooit om gespreksstof verlegen.'

Ze schudde haar zwarte haar over haar schouder en leunde achterover. 'Wat doet u precies?'

'Zo'n beetje wat de naam al aangeeft. Een enigma is een raadsel, en ik doe onderzoek naar fenomenen die buiten de normale grenzen van de menselijke beleving vallen.'

'Klopgeesten, dat soort dingen?'

'Soms. Maar vaker gaat het om wetenschappelijke of paranormale activiteit die niet simpelweg te verklaren valt met de traditionele inzichten.'

Ze kneep haar ogen samen. 'En dat doet u fulltime?'

'Ik doceer ook geschiedenis aan Yale.'

Dat leek haar te interesseren. 'Egyptische geschiedenis?'

'Nee. Voornamelijk middeleeuwse geschiedenis.'

De belangstellende blik vervaagde. 'Aha.'

'En nu we toch bezig zijn met vraag en antwoord: vertelt u me iets meer over uw achtergrond?'

'Prima. Ik ben doctor in de Egyptologie aan de Universiteit van Caïro.' Ze maakte een handgebaar naar de diploma's. 'Ik heb gestudeerd onder Nadrim en Chartère. Ik heb geassisteerd bij de opgraving naar Khefren de Zesde.'

Logan knikte. Dat was een hoogst indrukwekkende staat van dienst. 'Is dit uw eerste project met Porter Stone?'

'Het tweede.'

Logan ging verzitten. 'Dr. Rush zei dat u me zou bijpraten over de achtergrond. Wat u bij Hiërakonpolis hebt gevonden bij het doorzoeken van de tempel van Horus. Hoe u op juist deze plek kwam voor het graf.'

Romero stak haar handen in haar zakken. 'Waarom wilt u dat weten?'

Logan vatte dit op als: waarom zou ik mijn tijd verdoen door u dat uit te leggen? Hardop zei hij: 'Dat kan van pas komen bij mijn onderzoek.'

Na een korte stilte leunde ze naar hem over. 'Heel in het kort dan. Porter Stone heeft iets gevonden wat een ostrakon heet…'

'Hij heeft me de replica laten zien.'

'Mooi, dan hoef ik dat niet uit te leggen. Stone is er via dat ostrakon en uit allerhande onderzoek achter gekomen dat Narmer Hiërakonpolis had gebruikt als een soort oefensessie voor de bouw van zijn echte graf.' Ze keek hem aan. 'U weet wie Narmer was, neem ik aan?'

Logan knikte.

'De eerste koning van het verenigde Egypte.'

'Voor zover ik begrepen heb, bestaat daar enige twijfel over. In het verleden werd aangenomen dat de eenwording van Egypte had plaatsgevonden onder koning Menes.'

'Een groot aantal wetenschappers, waaronder ikzelf, is van mening dat Narmer en Menes een en dezelfde zijn.' Ze keek hem vorsend aan. 'U bent dus wél op de hoogte van de geschiedenis van het oude Egypte.'

Logan haalde even zijn schouders op. 'In mijn beroep is het goed om van alles een beetje te weten.'

'En hoe ver reikt die eruditie van u precies?'

Logan knikte naar de ingelijste Egyptische wandschildering. 'Ver genoeg om te weten dat die afbeelding uit de Amarnaperiode stamt.'

'O ja? Hoe komt u daarbij?'

'Een druk beeld, figuren die elkaar overlappen. De nadruk op de vrouwelijke vorm: heupen, borsten. Dat zie je niet in de vroegere kunst.'

Even keek ze hem aan. Toen brak er langzaam een glimlach door op haar gezicht. 'Oké, mr. Ghostbuster. U bent kennelijk niet zomaar een foto in een tijdschrift. Touché.'

Logan grijnsde terug.

Ze ging weer rechtop zitten. 'Oké. Met behulp van geofysische analyse en satellietfoto's hebben we een mijn gevonden die in gebruik leek te zijn als grafplaats. Dat was ongebruikelijk, want de heel vroege Egyptenaren begroeven hun doden normaal gesproken in het zand – ook hun edelen en koningen. Dus is March begonnen aan een doelgerichte opgraving.'

'March?'

'Fenwick March. Hoofd Archeologie voor het project. Hij leidt de zaken als Porter Stone er niet is.'

'En wat hebben jullie gevonden?'

'Eerst vonden we wat je zou verwachten. Vroege black-toppotten met verkoolde randen, stuifmeel, paleozoölogische resten. Maar naarmate we vorderden, werd steeds duidelijker hoe verschrikkelijk groot de site was.'

'Zo groot dat dit de stad geweest kon zijn waar grafbouwers en laboranten woonden?'

'Bingo. En toen vonden we dít.' Ze stond op, liep naar een archiefkast en trok een la open. Ze haalde er twee opgerolde vellen papier uit, liep naar het bureau terug en gaf er een aan hem.

Logan rolde het papier uit. Het was een kleurenfoto van een oude Egyptische inscriptie, in steen uitgehouwen en geschilderd, met een afbeelding van een koning op een troon, omringd door lijnen en pijlen en een aantal primitieve ideogrammen.

'Komt die je bekend voor?' vroeg Romero.

Hij keek op. 'Het lijkt me een soort stèle.'

'Heel goed. Een liggende stèle, om precies te zijn. En weet u hoe de tekst luidt?'

Logan glimlachte. 'Mijn opleiding is beperkt.'

'Het is een routebeschrijving.'

'Een routebeschrijving? Waarnaartoe?'

Romero hief een hand, de wijsvinger gestrekt. En heel langzaam bracht ze die vinger omlaag tot hij pal tussen haar voeten wees.

'Mijn god…' zei Logan.

'U weet natuurlijk hoeveel kennis de oude Egyptenaren al hadden van astronomie, en van sterrenkaarten. Deze stèle was een kaart voor technici en bouwheren tijdens de constructiefase. Daarop konden ze zien waar Narmers graf precies lag. Hij had uiteraard vernietigd moeten worden, aan gruzelementen geslagen, zodra het graf voltooid was. Gelukkig voor ons is dat niet gebeurd, want aan de hand van die stèle konden we een reeks driehoeksmetingen uitvoeren. Zo konden we de ligging van het graf tot op enkele kilometers nauwkeurig bepalen. En toen we eenmaal zo ver waren, konden we met geologische analyses en door literatuuronderzoek de uiteindelijke locatie vaststellen.'

Logan dacht aan het raster dat hij op het grote beeldscherm bij de duikput had gezien. 'Ongelooflijk. Daar moet je Porter Stone voor heten.'

'Precies. Maar Stone vond nog iets anders. Aan de andere kant van die locatie.'

'Wat dan?'

'Een gigantisch blok zwart basalt. Kennelijk de sokkel van een of ander standbeeld – misschien van Narmer zelf. Het was gepolijst tot het blonk als albast, na al die eeuwen nog. En ook daar stond iets op.' Ze gaf hem de tweede foto.

Logan pakte hem aan. Het was een opname van een tweede, iets kortere inscriptie.

'Wat is dat?' vroeg Logan.

'Dat is de reden voor uw komst.'

Logan keek haar aan. 'Dat snap ik niet.'

Ze keek hem aan met een glimlach die niet tot haar ogen reikte. 'Dit is een vloek.'

12

'Een vloek,' herhaalde Logan.

Christina Romero knikte.

Porter Stone had een opmerking gemaakt over een vloek. Logan had zich zitten afvragen wanneer het kwartje zou vallen.

'U bedoelt, zoiets als bij het graf van Toetanchamon? "… zal met de vleugels van de dood worden aangetast" en zo? Dat is toch gewoon een broodjeaapverhaal?'

'In het geval van Toetanchamon zou dat goed kunnen. Maar bij de vroege dynastieën waren vloeken heel gebruikelijk, en niet alleen voor particuliere graven. Narmer nam geen enkel risico. Zijn graf mocht niet geschonden worden: dat zou kunnen leiden tot de val van zijn koninkrijk. En dus liet hij die vloek achter als waarschuwing.' Ze zweeg even. 'En wat voor waarschuwing.'

'Wat staat er precies?'

Romero pakte de foto van de inscriptie van hem aan en wierp er een blik op. 'Wie het waagt mijn graf te betreden,' vertaalde ze, 'of wie schade aanbrengt aan de laatste rustplaats van mijn aardse gestalte, kan een zeker en snel einde verwachten. Passeert hij de eerste poort, dan worden de grondvesten van zijn huis gebroken en zal zijn zaad op onvruchtbare grond vallen. Zijn bloed en ledematen zullen tot as worden en zijn tong zal aan zijn verhemelte kleven. Passeert hij de tweede poort, dan zal de duisternis hem volgen en wordt hij opgejaagd door slang en jakhals. De hand die mijn onsterfelijke gedaante aantast zal branden met onblusbaar vuur. Maar mocht iemand zo vermetel zijn de derde poort te passeren, dan zal de zwarte god van de diepste diepte hem verzwelgen en worden zijn ledematen verspreid over de verste uithoeken der aarde. En ik, Narmer de Eeuwiglevende, zal hem bij dag en bij nacht kwellen, tot waanzin en dood zijn eeuwigdurende tempel worden.'

Ze legde het papier terug op het bureau. Even bleef het stil in het kantoor.

'Niet echt een verhaaltje voor het slapengaan,' zei Logan.

'Nee, beslist niet. Die Narmer moet een bloeddorstige tiran van de eerste orde geweest zijn, anders verzin je zoiets niet. Hoewel, zijn vrouw kan er ook achter gezeten hebben, Niethotep. Die twee waren aan elkaar gewaagd.'

'Niethotep?'

'Dat was me een psychopaat! Schijnt er zo eentje geweest te zijn die het liefst baadde in het bloed van honderd maagden. Narmer had haar uit Scythië laten overkomen, ze was zelf ook een prinses.' Romero keek weer naar de foto. 'Maar goed, die vloek. Dat is de meest uitgebreide die ik ooit tegengekomen ben. En verreweg de meest specifieke. U hebt die verwijzing meegekregen naar de god van de diepste diepte?'

Logan knikte.

'Het zal u opgevallen zijn dat hij niet met name wordt genoemd. Zelfs Narmer, toch zelf ook een god, durfde dat niet aan. Hij heeft het over An'kavasht – Hij Wiens Gezicht Naar Achter Kijkt. Een god van nachtmerries en het boze, waar de vroege Egyptenaren als de dood voor waren. An'kavasht vertoefde "buiten", "in de eindeloze nacht". Weet u wat dat "buiten" betekent?'

'Nee.'

'Dat was de Sudd.' Ze zweeg even om dit te laten doordringen. Toen pakte ze de twee bladen papier, rolde ze weer op en legde ze terug in de archiefkast. 'Nog geen vijftig jaar of zo later zou het oprukkende water van de Sudd die complete geheimhouding overbodig maken. De hele schuilplaats zou ondergaan in het moeras.' Ze keek hem aan. 'Maar zal ik u eens wat zeggen? Volgens mij maakte Narmer zich daar niet eens zulke grote zorgen om. Bedenk wel, hij werd gezien als god, en niet alleen in ceremoniële zin. Grafschennis als het om een god gaat, dat is vragen om ellende. Hij had een heel leger van doden – en die vloek hier – om hem te beschermen. Zo'n vloek zou niemand durven negeren, ook de meest onversaagde grafrover niet.'

'Wat is dat met die drie poorten?'

'De poorten zijn de verzegelde deuren van een koninklijk graf. Het ziet er dus naar uit dat Narmers graf drie vertrekken telde – althans, drie hoofdvertrekken.'

Logan ging verzitten. 'En die vloek is de reden voor mijn komst.'

'Er heeft een aantal, hoe zou March dat zeggen… ongebruikelijke voorvallen plaatsgevonden sinds de aanvang van het werk. Apparatuur die ermee ophield. Voorwerpen die verdwenen of plotseling op een verkeerde plek opdoken. Een abnormaal groot aantal eigenaardige ongelukjes.'

'En dat begint langzamerhand op de zenuwen te werken.'

'Nou, op de zenuwen… dat niet. Maar mensen worden er wel onrustig van. Gedemoraliseerd, in sommige gevallen. Kijk, het is al erg genoeg om hier midden in de rimboe rond te dobberen op het ellendigste moeras ter wereld. Maar als er dan ook nog van die rare dingen gebeuren… Tja, u weet hoe er gepraat wordt. Maar goed, als u hier wat rondsnuffelt, kalmeren de gemoederen misschien wat.'

Rondsnuffelen. Tijdens het spreken was Romero's aanvankelijke houding langzaamaan teruggekeerd: een aan vijandigheid grenzende scepsis.

'Dus ik moet het moreel opkrikken,' zei hij. 'Baat het niet, dan schaadt het niet om mij in de buurt te hebben.' Hij wierp een blik op haar. 'Dan weet ik nu waar ik sta. Bedankt voor uw eerlijkheid.'

Ze glimlachte, zij het niet bijzonder vriendelijk. 'Hebt u daar problemen mee, met eerlijkheid?'

'O, nee, helemaal niet. Zuivert de lucht. En kan heel verkwikkend zijn. Verhelderend, zelfs.'

'Zoals…?'

'Zoals uzelf.'

'Hoezo, ik?' vroeg ze meteen. 'U weet helemaal niets over mij.'

'Ik weet heel wat. Hoewel een deel giswerk is, moet ik toegeven.' Hij bleef haar strak aankijken. 'U was het jongste kind. Ik denk dat u alleen oudere broers had. En ik denk dat de meeste aandacht van uw vader naar de jongens uitging: padvinderij, sport. Hij zal niet veel tijd hebben gespendeerd aan u – en als uw broers u al enige aandacht schonken, dan was het om u te kleineren. Dat verklaart die instinctieve vijandigheid van u, en uw academische overcompensatie.'

Romero opende haar mond om iets te zeggen, maar klapte hem zonder iets uit te brengen weer dicht.

'Een paar generaties geleden was er een beroemde – of op zijn minst bekende – vrouw in uw familie: een archeologe wellicht, of misschien een bergbeklimmer. Zoals u die diploma's zo achteloos, ietsjes scheef, aan de muur hangt, dat duidt op een informele houding tegenover academia – we zijn *one big happy family*, of we nu indrukwekkende doctoraten hebben of niet. Maar het feit alleen al dat u uw diploma's hebt meegenomen duidt op een diepgewortelde onzekerheid over uw positie binnen deze expeditie. Een jonge vrouw, een van de weinigen te midden van een groot aantal mannen, op een fysiek veeleisende missie in een barre, keiharde omgeving – u weet niet of u wel serieus genomen wordt. O, en uw tweede voornaam begint met een a.'

Ze keek hem met fonkelende ogen aan. 'Hoe weet u dat nou weer?'

Hij gebaarde met zijn duim over zijn schouder. 'Dat staat op uw naambordje op de deur.'

Ze stond op. 'Mijn kamer uit.'

'Bedankt voor het gesprekje, dr. Romero.' En daarmee draaide Logan zich om en liep het kantoor uit.

13

Logans agenda was verder vrij voor die eerste dag, dus liep hij de rest van de middag door het Station rond om zich vertrouwd te maken met zijn omgeving: zowel de plek als de bewoners. Omdat hij de kantoren, de woonvertrekken en het duikplatform al gezien had, besloot hij te gaan kijken bij de onderzoekslaboratoria in Rood. Die waren maar klein, maar hij stond te kijken van de diversiteit: niet alleen archeologie maar ook geologie, organische chemie, paleobotanie, paleozoölogie en ettelijke andere disciplines waren vertegenwoordigd. De laboratoria waren modulair van opbouw en bestonden elk uit een roestvrijstalen container van zo'n zes bij zes meter. Sommige waren in gebruik, andere zaten op slot; kennelijk had Porter Stone zorgvuldig die labs uitgezocht waarvan hij dacht dat ze nuttig konden zijn voor een bepaalde expeditie, om die dan te openen wanneer dat nodig was.

Daarna ging hij langs bij Wit, en kreeg te horen dat hier de bestuurlijke functies huisden. Hoewel hier en daar de obligate beveiligde zones en gesloten deuren waren, had de hele site een verfrissend informele uitstraling. Er waren maar weinig bewakers en degenen die hij tegenkwam, waren vriendelijk en open. Hij begon niet over de vloek of over de reden voor zijn aanwezigheid; te zien aan de nieuwsgierige blikken die hij af en toe opving was het echter duidelijk dat althans enkele aanwezigen op de hoogte waren.

Het zenuwcentrum van Wit was een grote ruimte, waar één enkele technicus in een hoek met zijn rug naar Logan toe zat, te midden van zo veel beeldschermen dat hij wel een piloot in een overvolle cockpit leek.

Logan liep de ruimte binnen. 'Nog winkeldieven betrapt?' vroeg hij.

De technicus draaide zich om, hinnikend van verbazing. Een boek dat op zijn schoot had gelegen viel op de grond, gleed weg en bleef een eind verderop liggen.

'Jezus en Maria!' riep de man uit, terwijl hij met één hand aan de kraag van zijn witte jas plukte. 'Wou je me soms een hartaanval bezorgen of zo?'

'Nee. Dat zou dr. Rush nooit goedvinden, denk ik.' Hij liep verder naar binnen en stak met een glimlach zijn hand uit. 'Jeremy Logan.'

'Cory Landau.' Te zien aan de warrige zwarte haardos en de manier waarop hij onderuit in zijn stoel had gehangen, had Logan bij de eerste blik al vermoed dat de technicus nog jong was. Maar nu hij oog in oog met hem stond, was hij verbaasd. Landau kon onmogelijk meer dan twee- of drieëntwintig jaar oud zijn. Hij had helderblauwe ogen, de frisse perzikhuid van een cherubijntje en, als bizar en onverwacht extraatje, een smal Zapatasnorretje. Op het bureau voor hem stonden een blikje Jolt Cola met druivensmaak en een enorm pak kauwgom.

'Zo,' begon Logan. 'Wat doe jij zoal?'

'Wat dacht je?' antwoordde de jongeman. Zijn verbazing had intussen plaatsgemaakt voor een geveinsde achteloosheid. Onderuitgezakt in zijn stoel antwoordde hij: 'Ik run hier de tent.' Hij nam een slok Jolt. 'Wat bedoelde je met die opmerkingen over winkeldieven?'

Logan knikte naar de batterij schermen rond Landau. 'Je hebt hier genoeg lcd's om het complete Bellagio te beveiligen.'

'Het Bellagio kan hier niet aan tippen. Dit is het alfa en omega van de beveiliging.' Plotseling fronste hij argwanend zijn voorhoofd. 'Wie ben jij eigenlijk?'

'Maak je geen zorgen, ik ben een van de goeien.' En Logan liet zijn badge zien.

'In dat geval: moet je hier eens kijken.' Landau wuifde naar het woud van glazen schermen en de handvol toetsenborden op het bureau. 'Hier komen alle gegevens binnen, en dan worden de cijfertjes gekraakt door autonome software.'

'Ik dacht dat dat bij de Muil gebeurde.'

Landau maakte een laatdunkend handgebaar. 'Dat meen je niet? Daar bouwen ze het instrument. Maar ík ben de concertpianist. Kijk maar.'

Met een reeks snelle toetsaanslagen zette Landau een beeld op een van zijn schermen. 'Kijk, we krijgen sensor- en sonarsignalen en visuele data binnen van de duikmissie van het moment. Dat komt allemaal samen in een programma, hierzo, dat het terrein onder water in kaart brengt. Een kolos van een programma. En dit is het resultaat.'

Logan volgde met zijn blik de hand die naar het beeld op het scherm wees. Het was inderdaad verbluffend: een fantastisch complex rasterbeeld, een CAD-weergave van een glooiend, bijna maanachtig landschap vol tunnels en boorgaten.

'Zo ziet het er twaalf meter onder onze voeten uit,' zei Landau. 'Met iedere nieuwe duik wordt de weergave van de moerasbedding, en de grotten daaronder, uitgebreid.' Hij liet zien hoe het beeld kon worden gemanipuleerd, hoe hij kon inzoomen en delen uitvergroten, hoe hij het langs de x-, y- en z-as kon roteren. 'Je had het net over de Muil. Heb je die al gezien?'

Logan knikte.

'Heb je toen ook het raster kunnen bekijken?'

'Je bedoelt, dat ding dat eruitziet als een bingokaart aan de doping?'

'Precies. En wat ik hier heb is de andere helft van de vergelijking. Het raster is een 2D-weergave van wat er tot nu toe in kaart is gebracht. En hier zien we de exacte topologie.' Landau gaf met bijna vaderlijke trots een klopje op het beeldscherm. 'Als we het... het doelwit vinden, gaan we hiermee zorgen dat het volledig verkend en in kaart gebracht wordt.'

Logan mompelde iets bewonderends, en vroeg toen: 'Is dit jouw eerste klus voor Porter Stone?'

De jongeman schudde zijn hoofd. 'De tweede.'

Logan gebaarde in het rond. 'Is dit iets nieuws voor hem? Al die apparatuur, die spullen, die dure installaties... en dat allemaal voor één expeditie?'

'Dit is niet voor één expeditie. Stone heeft ergens in Zuid-Engeland een magazijn. Misschien meer dan een. Daar bewaart hij al die spullen.'

'De voertuigen en de elektronica, bedoel je? De draagbare labs?'

'Dat wordt gezegd. Alles wat hij ooit nodig zou kunnen hebben voor een bepaalde site.'

Logan knikte. Er zat wat in – met zo'n organisatie kon Stone razendsnel in actie komen: zo weinig mogelijk verspilling dankzij bijvoorbeeld de afsluitbare labs. Op die manier kon hij werken in bijna ieder denkbaar klimaat, op bijna ieder denkbaar terrein.

Het had iets verfrissends om te praten met iemand die nog nooit van hem gehoord had en die hem niet lastigviel met eindeloze vragen. Logan schonk hem een dankbare glimlach. 'Bedankt voor het gesprekje.'

'Geen probleem. Geef je dat boek even een zwiep als je toch weggaat?'

Logan liep naar het boek dat van Landaus schoot was gevallen. Toen hij het opraapte, zag hij dat het William Hope Hodgsons surrealistische roman *The House on the Borderland* was.

Hij gaf het aan Landau. 'Weet je zeker dat je dit soort boeken hier wilt zitten lezen?'

Landau pakte het boek aan en klemde het tegen zijn borst. 'Hoe bedoel je?' vroeg hij.

'Het is hier toch al zo bizar allemaal, met die Sudd. Dat soort boeken kan je de stuipen op het lijf jagen.'

'Aha. Misschien komt het daar dus door.' En daarmee draaide Landau zich om en typte verder.

Vanuit Wit liep Logan opnieuw een drijvende gang door naar Bruin, waarin volgens een bordje aan het eind van de toegangssluis de historische archieven en de exotische wetenschappen huisden. Hoewel Logan geen idee had wat 'exotische wetenschappen' waren, kreeg hij daar een idee van zodra hij naar binnen keek in enkele laboratoria in deze vleugel. Eén lab, verduisterd, stond vol oude boeken en manuscripten over alchemie en transmutatie; de muren van een tweede lab waren bepleisterd met kaarten van Egypte en Soedan, en met foto's van piramides en andere structuren, de afdrukken stuk voor stuk overdekt met een wirwar van lijnen en cirkels die elkaar onder onregelmatige geometrische hoeken sneden. Het was duidelijk dat Stone om zijn doel te bereiken alle wegen der kennis zou bewandelen, hoe esoterisch ook. Logan vroeg zich af of hij beledigd moest zijn dat zijn eigen kantoor hier lag.

Hij liep de gang door en hield zijn pas in bij een deur die op een kier stond. Hoewel er op dat moment niet veel mensen aanwezig leken in Bruin, werd hij hier iemand gewaar. Bij het schemerige licht zag Logan een ziekenhuisbed waaruit tientallen elektroden naar een stel apparaten aan het voeteneinde liepen. Het deed hem denken aan de installaties in de verlaten kamers die hij bij Rush' Centrum voor Transmortaliteitsonderzoek had gezien.

Maar op het bed in deze kamer lag wél iemand. Logan zag een vrouw, misschien wel de mooiste vrouw die hij ooit aanschouwd had. Ze had iets – iets ondefinieerbaars – waardoor hij als aan de grond genageld bleef staan. Haar haar had een heel ongebruikelijke kleur, een diep, donker kaneelbruin. Ze had haar ogen dicht. Er zaten elektroden op haar slapen en aan haar polsen en enkels. Aan de muur naast haar hing een reusachtige spiegel, blinkend gepoetst. De zwakke leds van de medische apparatuur werden erin weerkaatst: duizenden miniatuurlichtpuntjes.

Logan keek als gehypnotiseerd naar het bijzondere tafereel: de vrouw, die bijna onaards leek in het vage licht van de enorme batterij aan apparatuur. Ze lag volkomen roerloos; er was zelfs geen ademhaling te zien. Het leek wel of ze van het leven was overgegleden in de dood. Hij had sterk het gevoel dat hij haar ooit eerder had ontmoet. Dat gevoel was op zich niet ongebruikelijk; met zijn ongewoon scherpe onderscheidingsvermogen had hij regelmatig een déjà vu. Maar ditmaal was het gevoel wel heel sterk.

Er bewoog iets bij de schermen aan het voeteneinde van het bed. Logan keek die kant uit en zag tot zijn verbazing dr. Rush, die een schuifje bijstelde, naar een meter tuurde. Plotseling, alsof hij een zesde zintuig had, draaide hij zich naar de deuropening en zag Logan staan.

Logan hief zijn arm om hem te begroeten. Maar uit de blik op Rush' gezicht, zijn hele lichaamstaal, maakte hij op dat dit niet het moment was om binnen te lopen, en dat zijn aanwezigheid niet gewenst was. Dus draaide Logan zich om en liep verder de gang in, op zoek naar zijn eigen kantoor.

14

In een uithoek van de vleugel Exotische Wetenschappen vond Logan zijn kantoor. Een module, net als de andere kantoorruimtes, met een bureau, twee stoelen, een laptop en een lege boekenkast. Met een glimlachje constateerde hij dat dit de enige uitrusting was.

Hij zette zijn grote weekendtas op een van de stoelen, ritste hem open en zette een tiental boeken in de kast. Daarna haalde hij een stel apparaten uit de tas en plaatste die op het bureau. Twee ingelijste citaten volgden; die prikte hij met punaises in de muur. Daarna ritste hij de tas weer dicht en ging achter de laptop zitten.

Hij logde in met de gebruikersnaam en het wachtwoord die hij die ochtend bij de administratie had gekregen. De website van het netwerk was redelijk overzichtelijk opgezet, en hij zag meteen al dat er drie e-mails voor hem waren. De eerste was een algemeen welkom met een uitleg over hoe het Station in elkaar zat en de ligging van belangrijke punten als de ziekenboeg en de cafetaria. De tweede was van de medewerkster van Personeelszaken die hem die ochtend had geholpen; daarin stonden een paar basisregels. Zo mocht hij de site niet verlaten en niet bellen of gebeld worden op een satelliettelefoon. En de derde was van ene Stephen Weir, assistent van Porter Stone. Dit bericht bevatte een opsomming van alle vreemde, onverwachte of ongelukkige gebeurtenissen sinds ze twee weken geleden aan het werk waren gegaan op de site; met andere woorden, de reden voor zijn aanwezigheid.

Logan las de lijst tweemaal door. Een groot aantal zaken kon onmiddellijk worden ontzenuwd: flikkerende lichten, fysieke aandoeningen als misselijkheid en duizeligheid, maar een aantal dingen bleef overeind. Hij startte het tekstverwerkingsprogramma van de laptop en begon een lijst op te stellen.

Dag 2: Tijdens een routinevaart draaide de motor van een van de jetski's dol en kon niet meer uitgezet worden. De bestuurder moest zich redden door in het moeras te springen en brak daarbij een been. Toen de boot eenmaal teruggehaald was, weigerde de motor dienst. De volgende ochtend deed hij het echter weer normaal.

Dag 4: Drie mensen die laat in de avond aan het werk waren in de bibliotheek hoorden een vreemde, dorre stem fluisteren in een onbekende taal.

Dag 6: Een van de koks meldde de vermissing van twee ribstukken uit de vleeskluis – ruim 90 kilo. Een grondige speurtocht leverde niets op.

Dag 9: Cory Landau buiten de omheining aangetroffen in het moeras, waar hij in het donker rondliep. Bij navraag meldde hij een eigenaardige vorm in de verte te hebben gezien, die hem wenkte.

'Aha,' had Cory hem nog geen halfuur tevoren gezegd. 'Dat was het dan misschien.'

Dag 10: Om 15:15 uur gingen alle elektrische apparaten, computers en overige instrumenten in Groen spontaan uit. Pogingen om de apparatuur opnieuw te starten leidden tot niets. Om 15:34 uur werkte de hele zaak weer. Geen verklaring gevonden.

Dag 11: Tina Romero meldde de vermissing van het gewaad van een Egyptische hogepriesteres uit een kast in haar kantoor.

Dag 12: Ettelijke ooggetuigen in Oasis, de bar hier ter plaatse, meldden vreemd gekleurde lichtjes die aan de horizon flikkerden, gelijktijdig met een onheilspellend, bijna onhoorbaar gezang.

Dag 13: Iemand die bij ICT aan het werk was, meldde vreemde geluiden te horen; een van de computers begon spontaan te werken, terwijl die eigenlijk in sluimerstand stond.

Dag 14: Een machinist meldde in de verte een vreemde vrouw in een Egyptisch gewaad te hebben gezien; ze wandelde rond zonsondergang over de Sudd.

Dag 15: Door een tot nu toe niet gediagnosticeerd probleem met de apparatuur raakte een duiker in paniek. Hij kwam overhaast boven, waarbij hij ernstig gewond raakte.

Logan keek op van het scherm. Van die laatste gebeurtenis was hij uiteraard op de hoogte. Daar was hij zelf bij geweest.

Zijn gedachten dwaalden af naar de vloek van farao Narmer. *Wie het waagt mijn graf te betreden... kan een zeker en snel einde verwachten... Zijn bloed en ledematen zullen tot as worden en zijn tong zal aan zijn verhemelte kleven... Ik, Narmer de Eeuwiglevende, zal hem bij dag en bij nacht kwellen, tot waanzin en dood zijn eeuwigdurende tempel worden.* De opsomming van de incidenten vertoonde één gemeenschappelijk kenmerk: afgezien van de duiker en degene op de jetski was niemand gewond geraakt. Dat stemde niet overeen met de details van de vloek.

Nu was het natuurlijk wel zo, bedacht Logan, dat Narmers graf nog niet gevonden was, laat staan dat iemand er binnengegaan was...

Voor misschien wel de tiende keer vroeg hij zich af wat er in Narmers graf te vinden kon zijn. Waarom had de farao zo verschrikkelijk veel moeite gedaan, waarom had hij zulke reusachtige offers gebracht, in termen van goud en van mensenlevens, waarom had hij zo'n vreselijke vloek uitgesproken, om te zorgen dat zijn stoffelijk overschot nooit beroofd zou worden, dat zijn belangrijkste bezittingen ongemoeid bleven? Wat had Porter Stone hem niet verteld? Wat nam een god mee naar zijn volgende leven?

Er klonk een zachte voetstap achter hem. Logan draaide zich om en zag Ethan Rush op de drempel staan.

'Mag ik even binnenkomen?' vroeg de arts met een glimlach.

Logan pakte zijn weekendtas van de tweede stoel en zette hem op de grond. 'Ga zitten.'

Rush kwam binnen en keek om zich heen. 'Tamelijk Spartaanse accommodatie.'

'Waarschijnlijk hadden de interieurarchitecten geen idee hoe ze het nest van een enigmatoloog moesten inrichten.'

'Dat zit er dik in.' Rush ging zitten en keek naar de boekenkast. 'Interessante verzameling boeken: Aleister Crowley, Jessie Weston, Stowcrofts *Organische scheikunde*, het *Boek der Schaduwen*.'

'Ik heb een eclectische smaak.'

Rush tuurde naar een wel heel oud en aangevreten boek met een leren band. 'Wat is dit?' Hij stak zijn hand uit en keek naar de titel. '*De necro…*'

'Daar niet aankomen,' zei Logan zacht.

Rush trok zijn hand terug. 'Sorry.' Hij keek naar de twee ingelijste citaten. '"Het schoonste en diepste gevoelen dat wij kunnen ondergaan, is het ervaren van het mystieke,"' las hij; '"dat is de bron van alle ware kunst en wetenschap. Wie dit gevoelen onbekend is, wie geen verwondering en verbijstering meer kent, is zo goed als dood. Einstein."' Hij keek naar Logan. 'Boodschap?'

'De boodschap is dat dit mijn roeping heel redelijk samenvat. Je zou kunnen zeggen dat ik met één voet in de wereld van de wetenschap sta – Einsteins wereld – en met de andere in de wereld van de geest.'

Rush knikte, en richtte zijn blik op de andere spreuk. '"Forsan et haec olim meminisse iuvabit."'

'Vergilius. Uit de *Aeneïs*.'

'Ik ken geen Latijn.'

Toen Logan niet met een vertaling kwam, richtte Rush zijn aandacht op de voorwerpen op het bureau. 'Wat is dit allemaal?'

'Jij gebruikt dan misschien scalpels, tangen en zuurstofmeters, Ethan, maar ik gebruik veldsterktemeters, camcorders, infraroodthermometers en – ja, inderdaad – wijwater. En over wijwater gesproken: zou jij me een sleutel voor die bureaula hier kunnen bezorgen?'

'Ik zal met Bevoorrading praten.' Rush schuddde zijn hoofd. 'Grappig. Ik had er nooit bij stilgestaan dat jij ook instrumenten gebruikte.'

'Dit is niet alles. Maar goed, we hebben allemaal onze professionele geheimpjes.'

Rush zweeg even voordat hij reageerde: 'Ik neem aan dat je doelt op wat je een paar minuten geleden in mijn onderzoekskamer zag.'

'Niet per se. Hoewel ik wel benieuwd ben.'

'Ik wou dat ik het je kon vertellen. Maar dat specifieke onderzoek is tamelijk gevoelig, vrees ik.'

'Het mijne ook.' Hij dacht aan wat Romero had gezegd: … *Als u hier rondsnuffelt, kalmeren de gemoederen misschien wat.* 'En ik ben hier nu. Als ik ook maar iets wil bereiken, mag je geen dingen voor me achterhouden.'

Hierop volgde een tweede, langere stilte.

'Ach, verdómme ook!' barstte Rush plotseling uit. 'Natuurlijk heb je gelijk. Alleen, Stone is zo'n verschrikkelijke geheimschrijver... Die vent lééft voor geheimzinnigheid.' Hij zweeg even. 'Het zit zo. Ik heb je verteld over ons werk in het Centrum.'

'Heel algemeen, ja. Jullie doen onderzoek bij mensen die een bijna-doodervaring hebben gehad. En tussen de regels door las ik dat jullie heel interessante dingen aan de weet zijn gekomen.'

Rush knikte. 'En onze primaire belangstelling gaat uit naar een van die ontdekkingen: dat de ervaring van degene die "overgaat" in veel gevallen een rechtstreeks effect heeft op de... laten we zeggen... paranormale vermogens van die persoon.'

'O? En waarin komt dat tot uiting?'

Rush grijnsde van oor tot oor. 'Dank je, Jeremy. Negen van de tien keer vinden mensen het zéér suspect als ik het woord "paranormaal" laat vallen.'

Logan knikte. 'Ga verder.'

'Die uitingen kunnen allerlei vormen aannemen. Het grootste deel van ons onderzoek bij CTO bestaat uit het coderen van die uitingen. Dat onderscheidt ons van andere instellingen of universiteiten die naar bijna-doodervaringen kijken. Hier zit niets pseudowetenschappelijks aan, Jeremy. Geen New Age-geneuzel: wij gebruiken uitzonderlijk geavanceerde statistische algoritmes om onze bevindingen te kwantificeren. We hebben zelfs een manier ontwikkeld om iemands paranormale vermogens heel precies in kaart te brengen: de Kleiner-Wechsmannschaal, naar de twee onderzoekers die het systeem ontwikkeld hebben. In sommige opzichten heeft het iets van een intelligentietest, maar dan uitzonderlijk subtiel en complex. De schaal bevat een complete testbatterij voor paranormale gevoeligheden: waarzeggerij, telekinese, cold reading, buitenzintuiglijke waarneming, astrologische voorspellingen, telepathie, en nog een handvol andere. Natuurlijk wordt binnen de schaal gecompenseerd voor dingen als standaardafwijking, kans en stom toeval.'

Rush stond op en begon door het kamertje te ijsberen. 'Hier is een voorbeeld van hoe het werkt. Stel ik heb vijf bankbiljetten op zak. Eén dollar, vijf, tien, twintig en vijftig. Ik haal een willekeurig biljet uit mijn zak en ik vraag jou te raden wat het is. Uitgaande van een nulhypothese, dat wil zeggen: geen enkele paranormale vaardigheid, is je basiskans van slagen dus een op vijf, oftewel twintig procent. Op de Kleiner-Wechsmannschaal geldt dat als twintig. Dat is kansniveau, dat haalt iedereen. Op diezelfde schaal scoort iemand met enige paranormale vermogens, zeg, veertig. Iemand met uitgesproken talent zit op zestig. Iemand met opmerkelijk ontwikkelde paranormale gaven kan de tachtig halen – dan moet hij of zij dus vier van de vijf keer goed raden.'

Hij hield op met ijsberen en bleef voor Logan staan. 'Maar wat wij ontdekt hebben: bij de mensen die wij getest hebben die "overgegaan" waren en zijn teruggekomen, ligt het gemiddelde dicht bij de vijfenzestig.'

'Dat kan…' begon Logan, voordat hij zich inhield.

Rush schudde zijn hoofd. 'Ik weet het. Het is amper te geloven, zelfs voor jou. Waarom zou een bijna-doodervaring van invloed zijn op je paranormale vermogens? Maar het is zo, Jeremy – we hebben onweerlegbare feiten; die feiten liegen niet. O, het is natuurlijk niet altijd zo. En de gaven zelf variëren per persoon. Niet iedereen zal bijvoorbeeld kunnen raden wat voor bankbiljet ik uit mijn zak haal. Sommigen zijn beter in buitenzintuiglijke waarneming, anderen zijn helderziend. Maar dat doet niets af aan het feit dat de cijfers die we aan de hand van tweehonderd proefpersonen hebben verzameld een ongebruikelijk hoog gemiddelde κ-w-score laten zien bij mensen die een bijna-doodervaring hebben gehad.'

Hij ging weer zitten. 'En we hebben nog iets ontdekt. In grote lijnen kun je stellen: hoe langer de persoon "over" is geweest, des te hoger scoort hij op de κ-w-schaal.' Hij wachtte even voordat hij verderging: 'Het hart van mijn vrouw Jennifer was gestopt, ze had geen hersenactiviteit meer. Dat duurde veertien minuten – toen had ik haar gereanimeerd. Van alle mensen die we ooit in het Centrum hebben getest was dat de langste periode aan gene zijde. En haar score op de κ-w-schaal is ook de hoogste die we ooit getest hebben: honderdvijfendertig.'

'Honderdvijfendertig?' herhaalde Logan. 'Dat kan toch nooit? Volgens de criteria die jij aanhaalde, betekent een score van honderd dat je in honderd procent van de gevallen goed zit. Hoe kan iemand nou meer dan honderd procent scoren?'

'Daar heb ik geen verklaring voor, Jeremy,' zei Rush. 'Want dat weten we zelf niet echt. Dit is een nieuwe tak van wetenschap. Ik kan je alleen zeggen dat we onze bevindingen keer op keer gecontroleerd hebben. Het gaat verder dan het benoemen van het bankbiljet dat je uit je zak haalt – het betekent dat je het briefje al benoemt voordat iemand zijn hand in zijn zak steekt.' Hij schudde zijn hoofd alsof hij het ondanks alles zelf ook nog steeds niet goed kon geloven. 'En ze heeft het keer op keer laten zien. Haar speciale gave is retrocognitie.'

'Retrocognitie,' herhaalde Logan. Hij dacht even na en keek toen naar Rush. 'En dat was jouw vrouw? In die testruimte?'

Rush knikte.

'Maar wat doet zij hier dan? Wat wil Porter Stone met versterkte paranormale talenten, ook al zijn dat opmerkelijk versterkte talenten?'

Rush kuchte discreet in zijn hand. 'Sorry. Sommige dingen kan ik je echt beter niet vertellen – althans, voorlopig niet.'

'Aha. Dit was een bijzonder verhelderend gesprekje. Dank je.' Meer dan verhelderend, dacht hij. Misschien ga ik hier zelf eens even achteraan...

Plotseling trilde de grond onder hun voeten, alsof een reusachtige hand het complete complex had opgetild en heftig door elkaar rammelde. In de verte klonk een daverende explosie. Even keek het tweetal elkaar verbluft aan. Toen begon er in de gang buiten het kantoor een schelle claxon te loeien.

Logan sprong overeind. 'Wat is dat?' riep hij uit.

'Groot alarm.' Ook Rush stond al overeind. Hij reikte naar de walkietalkie aan zijn riem. Nog voordat hij het ding te pakken had, begon het schril te piepen.

Hij bracht het toestel naar zijn lippen. 'Dr. Rush,' zei hij. Hij luisterde even. 'Mijn god,' zei hij in de microfoon. 'Ik kom eraan.'

'Kom op,' zei hij tegen Logan, terwijl hij de walkietalkie weer aan zijn riem vastmaakte.

'Wat is er aan de hand?'

'Generator 2 staat in brand.' En met Logan op zijn hielen rende Rush het kantoor uit.

15

Zo hard ze konden holden ze Bruin uit, door het doolhof van gangen van Groen, en naar buiten, naar de grote, weergalmende haven. Op de steigers, die er de vorige dag nog zo verlaten en slaperig bij gelegen hadden, krioelde het nu van de mensen. Er werd geschreeuwd, de bevelen vlogen door de lucht. Logan rook een bijtende brandlucht die zich vermengde met de moerasgeur.

Achter Rush aan holde hij een gang door die langs de buitenwand liep, door de afscheiding van camouflagenetten heen. Plotseling stonden ze buiten, op een smalle loopbrug die het moeras in liep en om de hoek van de gigantische pontonstructuur waarop de hele haven dreef. Het was drie uur in de middag en de hitte plooide zich als een brandende deken over Logans nek en schouders. Boven de netstructuur van de haven zag hij dichte wolken zwarte rook naar de blauwe hemel opstijgen.

Ze liepen de hoek van de pontonbrug om en daar, zo'n dertig meter verderop, zag Logan de generator: een enorme structuur op drijvende pijlers. Boze vlammen schoten vanuit een rooster in de zijwand de lucht in, en waar ze langs de metalen behuizing likten, lieten ze een dikke laag roet achter. Mannen op jetski's met draagbare watertanks op hun rug zwermden om de pontons heen en richtten hun stralen op het vuur. Zelfs op deze afstand voelde Logan de helse hitte al in golven over hem heen slaan.

Achter hem was enige commotie, en toen Logan zich omdraaide, zag hij Frank Valentino met twee mannen in overalls komen aanrennen. Een van hen sjouwde met een enorme drainagepomp, de ander had een dikke, opgerolde waterslang over zijn schouder.

Het drietal rende voorbij in de richting van het groepje medewerkers dat samengedromd was aan het eind van de steiger. 'Opschieten met die pomp!' blafte Valentino.

De eerste knielde, plaatste de pomp op de metalen loopbrug en slingerde de aanvoerslang de Sudd in, terwijl de tweede het andere uiteinde vastmaakte aan de uitlaat van de pomp. Voorzichtig kroop hij dichter naar de generator toe en richtte de slang op de vlammen, terwijl de ander de startmotor van de pomp aantrok. De motor kwam kuchend tot leven en er sijpelde een stroompje bruin, stroperig water in de richting van het vuur.

'*Affanculo!*' schreeuwde Valentino. 'Wat nou weer?'

'Dat ellendige moeras,' zei een van de mannen. 'Dat zit vol troep!'

'Shit,' sputterde Valentino. 'Ga een filter nummer 3 ophalen – snél!'

De man liet de slang vallen en rende de loopbrug af.

Nu richtte Valentino zich tot een lange man van een jaar of zestig met dunnend blond haar; zo te zien de baas van het spul. 'Hoe zit het met de interne methaankoppeling?' hoorde Logan Valentino vragen.

'Heb ik nagevraagd bij Methaanverwerking. De overloopkleppen in beide vleugels zitten dicht, en alle beveiligingsprotocollen zijn actief.'

'Goddank,' liet Valentino zich ontvallen.

Rush was intussen op weg gegaan naar het kluitje mensen aan het eind van de loopbrug, en instinctief liep Logan achter hem aan. Maar plotseling bleef hij als aan de grond genageld staan, alsof hij tegen een onzichtbare muur was opgelopen. Zonder enige waarschuwing voelde hij iets bij de generator; iets weerzinwekkends, iets kwaadaardigs, iets wat slecht en eeuwenoud en onverbiddelijk was. Ondanks de hitte van het moeras en de vlammen die uit de generator sloegen, liep er een koude rilling over zijn rug. De walgelijke stank van een grafput leek zijn neus binnen te dringen. Hij voelde dat wat het ook was – een persoon, een geest, een natuurkracht – op de een of andere manier op de hoogte was van zijn aanwezigheid; van iederééns aanwezigheid. En dat het een diepe, hardnekkige haat koesterde tegen alle rustverstoorders, een haat die iets bijna genotzieks had, zo krachtig en zo diep geworteld. Instinctief deed hij een stap achteruit, en nog een, voordat hij zichzelf weer in de hand had.

Logan haalde diep adem en onderdrukte zijn onmiddellijke reactie; al tijden geleden had hij gemerkt dat zijn gevoeligheid ofwel spot ofwel angst bij anderen opriep. Hij concentreerde zich op de gesprekken rondom hem.

'Jezus!' zei Valentino. 'De reservetank!' Hij draaide zich om en riep naar een van de mannen op de jetski's: 'Rogers, snel! Maak die reservetank los en duw hem weg voordat hij door de hitte in brand vliegt!'

De man knikte, legde zijn brandslang weg en racete op zijn jetski naar de andere kant van de generator. Maar net op het moment dat hij met een enterhaak naar de tank reikte, klonk er een gigantische explosie en rolde er een wolk dichte rook hun kant uit. De loopbrug schudde hevig en Logan viel op zijn knieën. Toen hij weer overeind gekrabbeld was, hoorde hij een wanhopig, hortend schreeuwen. De rook begon op te trekken en hij zag Rogers, overdekt met brandende diesel, zijn kleren en haren in vlammen. Een handvol collega's sprong het moeras in en begon zijn kant uit te zwemmen, maar hij viel kronkelend en krijsend van zijn jetski af en zakte, nog steeds in lichterlaaie, weg in de bruine, modderige Sudd.

16

Het Station telde zegge en schrijve één horecagelegenheid, de Oasis, een combinatie van cafetaria en bar. De Oasis bevond zich in de verste hoek van Blauw en keek uit over de enorme, troosteloze Sudd. Maar toen Logan er binnenkwam, zag hij dat de ramen met uitzicht op het moeras waren afgeschermd met bamboe rolgordijnen, alsof het feit dat ze midden in de rimboe zaten eerder verhuld dan benadrukt moest worden.

Met de indirecte blauwpaarse tl-verlichting was het schemerig in de bar, en er was bijna niemand. Niet dat Logan daarvan opkeek. Na de brand in de generator heerste er een matte stemming op het Station. Er werd niet gebridged, er klonk geen opgewekt geroezemoes. De meeste bewoners hadden zich in hun eigen kamers teruggetrokken alsof ze in hun eentje moesten nadenken over wat er gebeurd was.

Logan had juist een tegenovergestelde neiging. Het overweldigende gevoel van alomtegenwoordig kwaad dat hij had gevoeld toen de generator in vlammen opging had hem de stuipen op het lijf gejaagd. Zijn verlaten kantoor, zijn stille slaapkamer, dat waren wel de laatste plekken waar hij momenteel wilde vertoeven.

Hij liep naar de bar en ging zitten. Uit onzichtbare luidsprekers klonk Charlie Parker. De barkeeper, een jongeman met kort, donker haar en een Sgt. Pepper-snor, kwam aanlopen.

'Wat kan ik u inschenken?' vroeg hij, terwijl hij een keurig servetje op de bar legde.

'Heb je toevallig Lagavulin?'

Met een glimlach gebaarde de man naar een indrukwekkende rij single-maltwhisky's op de spiegelwand achter hem.

'Mooi, prima. Puur, graag.'

De barkeeper schonk een ruim glas in en zette dat op het servetje. Logan nam een slok. Het was een prettig zwaar glas met een dikke bodem, en de turfsmaak van de whisky deed hem goed. Hij nam nog een slokje; dadelijk zou de in zijn geheugen geëtste herinnering aan de brand, aan de geur van verkoold vlees, wegzakken. Rogers had over 25 procent van zijn lichaam derdegraadsverbrandingen opgelopen; hij was uiteraard afgevoerd, maar het dichtstbijzijnde brandwondencentrum lag honderden kilometers verderop en het zag er niet goed uit voor hem.

'Bied je een dame ook wat aan?'

Hij keek op, en zag dat Christina Romero was binnengekomen en al naast hem zat.

'Goeie vraag. Wat vindt de dame in kwestie daar zelf van?'

'Dit is niet degene die jou daarstraks op je donder gaf. Dit is een upgrade. Christina Romero, tweede verbeterde versie.'

Logan grinnikte even. 'Oké, in dat geval: met alle plezier. Wat mag het zijn?'

Ze keek naar de barkeeper. 'Een daiquiri, graag.'

'Frozen?' vroeg de barkeeper.

Rillend antwoordde Romero: 'Nee. Uit de shaker, zonder ijs.'

'Komt eraan.'

'Zullen we aan een tafeltje gaan zitten?' vroeg Logan. Toen Romero knikte, ging hij haar voor naar een tafeltje aan het raam.

'Om maar meteen met de deur in huis te vallen,' begon ze nog voordat ze goed en wel zaten, 'sorry dat ik daarstraks zo'n bitch was. Ik krijg altijd te horen dat ik arrogant ben, maar meestal probeer ik me in te houden. Ik denk dat ik niet wilde doen alsof ik onder de indruk was, omdat jij zo beroemd bent en zo. Maar dat heb ik te ver doorgedreven. Veel te ver.'

Logan maakte een handgebaar. 'Zand erover.'

'Ik probeer geen excuses aan te bieden. Het komt door de stress. Want kijk, niemand heeft het erover. Maar in twee hele weken graven hebben we niets gevonden. En ik heb hier te maken met een stelletje enorme k-koppen. En dan die idiote gebeurtenissen. Mensen die dingen zien, apparatuur die het plotseling niet meer doet. En nu die brand; arme Rogers.' Ze schudde haar hoofd. 'Na verloop van tijd gaat dat op je zenuwen werken. Maar dat had ik niet op jou mogen afreageren.'

'Geeft niet. Weet je wat? Jij mag straks de drankjes afrekenen.'

'Die zijn hier gratis.' Ze lachte.

Ze namen beiden een slokje.

'Heb jij altijd Egyptologe willen worden?' vroeg Logan. 'Ik wilde het vroeger ook, nadat ik *The Mummy* had gezien. Maar toen ik erachter kwam hoe moeilijk het is om hiërogliefen te ontcijferen, vond ik het niet zo interessant meer.'

'Mijn grootmoeder was archeologe; maar dat wist je op de een of andere manier al. Zij werkte bij allerlei opgravingen, van New Hampshire tot Nineveh. Ik was als kind dol op haar, dat zal er ook wel mee te maken hebben. Maar de ware inspiratie kwam van Toetanchamon.'

Logan keek haar aan. 'Toetanchamon?'

'Yep. Ik ben opgegroeid in South Bend. Toen de tentoonstelling over Toetanchamon naar het Field Museum kwam, reisde mijn hele familie af naar Chicago om hem te zien. O, mijn god. Mijn ouders moesten me ervandaan sleuren. Dat dodenmasker, de gouden scarabeeën, die schatkamer! Ik zat nog maar in de vierde, en ik heb maanden met die beelden in mijn hoofd rondgelopen. Nadien las ik alles over Egypte en archeologie wat ik maar in handen kreeg. *Goden, graven en geleerden* was een hoogtepunt, en alles over Carter en Carnarvon… Ik wist het zeker: ik werd archeoloog.'

Tijdens het praten was ze geanimeerd geraakt, en haar groene ogen fonkelden van enthousiasme. Ze was niet echt mooi, maar ze had iets sprankelends en bezat een verfrissende eerlijkheid die Logan intrigerend vond. Ze nam een laatste, enorme slok uit haar glas. 'Nu jij.'

'Ik? O, ik raakte in geschiedenis geïnteresseerd in mijn eerste jaar in Dartmouth.'

'Niet zo ontwijkend doen. Je weet best wat ik bedoel.'

Logan lachte. Het was niet iets waar hij vaak over sprak. Maar goed, ze was naar hem op zoek gegaan, had haar verontschuldigingen aangeboden. 'Ik denk dat het begonnen is toen ik een keer overnachtte in een huis waar het spookte.'

Romero gebaarde naar de barkeeper om een volgende cocktail. 'Dit wordt toch hopelijk geen onzinverhaal?'

'Nee. Ik was twaalf. Mijn ouders waren het weekend weg, en mijn grote broer moest oppassen.' Logan schudde zijn hoofd. 'Nou, dat heeft hij gedaan. Hij daagde me uit om die nacht te gaan slapen in het huis van Hackety.'

'Het spóókhuis van Hackety.'

'Precies. Dat stond al jaren leeg, maar alle kinderen uit de buurt zeiden dat er een heks woonde. Er gingen geruchten over vreemde lichten rond middernacht, en honden die de plek meden als de pest. Mijn broer wist hoe koppig ik was. Ik kan nooit een uitdaging weerstaan. Dus ging ik, gewapend met slaapzak en lantaarn en een stel boeken van mijn broer naar dat huis toe en kroop via een openstaand raam naar binnen.'

Hij zweeg even, en dacht terug aan die avond. 'Eerst leek het een fluitje van een cent. Ik rolde de slaapzak uit in wat ooit de woonkamer was geweest. Maar toen werd het donker. En er klonken allerlei geluiden: gekraak, gekreun. Ik probeerde afleiding te vinden in de boeken die mijn broer me had meegegeven, maar dat waren allemaal spookverhalen – daar kon je natuurlijk op wachten – dus die legde ik weg. En toen hoorde ik het.'

'Wat?'

'Voetstappen. Die de kelder uit kwamen.'

De daiquiri arriveerde, en Romero nam het glas tussen haar handen. 'Ga door.'

'Ik wilde ervandoor, maar ik was verstijfd van angst. Ik kon niet eens opstaan. Het enige wat ik kon doen was de zaklamp aanknippen. Ik hoorde de voetstappen langzaam door de keuken gaan. En toen verscheen er een gestalte in de deuropening.'

Hij nam een slokje whisky. 'Wat ik bij het licht van mijn lantaarn zag, zal ik nooit vergeten: een stokoude vrouw, met wilde witte haren die alle kanten uit stonden, en ogen als gaten in het licht. Ik dacht dat mijn hart het zou begeven. Ze kwam mijn kant uit. En ik barstte in tranen uit. Het scheelde niet veel of ik had het in mijn broek gedaan. Ze stak een verschrompelde hand uit. Op dat moment wist ik dat mijn laatste uur geslagen had. Ze zou me beheksen en ik zou ineenschrompelen en doodgaan.'

Hij zweeg.

'En toen?' drong Romero aan.

'Nou, ik ging niet dood. Ze pakte mijn hand en hield die even vast. En plotseling… begréép ik het. Dat is… moeilijk uit te leggen. Maar ik snapte dat ze geen heks was. Het was gewoon een oud vrouwtje, eenzaam en bang, dat zich in de kelder had verstopt en zich in leven hield met kraanwater en eten uit blik. Het leek wel of ik… of ik haar angst voor de buitenwereld kon voelen, of ik haar ellendige bestaan in die kille, donkere kelder kon voelen, haar verdriet dat ze iedereen kwijt was om wie ze ooit gegeven had.'

Hij nam een laatste slok. 'En dat was het. Ze verdween weer in het donker, ik rolde mijn slaapzak op en ging naar huis. Toen mijn ouders thuiskwamen, vertelde ik wat er gebeurd was. Mijn broer kreeg een maand huisarrest en de politie is daar in huis gaan kijken. Het bleek Vera Hackety te zijn, een geestelijk gehandicapte vrouw wier familie altijd voor haar gezorgd had. Het laatste lid van die familie was anderhalf jaar geleden gestorven, en sinds die tijd zat zij in de kelder.'

Hij keek naar Romero. 'Maar er was wel iets gebeurd. Op de een of andere manier had die ontmoeting iets in me losgemaakt. Ik raakte gefascineerd door verhalen over echte spoken, over spookhuizen en schatten waar een vloek op rustte, de verschrikkelijke sneeuwman, enzovoort. En een van die boeken, de spookverhalen die mijn broer me zo attent had meegegeven om me nog banger te maken, was een boek over Flaxman Low, parapsycholoog. Dat ging over een speurder op het bovennatuurlijke vlak.'

'Een speurder op het bovennatuurlijke vlak,' herhaalde Romero.

'Precies. Een soort Sherlock Holmes over zaken aan gene zijde. Zodra ik dat boek uit had, wist ik wat ik wilde worden. Maar dat is natuurlijk geen fulltimebaan. Vandaar dat hoogleraarschap.'

'Maar hoe heb je die… die gaven ontwikkeld?' vroeg Romero. 'Enigmatologie kun je niet studeren.'

'Nee. Maar er zijn wel talloze boeken over geschreven. En daarom is het handig als je wat weet van de middeleeuwse geschiedenis.'

'De *Malleus Maleficarum* enzo, bedoel je?'

'Precies. En nog heel veel meer, nog ouder en nog gezaghebbender.' Hij haalde zijn schouders op. 'En zoals met zo veel dingen: je leert het al doende.'

Romero's gezicht begon weer die sceptische blik te vertonen. 'Boeken. Ga me nou niet vertellen dat jij gelooft in dat gedoe van familiespoken en astrologie en de steen der wijzen.'

'Dat zijn alleen nog maar de West-Europese voorbeelden die je daar noemt. Iedere beschaving heeft haar eigen bovennatuurlijke traditie. Ik heb zowat alles bestudeerd wat op schrift is gesteld – en sommige dingen die niet beschreven zijn. En ik heb gekeken naar de overeenkomsten.' Hij zweeg even. 'Ik geloof dat er als tegenhanger van de tastbare, zichtbare wereld elementaire krachten bestaan, sommige goed, andere kwaad, die er altijd geweest zijn en die er altijd zullen zijn.'

'Zoals een vloek op het graf van een mummie,' merkte Romero op. Ze wees naar Logans glas. 'Hoeveel had je er daarvan op voordat ik binnenkwam?'

'Denk maar aan atomen, of aan zwarte gaten: die zien we niet, maar we weten dat ze bestaan. Waarom dan geen elementaire wezens, of schepselen die we domweg nog niet ontmoet hebben? Of, nu we het er toch over hebben, krachten die we nog niet beteugelen kunnen?'

Romero keek nog sceptischer.

Logan aarzelde even. Toen stak hij zijn hand uit, viste het plastic rietje uit Romero's glas en legde het op het witte tafellaken tussen hen in. Hij legde zijn handen aan weerszijden met de palmen omlaag en de vingers iets gespreid. Hij ademde in en blies langzaam weer uit.

Eerst gebeurde er niets. Maar plotseling beefde het rietje even, en na een tweede, heviger trilling verhief het zich langzaam van de tafel. Een paar seconden hing het onvast een centimeter boven het tafellaken, toen viel het terug, rolde eenmaal om en bleef stilliggen.

'Jezus!' zei Romero. Ze keek naar het rietje en pakte het voorzichtig op, alsof ze bang was haar vingers te branden. 'Hoe krijg je dat voor elkaar? Dat is een geweldige truc.'

'Met een beetje oefening kun je dat zelf ook, denk ik,' beweerde Logan. 'Maar niet zolang je het als truc beschouwt.'

Ze keek weifelend naar het rietje, legde het terug op tafel en nam een bedachtzaam slokje van haar cocktail. 'Nog één vraag,' zei ze. 'Daarstraks, toen je in mijn kantoor was; alles wat je toen over me zei was waar. Tot en met het feit dat ik thuis de jongste was. Hoe wist je zo veel over me?'

'Ik ben een empaat,' antwoordde Logan.

'Een empaat? Wat is dat?'

'Dat is iemand met het vermogen om andermans gevoelens en emoties op te nemen. Toen ik jou de hand schudde, kreeg ik een reeks – een stroom, zeg maar – heel krachtige herinneringen, opvattingen, gedachten, bezorgdheden en verlangens door. Dat is niet selectief: ik heb geen enkele controle over wat voor indrukken ik opdoe. Ik weet alleen dat ik een aantal indrukken binnenkrijg als ik fysiek contact heb met iemand anders. Soms meer, soms minder.'

'Empathie,' zei Romero. 'Dat klinkt als iets wat thuishoort in het rijtje van aromatherapie en geneeskrachtige stenen.'

Logan haalde zijn schouders op. 'Zeg jij het dan maar: hoe wist ik dat allemaal?'

'Daar heb ik geen verklaring voor.' Ze keek hem aan. 'Empaat, hoe word je dat?'

'Dat is aangeboren. Er zitten twee kanten aan, een biologische en een spirituele. Het is een gave die bij sommige mensen hun leven lang onontdekt blijft; vaak komt het aan het licht door traumatische ervaringen. Bij mij was het denk ik de aanraking van Vera Hackety.' Hij draaide zijn lege glas om en om in zijn handen. 'Maar ik kan je wel zeggen: voor mijn werk is het van cruciaal belang.'

Ze glimlachte. 'Telekinese, gedachten lezen… Kun je soms ook de toekomst voorspellen?'

Logan knikte. 'Wat dacht je hiervan: ik voorspel dat we, als we niet binnen tien minuten in de eetzaal zitten, geen eten meer krijgen.'

Romero keek op haar horloge, en lachte. 'Dat soort voorspellingen kan ik nog net aan. Kom op, Svengali.'

Toen ze opstonden, pakte ze het rietje van het tafelblad en stak het in de zak van haar spijkerbroek.

17

De volgende ochtend om negen uur was er een vergadering belegd over het ongeluk van de vorige dag. Logan was niet uitgenodigd, maar toen Rush hem er aan het ontbijt over had verteld, zag hij kans in het kielzog van de dokter Vergaderzaal A in Wit binnen te glippen.

Het was een grote ruimte zonder ramen; de stoelen waren in twee halve cirkels opgesteld. Een van de wanden werd in beslag genomen door een reeks whiteboards, aan een andere hing een dubbel digitaal projectiescherm. Aan het plafond hing een enorme satellietkaart van de Sudd, vol punaises en handbeschreven post-its. Logan herkende een paar aanwezigen: Christina Romero en Valentino. Het hoofd van de opgraving was omringd door een kluitje monteurs en assistenten.

Logan schonk een kop koffie in en ging op de tweede rij zitten, achter Rush. Hij zat nog niet of de kalende man met het blonde haar, de man die hij de vorige dag bij de generator had zien staan, schraapte zijn keel en begon.

'Mensen,' zei hij, 'laten we beginnen met wat we weten.' Hij richtte zich tot een man met een witte overall. 'Campbell, hoe is het met de stroomvoorziening?'

Campbell snoof even. 'We hebben generator één opgevoerd tot achtennegentig procent van de maximale belasting. Onze nominale kernproductie zit nu op vijfenzestig procent.'

'En de opvang van methaan en het conversiesysteem?'

'Onveranderd. De scrubbers en de interfacebaffles werken optimaal. Nu generator twee is uitgevallen, hebben we de productie van brandstof moeten terugdraaien.'

'Goddank dat het systeem nog werkt.' De oudere man wendde zich tot iemand anders, een kleine vrouw met een laptop op haar schoot. 'Dus de productie is met vijfendertig procent gedaald. Wat merken we daarvan in termen van functionaliteit?'

'We hebben de minst essentiële services teruggeschroefd, dr. March,' antwoordde ze.

Met hernieuwde belangstelling keek Logan de man aan. Dus dat is Fenwick March, dacht hij. Hij had van March gehoord: hij was het hoofd van de afdeling Archeologie bij deze opgraving. Volgens Romero was dit Stones rechterhand – en hij leek zijn eigen stem bijzonder graag te horen.

'En de primaire zoekoperatie?' vroeg March.

'Lijdt hier niet onder. We hebben stroom en personeel naar behoeven elders ingezet.'

Nu richtte March zich tot een derde. 'Montoya? Enige kans op een nieuwe generator?'

Montoya ging even verzitten. 'We zijn aan het informeren.'

Meteen veranderde de uitdrukking op March' gezicht, bijna alsof hij iets smerigs had geroken. 'Hoezo, informeren?'

'We moeten tactvol te werk gaan. Een generator van zesduizend kilowatt is geen gangbaar artikel hier in de buurt, en we kunnen ons niet permitteren dat ze in Khartoum gaan zitten denken…'

'Verdomme,' onderbrak March. 'Niet dat gezever! We hebben een nieuwe generator nodig! Nú!'

'Ja, dr. March,' antwoordde de man, terwijl hij zijn schouders iets optrok.

'We zitten op een strak schema, en we kunnen ons geen oponthoud veroorloven, laat staan dat we de helft van onze stroomvoorziening kwijtraken.'

'Ja, dr. March,' herhaalde de man, terwijl hij zijn hoofd nog iets verder tussen zijn schouders trok, alsof hij het liefst wilde verdwijnen.

March keek om zich heen tot zijn blik op Valentino bleef rusten. 'Jij hebt bekeken wat er over is van generator twee?'

Valentino knikte met zijn ruige hoofd.

'En?'

Valentino haalde zijn schouders op. Hij was zo te zien allesbehalve onder de indruk van de archeoloog, en dat leek March te voelen.

'Nou?' hield March aan. 'Kun je me zeggen waardoor die explosie is ontstaan?'

'Niet echt. De hele zaak is aan stukken, het mechanisme is voor de helft weggesmolten. Misschien een fout in een stator, misschien kortsluiting in een van de wikkelingen. Hoe dan ook, de koppelingen en de verzamelringen zijn oververhit geraakt, en daarna ook de reservetank.'

'De reservetank.' Bijna terloops richtte March zich tot Rush. 'Heb jij nog iets gehoord over Rogers' toestand?'

Rush schudde zijn hoofd. 'Het laatste wat ik hoorde, was dat hij in kritieke toestand in het Koptisch Ziekenhuis lag. Het verpleegkundig rapport kan ieder moment binnenkomen.'

March gromde even. Toen richtte hij zich weer tot Valentino. 'Kun je me dan ten minste vertellen of dit gebeurd is door een mechanische fout of door een structureel zwakke plek of dat er... iets anders aan de hand was?'

Bij die woorden keek Christina Romero even om en ving Logans blik. Ze keek hem aan met een uitdrukking die deels glimlach, deels sneer was.

'Iets anders,' herhaalde Valentino. 'Sabotage, bijvoorbeeld?'

'Bijvoorbeeld,' beaamde March terughoudend.

Valentino dacht even na. 'Als het inderdaad sabotage was, en wie weet, misschien heeft een of andere *figlio di puttana* met die generator zitten klooien, dan is het bewijs in vlammen opgegaan.'

'Waarom denk je aan sabotage, Fenwick?' vroeg Rush kalm. 'Jij zou toch moeten weten hoe bijzonder zorgvuldig de hele bemanning is doorgelicht.'

'Dat weet ik,' antwoordde March, terwijl hij zijn blik neersloeg. 'Maar ik ben nog nooit op een expeditie geweest waar zo verschrikkelijk veel misliep. Het lijkt wel of...' Hij zweeg even. 'Alsof iemand wíl dat onze missie mislukt.'

'Als dat zo was,' zei Rush, 'dan waren daar veel makkelijker manieren voor dan gaan zitten hannesen met een generator.'

Langzaam hief March zijn hoofd en keek Rush met een veelbetekenende blik aan. 'Dat is waar,' zei hij. 'Dat is zeer beslist waar.'

18

Jack Wildman hing twaalf meter onder het oppervlak naar zijn duik-
partner te kijken, Mandelbaum, die bezig was met de voorbereidingen om Dikke Bertha aan te zwengelen. 'Kijken' was niet de juiste
term, bedacht hij: Mandelbaum was weinig meer dan een vage vlek in de
afgrijselijke blubber die hen aan alle kanten omringde, een streep, zwart
op zwart, alleen maar zichtbaar doordat dit ene stukje zwart in beweging
was.

'Able Charlie voor centrale,' zei Mandelbaum in zijn radio. 'We zijn zo
ver, we kunnen vak G3 gaan bekijken.'

'Able Charlie, roger,' klonk het kwakende antwoord van de oppervlakte. 'Bubblestatus?'

'Achtennegentig procent.'

Wildman keek naar de digitale display op de riem rond zijn onderarm.
'Whiskey Bravo hier,' zei hij in zijn eigen microfoon. 'Bubbles eenenne-
gentig procent.'

'Roger,' kwam het antwoord uit de centrale. 'Ga jullie gang.'

Er klonk een laag gedreun toen Mandelbaum Dikke Bertha opstartte.
Meteen voelde Wildman de druk van de dikke modder die langs hem
heen kolkte, opgejaagd door de stroom compressielucht uit de machine.
Het voelde aan alsof hij in een stroopvat stond.

Maar in wezen was het nog erger. Want de modder en blubber hier in
de Sudd hadden iets heel verraderlijks. Hij moest continu kijken waar hij
liep: overal lagen stokken en halfvergane plantenresten, en vaak zaten
daar scherpe punten aan die zijn pak konden beschadigen. En de Sudd
was zo verdomd dik, iedere stap kostte een moeite alsof je aan het werk
was in een atmosfeer van 10G...

'Able Charlie voor centrale,' klonk Mandelbaums stem. 'Ik ben aan het
vegen.'

Nu zette Wildman de zware schijnwerper aan die op zijn rechterschouder zat, en liet zich naar de stenen bodem zakken: de pas schoongeveegde bedding van de Sudd, tijdelijk leeggewist door Dikke Bertha. Mandelbaum werkte met Dikke Bertha, en hijzelf moest de schoongeveegde stukken grond achter de machine afspeuren naar tekenen van grotten, lavagangen of oude bouwsels. Hij voelde zich als een astronaut op een gasplaneet uit een nachtmerrie, met zijn zware wetsuit en die enorme schijnwerper, de videocamera op zijn helm en de zuurstoftank: stuk voor stuk dingen die hem nog zwaarder maakten dan hij zich al voelde.

Maar in wezen was hij blij met de bellen uit zijn zuurstoftank. Heel erg blij. Die bellen waren de enige manier om je richting te bepalen in deze soep. Zonder die bellen kon je makkelijk je oriëntatie kwijtraken, vergeten wat onder en boven was. Wat er met Forsythe was gebeurd, stond hem nog helder voor de geest. Die was in paniek geraakt vanwege een verstopte regulator, had uit alle macht geprobeerd naar de oppervlakte te komen… Hij kreeg de koude rillingen bij de gedachte. Als je in deze pikzwarte troep je richtingsgevoel kwijt was, of je lijnverbinding, dan kon je het wel schudden. Dan was je enige hoop dat je duikbuddy je zou vinden. Anders maakte je geen enkele kans…

Hij gleed met een voet uit op de vettige bodem en viel achterover. Hij voelde iets hards tegen zijn kuit slaan. Hij stak een hand uit en tastte. Een stok. Omdat hij op een afstand van meer dan enkele centimeters voor zijn masker niets kon zien, bracht hij het voorwerp tot vlak voor zijn neus. En ja hoor. Die ellendige Sudd! Goed dat de punt niet door zijn pak heen was gegaan – de enige keer dat dat gebeurd was, had hij zo verschrikkelijk gemeurd dat hij pas na drie keer douchen van de stank af was.

Hij ging verder met het bestuderen van het schoongeveegde gebied.

'Able Charlie,' zei Mandelbaum in de radio. 'Volgens mij is Dikke Bertha aan een schoonmaakbeurt toe. Ik kan de gastoevoer niet stabiel houden.'

'Roger,' zei de stem van boven weer.

Wildman wuifde modder en zand weg voor zijn masker en schoof op naar rechts, om daar een nieuwe zone te verkennen. Het gevoel van de modder die in het kielzog van de grote machine om hem heen wervelde was iets afgrijselijks. Een paar dagen tevoren had een van de duikers van een ander team per ongeluk met zijn elleboog het mondstuk van zijn collega losgestoten. De arme stakker had een mondvol drek binnengekregen, was meteen aan het overgeven geslagen en moest haastig naar boven voordat hij zou stikken…

'Able Charlie,' zei Mandelbaum weer, 'ik vrees dat we de duik moeten afbreken. Ik heb steeds meer moeite met Dikke Bertha…'

Nog voordat hij uitgesproken was, hoorde Wildman Bertha's motor plotseling loeien: de toevoer was wijd open gesprongen. Snel zette Mandelbaum de motor uit, maar pas nadat Wildman ettelijke decimeters achterwaarts de dikke brij in was gedrongen door een overweldigende golf zwarte modder. Weer voelde hij iets hards in zijn pak prikken, ditmaal in zijn rug. Shit. Hij stak zijn hand uit, greep wat het ook was, en voelde een glibberige stok in zijn gehandschoende vingers. Hij bracht het voorwerp naar zijn masker. Eigenlijk moest hij Mandelbaum hiermee een klap op zijn hersens geven. Bij die gedachte verscheen er een glimlach rond zijn lippen. Totdat hij zag wat hij in zijn hand had. Het was geen stok.

Het was een bot.

19

Later die middag had een klein groepje zich verzameld bij de forensische hoek van Rush' keurig georganiseerde geneeskundige afdeling. Afgezien van Rush zelf waren er een verpleegkundige, Tina Romero, en Jeremy Logan. Toen Logan was binnengekomen had Rush zijn mond opengedaan – kennelijk om te protesteren, gezien Porter Stones doorlopende opdracht om mensen niet meer te vertellen dan strikt noodzakelijk – maar even later had hij schokschouderend geglimlacht en hem met een handgebaar binnen genood.

Het archeologische team was klaar met het voorlopige onderzoek van het skelet dat het duikteam had ontdekt – nu was het aan Rush om in wezen een lijkschouwing uit te voeren.

De verzameling botten zelf zat in een blauwe kunststof kist voor bewijsmaterialen, die op een roestvrijstalen brancard stond. Onder het toeziend oog van de aanwezigen trok Rush een paar latex handschoenen aan, trok de aan het plafond gemonteerde microfoon naar zich toe, drukte op de opnameknop en stak van wal.

'Onderzoek van een stoffelijk overschot, gevonden op dag 16 van het project, aangetroffen in een ondiepe grot in rastervak G3. Ethan Rush voert de analyse uit, geassisteerd door Gail Trapsin.' Een korte stilte. 'Het substraat van slib en modder waarin het overschot is gevonden, heeft schijnbaar gewerkt als conserveringsmiddel: het skelet verkeert naar omstandigheden in uitstekende conditie. Desalniettemin zijn er aanzienlijke beschadigingen.'

Hij haalde het deksel van de kist en viste er voorzichtig de botten uit. Hij legde ze op de snijtafel en begon: 'De schedel- en aangezichtsbotten zijn intact, evenals die van de ribbenkast, de armen en de ruggengraat. Duikteams zijn op zoek geweest naar de rest van het skelet, maar zonder succes; alleen een paar leerachtige fragmenten zijn gevonden van wat ooit mogelijkerwijs sandalen waren. Het archeologisch team speculeert dat alleen het bovenlichaam bewaard is gebleven in het substraat, en dat het onderlijf volledig vergaan is en niet langer bestaat.'

Hij legde de botten op de tafel, ruwweg op anatomische volgorde. Logan keek er nieuwsgierig naar. Ze waren donkerbruin, bijna mahoniekleurig, alsof ze waren gevernist door hun modderbad van vijfduizend jaar. Terwijl Rush bezig was en steeds meer botten uit de kist viste, begon het binnen naar de Sudd te ruiken: turf, rottende plantenresten en een eigenaardige, weeë geur waar Logan licht onwel van wèrd.

Rush dicteerde verder: 'Koolstofdatering met massaspectrometrie toont aan dat de botten circa 5200 jaar oud zijn, met een foutmarge van twee procent dankzij de natuurlijke contaminanten in het omringende substraat.'

Romero stond te spelen met haar pen, die ze altijd bij zich had. 'Dezelfde periode als Narmer,' merkte ze zachtjes op.

'Bij het lichaam zijn een rond schild gevonden, in zeer slechte staat, en de restanten van wat naar alle waarschijnlijkheid een knuppel was.'

'De uitrusting van de persoonlijke lijfwacht van de farao,' voegde Romero daaraan toe.

'Hoewel het schild zoals ik al zei in slechte conditie verkeert,' vervolgde Rush, 'heeft het archeologisch team een giettechniek toegepast in combinatie met digitale beeldbewerking om de restanten van wat de versiering op het schild lijkt te zijn in beeld te krijgen. Volgens de archeologen is het ornament een *serekh* met twee symbolen: een vis en iets wat een werktuig lijkt te zijn.'

'Een meerval en een dissel,' merkte Romero op. 'De fonetische weergave van Narmers naam. Althans, dat neem ik aan – als March me eindelijk eens naar dat ding liet kijken.'

Rush drukte op de knop van de microfoon. 'Christina, zou je je commentaar voor je willen houden tot ik klaar ben met mijn rapport?'

Romero neeg het hoofd en drukte haar vingers even tegen haar voorhoofd in een geveinsde knieval. 'Sorry.'

Rush sprak weer in de microfoon: 'Wat betreft de botten zelf, de schedel is relatief intact, het neurocranium en het splanchnocranium hebben de minste schade geleden. De slaapbeentjes ontbreken. Het kaakbeen, het tongbeen en het sleutelbeen zijn er iets slechter aan toe. De meeste tanden zijn weg en wat overblijft, vertoont de voortgeschreden cariës die normaal is voor die periode.' Hij zweeg even om de rest van de botten te bestuderen. 'De gelede wervels vertonen naar beneden toe steeds meer verval: van cervicale via thoracale naar lumbale. De laatste aanwezige wervel is L2; van de sacrale wervels en het os coccygis rest niets. De eerste acht ribben zijn aanwezig. Naar beneden toe zijn de lagere ribben steeds ernstiger beschadigd, en er zijn duidelijke sporen aan de voorzijde van de zesde rib' – hier zweeg hij even om de rib beter te kunnen opnemen – 'die doen denken aan sporen van een mes of zwaard. Daaruit kan het vermoeden rijzen dat de doodsoorzaak moord was.'

'Ik wíst het wel!' riep Romero triomfantelijk uit.

Bij de plotselinge kreet, in schrille tegenstelling tot Rush' gelijkmatige, afgemeten toon, veerde Logan geschrokken op. Nogmaals zette Rush met een geïrriteerd gezicht de microfoon uit. 'Christina, ik moet je met klem verzoeken…'

'Maar je hebt het fout over die doodsoorzaak,' onderbrak Romero hem nogmaals. De triomfantelijke toon klonk nog steeds in haar stem door. 'Het was geen moord. Het was zelfmoord.'

Rush' geërgerde uitdrukking veranderde in ongeloof. 'Hoe kun je nou in godsnaam weten…'

'En er is meer. Niet ver hiervandaan, zeg vijftig of honderd meter van deze vindplaats, gaan we nog veel meer skeletten vinden. Een hele massa. Ik ga Valentino zeggen waar hij zijn duikers moet uitzetten.' En zonder verder nog een woord draaide ze zich om en liep de ziekenboeg uit. Logan en Rush bleven achter en keken elkaar verbijsterd aan.

20

De ontdekking van het skelet monterde niet alleen de zoekenden op en zorgde voor grote opwinding in het hele Station, maar was ook de reden voor de komst van Porter Stone in hoogsteigen persoon. Hij arriveerde in de loop van die avond, toen het al donker was, en belegde meteen een plenaire vergadering voor de volgende ochtend. Alle activiteit, zelfs het duiken, zou een halfuur worden stilgelegd terwijl Stone het expeditieteam toesprak.

De bijeenkomst zou plaatsvinden in de grootste ruimte van het Station: de machinewerkplaats in Groen. Toen Logan er die ochtend exact om tien uur binnenliep, keek hij nieuwsgierig om zich heen. Aan drie van de vier wanden waren metalen rekken bevestigd, van de vloer tot aan het plafond, met daarin alle denkbare onderdelen, gereedschappen en stukken apparatuur. Op een stel bruggen stonden jetski's in diverse stadia van ontmanteling. Een handvol grote motorblokken en duikapparatuur lag op metalen werkbanken, en in een hoek stond iets wat eruitzag als een deel van de verwoeste generator, met zwartgeblakerde flanken, afzichtelijk in de schelle verlichting.

Logans blik gleed van de kamer zelf naar de aanwezigen die op Stone stonden te wachten. Het was een zeer bont gezelschap: onderzoekers in witte jassen, laboranten, duikers, sjouwers, koks, elektriciens, monteurs, ingenieurs, geschiedkundigen, archeologen, piloten – zo'n honderdvijftig mensen, allemaal verzameld vanwege één enkele man, iemand met een kristalhelder beeld voor ogen van wat hij wilde bereiken en met de ijzeren wil om te zorgen dat dat gebeurde.

Als geroepen liep Stone op dat moment de werkplaats binnen. Er brak een spontaan applaus uit. Stone liep tussen de menigte door, schudde handen, sprak een paar woorden tegen mensen die hem staande hielden.

Hij had de Arabische uitdossing verruild voor een linnen pak, maar als hij een leren vliegeniersjack en een tropenhelm had gedragen, had hij niet meer op een avonturier kunnen lijken dan nu: op de een of andere manier straalden zijn bruine, verweerde huid en de houding van zijn lange, slanke lichaam met die bijna dierlijke gratie iets uit wat aan verre reizen en spannende ontdekkingen deed denken.

Achter in de ruimte aangekomen draaide hij zich naar de aanwezigen om en hief met een brede glimlach zijn handen. Langzaamaan viel het geroezemoes weg, maar er bleef een onrustige sfeer hangen. Glimlachend keek Stone om zich heen, en de spanning liep nog meer op. Na verloop van tijd schraapte hij zijn keel en begon te spreken.

'Mijn eerste ervaring als schatzoeker,' begon hij, 'vond plaats op mijn elfde. In het plaatsje in Colorado waar ik opgroeide, hadden we een plaatselijke legende over een stel indianen die ooit in de velden net buiten het dorp hadden gewoond. Jongens zoals ik, studenten en zelfs professionele archeologen waren eindeloos vaak naar die velden getrokken, hadden gaten en complete sloten uitgegraven, het gebied afgespeurd met metaaldetectors… allemaal zonder dat we ook maar één kraaltje hadden gevonden. Want ik deed ook mee. Ik moet wel tien keer over dat terrein gedwaald hebben, zonder mijn blik van de grond te verheffen, en maar zoeken.

Maar op een dag keek ik op. Voor het eerst keek ik, keek ik écht, naar de omgeving. Waar de velden eindigden liep het terrein langzaam af naar de Rio Grande, zowat anderhalve kilometer verderop. Langs de rivier stonden bosjes populieren, en het gras was er dicht en weelderig.

In mijn jongenshoofd reisde ik tweehonderd jaar terug in de tijd. Ik zag een groepje indianen dat hun kamp had opgeslagen aan de oever. Daar was water om te drinken, meer dan genoeg vis, vet gras voor de paarden, schaduw en beschutting onder de bomen. Toen keek ik naar het droge, onvruchtbare land waarop ik stond. Waarom, vroeg ik me af, zouden indianen hier hun tenten opslaan als er zo dichtbij een veel geschiktere plek was?

Dus liep ik die anderhalve kilometer naar de rivier en begon rond te snuffelen in het zand en het gras aan de oever. En binnen enkele minuten had ik dít te pakken.' Hij stak zijn hand in zijn zak, haalde er iets uit en hield het op zodat de aanwezigen het konden zien. Logan zag dat het een pijlpunt van obsidiaan was, perfect gevormd, een schoonheid van een vondst.

'Talloze malen ben ik teruggegaan naar die vindplaats,' vervolgde Stone. 'Ik vond er nog veel meer pijlpunten, lemen pijpen, stenen stampers en een massa andere dingen. Maar niets heeft me ooit, voor of na die tijd, zo met opwinding vervuld als die allereerste pijlpunt. Ik ga nooit de deur uit zonder dat ding op zak.' Hij stopte het voorwerp weer in zijn zak en keek de menigte aan, elk afzonderlijk, voordat hij verder sprak.

'En het was niet alleen de opwinding van de ontdekking. Het was niet dat ik iets prachtigs had gevonden, iets van waarde. Het kwam doordat ik mijn verstand had gebruikt, mijn vermogen om me mentaal buiten de gebaande paden te begeven, de raadsels van het verleden te ontrafelen. Al die mensen voor me hadden de verhalen over de kampementen van de indianen voor zoete koek geslikt. En zo was ik zelf ook begonnen – maar op dat moment leerde ik een belangrijke les. Een les die me altijd bijgebleven is.'

Hij stak zijn handen in zijn zakken en sprak al ijsberend verder: 'Archeologische opgravingen, beste vrienden, zijn een soort detectiveverhaal. Het verleden houdt zijn geheimen graag vast. Het geeft ze niet graag prijs. Dus moet ik voor detective spelen. En een goede detective weet dat de beste manier om een raadsel op te lossen is: zo veel mogelijk middelen inzetten, zo veel mogelijk bewijzen verzamelen, zo veel mogelijk onderzoek doen.'

Hij zweeg abrupt en streek met een hand door zijn witte haar. 'Zoals jullie weten, heb ik dit al heel vaak gedaan. En de resultaten spreken voor zich. Hier en nu doe ik het weer. Ik heb kosten noch moeite gespaard: onderzoek, apparatuur… en talent. Jullie zijn stuk voor stuk de besten op jullie vakgebied. Ik heb mijn deel geleverd – en met de ontdekking van dit skelet, vrijwel zonder twijfel de persoonlijke lijfwacht van farao Narmer, bevinden we ons opnieuw op de drempel van het succes. Ik ben ervan overtuigd dat we dagen, niet meer dan dagen, verwijderd zijn van de ontdekking van het graf. En zodra dat een feit is, ontsluieren we wéér meer van die geheimen die het verleden zo hartstochtelijk probeert te bewaren.'

Hij keek naar de zwijgende groep. 'Zoals ik al zei: mijn aandeel heb ik geleverd. En nu, nu we zo dichtbij zijn, is het tijd dat jullie je beloften nakomen. We hebben maar weinig tijd. Ik vertrouw erop dat jullie je voor de volle honderd-en-tien procent zullen inzetten. Wat je positie hier ook is, of je een duikteam leidt of bordenwasser in de kantine bent, je bent een integraal, essentieel onderdeel van een machine. Iedereen hier is van vitaal belang voor ons welslagen. Ik hoop dat jullie dat de komende dagen in gedachten zullen houden.'

Nogmaals schraapte Stone zijn keel. 'Ergens onder onze voeten liggen de ondenkbare schatten waarmee Narmer zich omringd heeft, die hij in zijn graf heeft geplaatst om hem te vergezellen naar het volgende leven. Door onze ontdekking van, en ons onderzoek naar, die schatten worden jullie niet alleen beroemd, maar ook rijk. Misschien niet eens in termen van geldelijke beloning, hoewel dat er natuurlijk wel deel van uitmaakt. Maar deze ontdekking zal met name een exponentiële toename betekenen van onze kennis over de vroegste Egyptische farao's – en dat is het soort rijkdom waarvan wij als geschiedvorsers nooit genoeg krijgen.' Hierop volgde een tweede ronde applaus. Stone liet het een kwart minuut, een halve minuut voortduren voordat hij uiteindelijk zijn handen weer hief.

'Ik hou jullie niet langer van het werk,' zei hij. 'Jullie hebben allemaal een klus te klaren. Zoals ik al zei, in de loop van de komende dagen verlang en verwacht ik het allerbeste van jullie. Vragen?'

'Ik heb een vraag,' hoorde Logan zichzelf in de stilte zeggen.

Toen honderdvijftig hoofden zich naar hem omdraaiden, vroeg Logan zich af wat hem in godsnaam bezield had zijn mond open te doen. Het was iets waarover hij had lopen piekeren, maar hij was niet van plan geweest zijn gedachten openbaar te maken.

Porter Stone leek geen vragen verwacht te hebben: hij had zich al afgewend om met March te converseren. Maar bij het geluid van Logans stem draaide hij zich om en speurde de menigte af.

'Dr. Logan?' vroeg Stone, toen hij hem ontdekt had.

Logan knikte.

'Wat is uw vraag?'

'Het is iets wat u daarnet zei. U zei dat Narmer zich omringd had met schatten; dat hij die in zijn graf geplaatst had, zodat ze hem konden vergezellen naar het volgende leven. Maar ik vroeg me af – is het niet mogelijk dat hij, door zo'n afgelegen en geheim graf te bouwen, niet alleen een massa waardevolle spullen verzamelde, maar dat hij die ook verstopte, dat hij ze beschermde?'

Stone fronste zijn wenkbrauwen. 'Uiteraard. Alle farao's probeerden hun aardse goederen te beschermen tegen vandalen en grafschenners.'

'Ik dacht aan een ander soort bescherming.'

Even bleef het stil, en toen antwoordde Stone: 'Een interessante hypothese.' Hij verhief zijn stem en meldde de aanwezigen: 'Nogmaals bedankt voor jullie tijd. En dan laat ik jullie nu teruggaan naar jullie werkplekken.'

Toen de menigte zich begon te verspreiden en langzaam wegsijpelde naar de uitgang van de machinewerkplaats, draaide Stone zich nogmaals naar Logan om. 'U niet,' zei hij. 'Wij moeten even praten.'

21

Porter Stones privékantoor, aan het eind van een binnengang van Wit, was een kleine maar uiterst efficiënt ingerichte ruimte. Geen directiebureau, geen ingelijste voorpaginafoto's van hemzelf – maar wel een ronde tafel met een handvol stoelen eromheen, een paar laptops en een kortegolfradio. Eén plank met daarop een stel boeken over Egyptologie en de geschiedenis van de dynastieën. Geen kunstvoorwerpen, grafvondsten of wat voor decoratie dan ook. Het enige wat aan de wand hing was één rafelig blad papier met de dagen van de huidige maand, slordig uit een kalender gescheurd en achter de vergadertafel geplakt om de tijdsdruk waaronder ze werkten te benadrukken.

Stone gebaarde Logan naar de tafel. 'Ga zitten. Koffie, thee, mineraalwater?'

'Nee, dank u,' zei Logan terwijl hij ging zitten.

Stone knikte en nam tegenover hem plaats. Even nam hij Logan op met zijn lichtblauwe ogen, zo fonkelend in zijn zongebruinde gezicht. 'Zou u zo vriendelijk willen zijn u nader te verklaren? Wat bedoelde u precies met die vraag?'

'Ik heb de vloek van Narmer bestudeerd, en vergeleken met andere oude Egyptische vloeken. En dat deed me ergens aan denken.'

Stone knikte. 'Ga verder.'

'De meeste farao's bezaten zaken van onschatbare waarde – waarschijnlijk veel waardevoller dan die van Narmer, die per slot van rekening een heel vroege vorst was. Maar geen van hen heeft ook maar bij benadering de moeite genomen die Narmer zich getrooste om zichzelf en zijn bezittingen te verschuilen. Ja, ze bouwden piramides in Gizeh, ze bouwden graven in de Vallei der Koningen, maar ze lieten zich niet bijzetten buiten de grenzen van hun rijk, in mogelijk vijandig gebied, honderden kilometers van hun eigen machtscentrum. Ze bouwden geen valse graven om plunderaars op het verkeerde been te zetten. En die vloek van Narmer, hoe afgrijselijk ook, heeft ongebruikelijke aspecten: er wordt niets gezegd over rijkdommen en goud. Dus daarom vraag ik me af: had Narmer soms een andere zorg, een veel grotere, belangrijker dan zijn eigen persoonlijke bezittingen?'

Stone had roerloos zitten luisteren. 'Bedoelt u dat het voor Narmer nog belangrijker was dan het later voor zijn nakomelingen zou zijn dat zijn sarcofaag ongeschonden bleef? Hij had Egypte verenigd, maar het was nog een ietwat onzekere eenheid. Bedoelt u dat hij niet kon toestaan dat zijn graf werd geplunderd, zijn dynastie in gevaar gebracht werd?'

'Dat maakt er deel van uit. Maar er is meer. De onvoorstelbare moeite die hij deed om zijn graf op een geheime plek te bouwen – dat lijkt mij het werk van iemand die iets wil beschermen, verbergen. Iets wat even belangrijk voor hem was als het leven zelf, of het leven na de dood. Iets wat hij per se bij zich moest hebben, omdat dat leven na de dood hem anders misschien niet gegund zou zijn.'

Even zat Stone zwijgend naar Logan te kijken. Toen verscheen er een glimlach op zijn gelaat, en even later lachte hij. Logan keek hem aan en kreeg de indruk dat hij zojuist op de proef was gesteld, en dat hij geslaagd was.

'Verdomme, Jeremy – mag ik Jeremy zeggen? Dat is nou al de tweede maal dat je me verrast. Die manier van denken van jou staat me aan. Soms heb ik de indruk dat die specialisten van mij zo goed zijn in hun werk, in hun eigen kleine vakgebiedjes, dat ze vergeten dat je ook op andere manieren naar de wereld kunt kijken.' Hij leunde voorover. 'En toevallig ben ik van mening dat je volledig gelijk hebt.'

Hij stond op, liep naar de deur, opende die, stak zijn hoofd om de hoek en vroeg de secretaresse om koffie. Daarna liep hij terug naar de tafel en haalde iets uit zijn broekzak.

'Wat – die pijlpunt weer?' vroeg Logan.

'O, nee.' Stone liet Logan iets zien. Het was het ostrakon dat hij in de leeszaal van het museum voor Egyptische oudheden had gezien.

'Herinner je je dit nog?' vroeg Stone. 'Het ostrakon dat ooit van Flinders Petrie was?'

'Natuurlijk.'

Stone legde hem op tafel. 'Weet je nog dat daar vier hiëroglifen op staan?'

'Ja, en dat u nogal terughoudend was over wat die betekenen.'

Er werd zachtjes aangeklopt, en de secretaresse kwam binnen met Stones koffie. Hij nam een slok en wendde zich weer tot Logan. 'Nou, die terughoudendheid laat ik nu varen. Je hebt promotie gemaakt, je behoort nu tot de intimi.' Hij keek zijn gast aan en zijn ogen fonkelden van hetzelfde soort binnenpretje dat Logan al eerder had opgemerkt. 'Je weet nog dat Narmer volgens de meeste Egyptologen degene was die Opper- en Neder-Egypte had verenigd?'

'Ja,' antwoordde Logan.

'En dat hij de "dubbele" kroon droeg, die stond voor de rode en de witte kroon van de twee Egyptes, de gewijde relieken van de eenwording?'

Logan knikte.

Stone liet zijn blik even, langzaam, door het kantoor waren. 'Er is iets heel curieus, Jeremy. Wist jij dat er nooit een kroon van een Egyptische farao is gevonden? Niet één? Zelfs het graf van Toetanchamon, dat intact en ongeschonden is aangetroffen, bevatte weliswaar alles, maar dan ook álles wat hij nodig had op zijn reis naar de volgende wereld; maar geen kroon.'

Dit feit liet hij even bezinken voordat hij verder sprak. 'Daar zijn verschillende theorieën over. Een is dat de kroon magische eigenschappen bezat, waardoor hij op de een of andere manier niet kon overgaan naar het volgende leven. Een andere theorie, uiteraard geliefder onder geleerden, is dat er nooit meer dan één kroon bestaan heeft, en dat die van de ene op de andere farao overging. Het was dus het enige wat niet mee kon naar de onderwereld. Maar het feit is dat niemand zeker weet waarom er nooit een gevonden is.'

Stone pakte het schijfje weer op en draaide het om in zijn hand. 'Wat Petrie op dit ostrakon zag waren vier hiërogliefen uit een heel vroege periode.' Hij stak een vinger uit en wees ze een voor een aan. 'Deze eerste staat voor de rode kroon van Opper-Egypte. De tweede is de witte kroon van Neder-Egypte. De derde is een hiëroglief voor een crypte of rustplaats. En de laatste is een primitieve serekh met Narmers naam.'

In de stilte die hierop volgde, legde Stone het ostrakon weer op tafel, met de inscriptie omlaag, en zette er zijn koffiekop op.

Logan zag het amper. De gedachten raceten door zijn hoofd. 'Wou u zeggen…?'

Stone knikte. 'Dit ostrakon is de sleutel tot het grootste – en dan bedoel ik dus ook echt het állergrootste – archeologische geheim van de geschiedenis. Daarom had Petrie alles uit zijn handen laten vallen en liet hij zijn gerieflijke gepensioneerde bestaan achter zich om een lange, gevaarlijke en uiteindelijk mislukte zoektocht te ondernemen. Hier staat dat koning Narmer is begraven met de twee oorspronkelijke kronen van Egypte: de witte en de rode.'

22

De lounge voor het hogere personeel, een eind verderop in dezelfde gang als Oasis in stationsvleugel Blauw, was een ruimte waarin het kader van de expeditie kon samenkomen voor ontspanning en om elkaar in een informele sfeer te spreken. Het feit dat lager personeel er geen toegang had, betekende dat ook gevoelige aspecten van het werk informeel konden worden besproken zonder angst voor verraad van geheimen.

Nieuwsgierig liep Jeremy Logan de lounge binnen. Hij had er nog niet eerder naartoe gekund, maar zijn nieuwe status als vertrouweling van Porter Stone betekende dat alle deuren, althans bijna alle, nu voor hem openstonden. De ruimte was fraaier aangekleed dan de overige vertrekken die hij tot dan toe gezien had, zelfs Stones eigen kantoor. De wanden waren overdekt met een donker houtfineer, en er lagen dikke kelims waarop stoelen en banken van wijnrood leer stonden. Samen met de zware messing lampen gaf dit alles de indruk van een herenclub in het Londen van Sherlock Holmes.

Logan zette zijn tas op een lege stoel neer en keek om zich heen. Op een lange tafel tegen de achterwand stonden grote thermoskannen met koffie en heet water, naast schalen met komkommersandwiches en madeleines. Eén wand was overdekt met boekenkasten; aan de andere hingen ingelijste landschappen en jachtprenten. Hij liep naar de boekenwand en bekeek even de titels. Een groot aantal moderne thrillers, massa's negentiende-eeuwse Engelse romans, en verder biografieën, geschiedenisboeken en filosofische werken. Alles, scheen het, behalve boeken over Egypte of archeologie. Het leek wel alsof dit vertrek was bedoeld als ontsnapping uit het huidige project. Hij dacht terug aan de bridgespelers die hij eerder had gezien en herinnerde zich wat Rush hem had verteld over zijn geloof in afleiding van het project waaraan op dat moment werd gewerkt.

Er zaten drie mensen aan een tafeltje; ze praatten op gedempte toon. Logan zag Fenwick March, Tina Romero en een vrouw met kaneelbruin haar die met haar rug naar hem toe zat. Romero glimlachte naar hem; March knikte even alsof hij duidelijk wilde maken dat Logan uitsluitend in die lounge was omdat hijzelf, Stones tweede man, hem daar gedoogde.

Logan pakte een willekeurig tijdschrift van een van de tafeltjes en ging zitten; hij wilde het gesprek niet onderbreken, maar Tina wenkte hem. 'Kom erbij zitten, Jeremy,' zei ze. 'Misschien steek je nog wat op.'

Logan pakte zijn weekendtas en voegde zich bij het groepje. Toen hij daar zat, zag hij het gezicht van de andere vrouw. Het was Jennifer Rush. Zijn knieën knikten nu hij haar van zo dichtbij zag. Haar haar was opgestoken in precies dezelfde stijl die zijn eigen vrouw ook altijd had gedragen. Maar in zijn amper objectieve ogen was Jennifer Rush veel mooier. Ze had een ovaal gezicht met hoge jukbeenderen en een smalle, schitterend gevormde kin, en barnsteenbruine ogen. Het was een exotische combinatie en in zeker opzicht, vond Logan, leek ze zelf wel een Egyptische prinses.

Jennifer Rush glimlachte even naar hem. 'U moet dr. Logan zijn,' zei ze.

'De enigmatoloog,' vulde March aan. 'Jullie hebben vast veel gemeen.' Hij richtte zich weer tot Tina Romero. 'Maar hoe dan ook, volgens mij hebben Stone en jij het bij het verkeerde eind. Die kroon zullen we niet in het graf vinden.'

'Dat zeg jij,' vond Tina. 'En waarom ben je daar zo zeker van?'

'Omdat er nog nooit zoiets is aangetroffen, in geen enkel graf.' Hij leunde voorover. 'Wat voor dingen worden er normaal gesproken gevonden in de graven van de latere farao's? Grafgiften van eten en drinken. *Ushabti.* Beelden. Juwelen. Spelfiches. Grafvazen. Geschenken voor in het hiernamaals. Inscripties uit het *Dodenboek*. Tot en met complete boten! En wat hebben al die zaken gemeen? Exact één ding: ze helpen de farao op zijn reis van deze wereld naar de volgende, en ze bieden proviand en benodigdheden voor die volgende wereld.' Hij maakte een handgebaar. 'Kronen zijn van déze wereld.'

'Sorry, maar dat wil er bij mij niet in,' zei Tina. 'In de volgende wereld zou hij net zo goed farao zijn als hier. En dan had hij de parafernalia van zijn macht dus nodig.'

'Als dat zo is, waarom zijn er dan niet eerder kronen ontdekt, zelfs niet in graven die niet geplunderd waren?'

'Je kunt zo sceptisch zijn als je wilt,' zei Tina met enige stemverheffing, 'maar het blijft een feit: Narmer heeft zich onvoorstelbaar veel moeite getroost, heeft ongelooflijk veel werk verzet, om de locatie van zijn graf geheim te houden. Andere farao's uit de eerste dynastie waren tevreden met de bakstenen graven van Abydos. Maar Narmer niet. Narmers graf was niet eens een cenotaaf, zoals de koningsgraven van Saqqara – een symbolisch graf – dit was een népgraf! Kun je nagaan wat een werk het geweest moet zijn, de risico's die hij heeft genomen, de levens die hij opofferde, om maar geheim te houden waar zijn echte grafkamer kwam te liggen. Dus zeg jij nou maar eens, Fenwick: als de dubbele kroon niet in dat graf verborgen ligt – wat ligt daar dan wél onder de Sudd begraven?'

En na die woorden leunde ze met een triomfantelijke grijns op haar gezicht achteruit.

March keek haar met een misprijzend lachje aan. 'Uitstekende vraag. Inderdaad, wat zou het zijn? Niets, misschien?'

Tina's triomfantelijke blik veranderde in een sneer.

March wendde zich tot Jennifer Rush. 'Maar misschien moeten we u die vraag stellen. Wat voor geheimen hebt u van gene zijde doorgekregen, als ik vragen mag?'

De sarcastische ondertoon in de stem van de archeoloog was niet mis te verstaan. Maar Jennifer Rush reageerde niet. 'Mijn bevindingen zijn vertrouwelijk; die gaan alleen mij, mijn man en dr. Stone aan,' antwoordde ze. 'Als u meer wilt weten, moet u bij hen zijn.'

March wuifde met zijn hand. 'Nee, laat maar. Ik hoop dat u mij mijn sceptische houding kunt vergeven, mevrouw Rush, maar als empirisch wetenschapper die zijn overtuigingen baseert op repliceerbare bewijzen vind ik het moeilijk om veel geloof te hechten aan parapsychologie en pseudowetenschap.'

March' arrogante, laatdunkende houding prikkelde Logan. 'Als empirisch wetenschapper,' kwam hij tussenbeide. 'Dus bij repliceerbaar bewijs zou je dat ongeloof van je laten varen?'

March keek hem aan alsof hij een mogelijke tegenstander opnam. 'Uiteraard.'

'Wat dacht je dan van Zenerkaarten?' vroeg Logan.

Even rustte Jennifer Rush' blik op hem, voordat ze haar ogen neersloeg.

March fronste zijn wenkbrauwen. 'Zenerkaarten?'

'Ook wel Rhinekaarten genoemd. Gebruikt in experimenten om buitenzintuiglijke waarneming te testen.' Hij trok zijn tas naar zich toe, rommelde er even in rond en haalde toen een pak grote kaarten tevoorschijn, die hij aan de groep liet zien. Op elke kaart stond een van vijf verschillende tekens, zwart tegen een witte achtergrond: een cirkel, een vierkant, een ster, een kruis en drie golflijntjes.

'O, die.' March rolde met zijn ogen.

Tina lachte. 'Dus dát heeft een bovennatuurlijke detective in zijn truken-doos.'

'Onder andere.' Logan keek naar Jennifer Rush en gebaarde even met de kaarten alsof hij wilde zeggen: zie je waar ik heen wil; en doe je mee?

Ze haalde even haar schouders op. Logan pakte de kaarten en ging tussen March en Tina in zitten, zodat zij drieën de kaarten konden zien, maar Jennifer Rush niet.

'Ik steek in totaal tien kaarten in de lucht, één tegelijk,' zei Logan tegen het groepje. 'Mevrouw Rush zal proberen te zeggen welke kaart ik in mijn hand heb.'

Hij begon met de kaart met de ster.

'Cirkel,' zei Jennifer Rush meteen, terwijl ze naar de achterkant van de kaart keek.

Logan hield de tweede kaart omhoog: de drie kronkellijntjes.

'Kruis,' zei Jennifer Rush.

March begon te grijnzen.

Logan haalde diep adem en pakte een kaart met een cirkel.

'Ster.'

Met stijgende gêne ging Logan door tot hij er tien had. Telkens had Jennifer Rush het bij het verkeerde einde. Logan dacht terug aan wat haar echtgenoot hem had verteld: de Kleiner-Wechsmanschaal, en hoe ze daar hoger scoorde dan alle anderen die hij ooit had getest. Er zit hier iets heel erg fout, dacht hij. Zijn professionele instinct begon een vermoeden van charlatanisme te krijgen.

Hij legde de tien kaarten met de blanco kant omhoog op tafel. En terwijl hij dat deed, zag hij Jennifer Rush naar March' zelfgenoegzame blik kijken. Even zweeg ze. Toen informeerde ze: 'Alle tien fout, nietwaar?'

'Ja,' antwoordde Logan.

'Nog een keer, graag. Ditmaal benoem ik ze allemaal correct.'

Logan pakte de kaarten op en stak ze weer een voor een in de lucht, in dezelfde volgorde.

'Ster,' zei Jennifer Rush. 'Golven. Cirkel. Kruis. Ster. Vierkant.'

Niet één fout. Alle kaarten waren goed.

'Holy shit,' prevelde Tina Romero.

Nu begreep Logan het: Jennifer Rush had bij de eerste poging de kaarten expres fout benoemd. Ze had March met zijn neus in zijn eigen sceptische woorden gewreven. Het was een schitterend staaltje bravoure. Logan keek haar met nieuw respect aan.

'Empirisch bewijs, dr. March?' merkte hij op, terwijl hij de archeoloog aankeek. 'Zullen we de resultaten nog eens reproduceren?'

'Nee.' March stond op. 'Ik hou niet van die goedkope trucjes.' En met een korte hoofdknik naar het gezelschap liep hij de lounge uit.

'Wat een arrogant stuk vreten,' zei Tina hoofdschuddend, terwijl ze naar de deur keek waardoor March net was verdwenen. 'En hoorde je wat hij zei? "… wat er onder de Sudd begraven ligt – misschien wel niets"? Net iets voor Stone om zo iemand als hoofd Archeologie aan te nemen.'

'Denkt March dan dat dit een zinloze onderneming is?' vroeg Logan; en daarna verviel hij in stilzwijgen. Het was nooit bij hem opgekomen dat Stones befaamde onderzoek fouten kon bevatten, dat deze hele, gigantische onderneming misschien gebaseerd was op valse aannames.

'Waarom heeft Stone hem dan in dienst genomen?' vroeg hij na een tijdje.

'Omdat March dan misschien een klootzak is, en een intellectuele snob, maar wel de beste in zijn vak. Stone is briljant als het gaat om de keuze van zijn teams. Bovendien heeft hij graag iemand die zijn aannames in twijfel trekt. Misschien is hij daarom zo weg van jou.' Tina stond op. 'Nou, ik moet weer aan het werk. Als ik gelijk heb, staat March binnenkort nieuws te wachten dat hem nog meer tegen de haren in zal strijken.' Ze keek even naar Jennifer Rush. 'Bedankt voor de show.' Daarna richtte ze zich tot Logan. 'Je moet haar die truc met dat rietje laten zien. Misschien hebben jullie tweeën meer gemeen dan je beseft.'

Logan keek haar na en wendde zich toen ze weg was tot Jennifer Rush. 'Ik ben blij u eindelijk te ontmoeten, mevrouw Rush,' zei hij.

'Zeg maar Jennifer,' antwoordde ze. 'Mijn man heeft me al over je verteld.'

'En ik heb ook het een en ander over jou gehoord. Dat je de inspiratiebron was voor het Centrum dat hij heeft opgericht. En over je opmerkelijke gaven.'

De vrouw knikte.

'Ik moet zeggen, je score met de Zenerkaarten daarnet – zoiets heb ik nog nooit meegemaakt. Ik ben honderden malen getuige geweest van die test, maar ik heb nog nooit meer gezien dan zeventig, vijfenzeventig procent correct.'

'Dr. March waarschijnlijk ook niet,' antwoordde ze. Ze had een zijdezachte, lage stem die niet leek te passen bij haar kleine, tengere gestalte.

'Als Ethan je over mij heeft verteld, dan weet je waarschijnlijk dat ik werk met ongebruikelijke verschijnselen, met dingen die zich niet makkelijk laten verklaren,' zei hij. 'Dus natuurlijk ben ik gefascineerd door het verschijnsel van de bijna-doodervaring, van het "overgaan". Ik heb uiteraard de nodige boeken gelezen, en ik weet alles van de opmerkelijke overeenkomsten in wat mensen tegenkomen: het gevoel van vrede, de donkere tunnel, het lichtwezen. Dat heb jij ook allemaal ervaren, neem ik aan?'

Ze knikte.

'Maar voor mij zijn lezen en werkelijk meemaken natuurlijk zulke volslagen verschillende dingen...' Hij zweeg even. 'Als onderzoeker lijk ik altijd een buitenstaander, iemand die achteraf de zaken bestudeert. Daarom benijd ik je bijna – dat je persoonlijk zoiets buitengewoons hebt meegemaakt, bedoel ik.'

'Iets buitengewoons,' herhaalde Jennifer amper hoorbaar. 'Ja. Ja, zo kun je het wel noemen.'

Logan keek haar vorsend aan. Bij iemand anders had zo'n antwoord kil en afstandelijk geklonken. Maar bij haar voelde hij iets anders. Hij voelde dat ze ongelukkig was, dat ze worstelde met iets onuitgesprokens. Hij wist uit eigen ervaring dat niet alle gaven welkom zijn; dat ze bij tijden zelfs onverdraaglijk zijn. Haar bruine ogen hadden een opmerkelijke diepte en een eigenaardige harde eigenschap, als agaat. Alsof ze dingen had gezien die geen mens ooit gezien had en die geen mens misschien ooit zou moeten zien.

'Sorry,' zei hij. 'Ik ken je niet goed genoeg om zulke onderwerpen aan te snijden. Ik wil alleen maar zeggen dat ik begrijp hoeveel sceptische blikken en ongeloof je ongetwijfeld tegenkomt van mensen als March. Die kom ikzelf ook tegen. En ik kan je zeggen: ik geloof je en ik verheug me op onze samenwerking.'

Jennifer Rush had naar hem zitten kijken. Tijdens zijn korte monoloog was haar blik iets verzacht. 'Dank je,' zei ze met een vriendelijk glimlachje.

En toen stonden ze tegelijkertijd op. Ze liepen naar de deur van de lounge; Logan opende hem en liet Jennifer Rush voorgaan.

In de gang stak hij zijn hand uit om afscheid van haar te nemen. Na een heel korte aarzeling pakte ze zijn hand heel licht aan. En op dat moment ging er een plotselinge, verzengende flits van emotie door Logan heen, zo krachtig en zo overweldigend dat hij bijna fysiek achteruitdeinsde. Hij trok zijn hand terug en probeerde zijn schrik te verhullen. Jennifer Rush aarzelde. Hij probeerde naar haar te glimlachen, stamelde een paar afscheidswoorden, draaide zich om en liep de gang in.

23

'**D**at was drie nachten geleden,' zei Logan tegen de jongeman die de catamaran bediende.

De man, Hirshveldt heette hij, knikte. 'Het was bij zonsondergang. Ik stond op de loopbrug bij Groen om de aanvoerleidingen voor de methaanconversie te controleren. Ik liet een sleutel vallen. Ik bukte me om hem op te rapen, en daarbij keek ik uit over het moeras. En toen zag ik... haar.'

Ze waren misschien een halve kilometer buiten het Station, en voeren met een slakkengang in noordoostelijke richting over de drassige plantenmassa van de Sudd. Het was een bizarre, moeizame tocht door diverse elementen: modder, water, plantenresten, lucht, en de catamaran moest zich een weg banen door een doolhof die niet van deze wereld leek. Het ene moment deinden ze op een dikke zwarte blubber die het vaartuig de diepte in leek te willen zuigen; het volgende moment stuiterden ze hortend en stotend over kluiten samengeklonterd riet, dode boomstronken, waterhyacint en eindeloos lange grasslierten. Het was vroeg in de avond en een vaalgrauwe zon was aan het wegzakken in het moerasland achter hen.

Hirshveldt bracht de catamaran tot een sidderende stilstand. Hij keek om zich heen, en keek om naar het Station. 'Hier was het zo'n beetje.'

Logan knikte, en keek hem aan. Hij had Hirshveldts cv erop nageslagen. Tweede machinist, en meegeweest op drie eerdere expedities met Porter Stone. Hij kon allerhande soorten complexe mechanische systemen draaiende houden en fiksen, met name dieselmotoren. Zijn psychologische profiel – want dat liet Stone opstellen voor al zijn beoogde werknemers – vertoonde een heel lage coëfficiënt van divergent denken en desinhibitie.

Met andere woorden: Hirshveldt was waarschijnlijk wel de laatste van wie je mocht verwachten dat hij schimmen zag.

Nu ze stillagen, kwamen er steeds grotere drommen muggen en ander bijtend en stekend ongedierte op hen af.

De geur van de Sudd, een rauwe, aardse, walgelijke stank, drong overal doorheen. Logan ritste zijn tas open en haalde er zijn digitale camera uit. Hij stelde hem met de hand in en maakte een paar foto's van de omgeving. Daarna volgde een traag panorama met een videocamera. Hij borg de twee toestellen weer in zijn tas en haalde er een handvol reageerbuisjes uit. Hij nam monsters van de modder en van de plantenmassa, deed stoppers op de buisjes en legde ze weg. Tot slot haalde hij een draagbaar instrument uit de tas met een digitale display, een analoge draaiknop en twee schakelaars. Behoedzaam liep hij naar de voorplecht, zette het apparaat aan, draaide even aan de knop en bewoog het instrument langzaam in een halve boog voor zich.

'Wat is dat?' vroeg Hirshveldt; zijn professionele belangstelling was gewekt.

'Een luchtionenteller.' Logan bekeek de display, stelde de knop bij en beschreef nogmaals een halve cirkel met het instrument. Voordat ze aan boord waren gegaan, had hij op het Station een eerste telling gedaan, als vergelijkingsmateriaal. De lucht hier bevatte meer ionen, maar niet onrustbarend veel – circa vijfhonderd per kubieke centimeter. Hij haalde een notitieboekje uit zijn zak, maakte een aantekening en borg de ionenteller weer in zijn tas.

'Kun je eens beschrijven wat je precies gezien hebt?' vroeg hij aan Hirshveldt. 'Met zo veel mogelijk details, graag.'

Hirshveldt zweeg even, en zocht in zijn geheugen. 'Een lange vrouw. Mager. Ze liep langzaam, hier zo'n beetje, over het oppervlak van het moeras.'

Logan keek uit over de wirwar van plantenresten. 'En zag je haar nog struikelen of uitglijden tijdens het lopen?'

De machinist schudde zijn hoofd. 'Ze liep niet normaal.'

'Wat bedoel je?'

'Dat ze langzaam liep, heel langzaam, alsof ze in trance was. Of misschien was ze aan het slaapwandelen.'

Logan maakte een aantekening. 'Ga verder.'

'Om haar heen hing een vage blauwe gloed.'

Gloed – de gloed van een zonsondergang, de gloed van de inbeelding, of de gloed van een aura? 'Beschrijf die gloed eens, als je wilt. Een constante gloed, als een gloeilamp, of flakkerend, zoals het noorderlicht?'

Hirshveldt mepte een mug weg. 'Flakkerend. Maar langzaam flakkerend.' Even zweeg hij. 'Ze was jong.'

'Hoe weet je dat?'

'Dat zag ik aan haar manier van lopen. Ze liep niet als een oude vrouw.'

'Huidskleur?'

'Moeilijk te zeggen door dat lichtschijnsel. En het was al behoorlijk donker.'

Logan maakte nog een paar aantekeningen. 'Kun je beschrijven wat ze aanhad?'

Een stilte. 'Een jurk. Met een hoge taille, bijna doorschijnend. Ze had een lang lint rond haar middel, dat afhing tot onder haar knieën. Daaroverheen had ze een… een soort driehoekige lap rond haar schouders. Volgens mij van dezelfde stof.'

Egyptische sjaalcape, dacht Logan terwijl hij stond te schrijven. Het tenue van de adel, of misschien van een priesteres. Zoiets als het gewaad dat volgens Tina Romero uit haar kantoor was ontvreemd. Hij had ernaar geïnformeerd: ze had hem verteld dat ze het had willen dragen bij het slotfeest dat Stone altijd organiseerde aan het eind van een geslaagde expeditie. 'Zou je haar herkennen als je haar weer zag?' vroeg hij.

Hirshveldt schudde zijn hoofd. 'Daar was het te donker voor. En sowieso kon ik haar gezicht niet goed zien door dat ding op haar hoofd. Zelfs niet toen ze naar me keek.'

Logan bleef met zijn pen op het papier staan. 'Ze kéék naar je?'

De machinist knikte.

'Naar jou? Of in de richting van het Station?'

'Terwijl ik naar haar keek, bleef ze stilstaan. En toen draaide ze, ook heel langzaam, haar hoofd om. Ik zag de glans van haar ogen in het donker.'

'Je zei dat ze iets op haar hoofd had. Hoe zag dat eruit?'

'Als… een soort vogellijf. Een vogel met veren en een lange snavel. Die stond op haar hoofd, als een soort hoed. De vleugels hingen aan weerszijden af, over haar oren.'

De valkenkap; Horus, dus. Dat moet een priesteres zijn geweest. Logan maakte een laatste aantekening en borg zijn boekje weer in de weekendtas. 'Toen ze je aankeek, kreeg je toen nog een bepaald gevoel?'

Hirshveldt fronste zijn wenkbrauwen. 'Een gevoel?'

'Ja, bijvoorbeeld alsof ze je welkom heette? Alsof ze je gezien had?'

'Nou u het zegt… Toen ik haar voor het eerst in dat moeras zag, leek ze… Tja, het leek wel of ze verdrietig was. Maar toen ze zich naar me om-draaide, kreeg ik een andere indruk.'

'Wat dan?'

'Het leek wel of ze boos was. Echt boos.' Even bleef het stil. 'Ik heb geen idee waarom ik die indruk kreeg. Maar het was een heel raar gevoel. Mijn hele mond werd kurkdroog, ik kon bijna niet meer slikken. Ik wendde mijn blik even af en veegde het zweet uit mijn ogen. En toen ik weer op-keek, was ze weg.'

Logan dacht aan de vloek van Narmer: … *zijn tong zal aan zijn verhe-melte kleven.* Hij keek om zich heen in de invallende duisternis en voelde zijn huid prikken. Daar was het weer, dat gevoel van kwaad dat hij zo sterk had gekregen toen de generator in brand stond. Het leek wel een fysieke aanwezigheid, die hem boven het gegons van de insecten uit boze woor-den toefluisterde.

Hij keek Hirshveldt aan. 'Het lijkt me tijd om terug te gaan. Dank je voor de moeite.'

'Graag gedaan.' Ook de machinist leek graag weg te willen uit het moe-ras. Hij startte de motor en moeizaam voeren ze terug naar de vriendelijke lichten van het Station.

24

Van waar Mark Perlmutter zat, in het 'Kraaiennest' boven in Rood, zagen de twee gestalten in de catamaran er idioot uit, zoals ze hotsend en botsend over dat ellendige moeras terugvoeren naar het Station. Wat waren ze daar in godsnaam aan het doen, waren ze soms van plan een malariavaccin uit te proberen of zo?

Als in antwoord op deze speculatie klonk er een gegons in zijn oor, en snel sloeg hij het insect weg. *Aan de slag maar, anders ben ik straks zelf één grote muggenbult.* En het ging Perlmutter natuurlijk niets aan wat die twee daar aan het doen waren – dit was pas zijn tweede klus voor Porter Stone, maar hij had al wel ontdekt dat er zo veel krankzinnige dingen gebeurden dat het geen enkele zin had vragen te stellen.

Hij wendde zijn aandacht af van de invallende duisternis en concentreerde zich op de mast, de periscoopvormige metalen structuur met daarin de diverse microgolfantennes en de zend- en ontvangstapparatuur die het Station nodig had voor de communicatie met de buitenwereld. De laagfrequente radiozender had een beetje opgespeeld, en als communicatie-assistent was Perlmutter de aangewezen persoon om die ellendige mast in te klimmen, helemaal tot in het Kraaiennest boven het canvasdak van Rood, om te zien wat er aan de hand was. Wie zou het anders moeten doen? Fontaine beslist niet, het hoofd Communicatie, zijn baas; met zijn meer dan honderd kilo kwam Fontaine waarschijnlijk niet verder dan de vijfde tree.

Het was snel donker aan het worden, en hij knipte een zaklamp aan om de zender te bekijken. Hij had de bekabeling, de printplaat en de transceiver beneden in de communicatieruimte al bekeken, maar niets gevonden; volgens hem moest het probleem aan de zender zelf liggen. En inderdaad: al na twee minuten zag hij een rafelig snoer lopen waarvan het uiteinde was losgeschoten uit het binnenwerk.

Dit werd een fluitje van een cent. Perlmutter wachtte even om nog wat antimuggenspul op zijn nek en armen te smeren, en daarna stak hij zijn hand in zijn gereedschapsbuidel. Hij pakte zijn draadloze soldeerbout, zijn soldeer, zijn warmtewisselaar en soldeerpasta. Hij hield de zaklamp in evenwicht tegen de mast, sneed het rafelige uiteinde van de kabel af met zijn draadtang, wachtte tot de soldeerbout warm was en hield er toen de pasta en, voorzichtig, de soldeer bij.

Hij legde de soldeerbout weg en bekeek zijn werk bij het licht van de lantaarn. Perlmutter was trots op zijn soldeervaardigheid – aangescherpt door jaren van werken met zelfgeknutselde radioapparatuur in zijn jeugd – en hij knikte tevreden terwijl hij de keurige, glanzende las bekeek. Hij blies zachtjes op de kabel om het materiaal te laten afkoelen. Als hij weer in de zendruimte zat zou hij de installatie uiteraard uittesten, maar hij was er honderd procent zeker van dat dit het probleem was geweest. Natuurlijk zou hij aan tafel een beetje dikdoen over hoe moeilijk de reparatie was geweest, om indruk te maken op Fontaine. Als de opgraving een succes was, werden er bonussen uitgedeeld: dikke, vette bonussen, en Fontaine had een beslissende stem over de omvang van Perlmutters beloning.

Hij plaatste de kap weer over de apparatuur en draaide zich om. Nogmaals keek hij over het landschap uit terwijl hij wachtte tot zijn soldeerbout afkoelde. De catamaran was verdwenen en de Sudd spreidde zich naar alle kanten uit. Het zag ernaar uit dat er ieder moment weer een hoosbui kon losbarsten. De lichten van het Station, onder hem verspreid over de zes afzonderlijke vleugels, fonkelden vriendelijk. Van waar hij zat, zag hij de lange lichtslierten die het gordijn van de jachthaven aangaven; de vage gloed door de ramen van Oasis; de eindeloze rijtjes deinend wit licht die de uitwendige loopbruggen aangaven en de pontonbruggen waarmee de vleugels onderling verbonden waren. Het zag er vrolijk uit, maar Perlmutter werd er niet vrolijk van. Dat kleine lichtstadje benadrukte eens te meer de eindeloze zwarte wildernis die hen omringde, onderstreepte nog eens dat ze honderden bijna-onneembare kilometers van hulp of zelfs maar een beginnetje van beschaving af zaten. Binnen, in de slaapvertrekken, aan het werk in de zendruimte of na werktijd in de bibliotheek of de lounge kon hij bijna vergeten hoe eenzaam ze hier waren. Maar zo boven in de mast…

Ondanks de hitte van de nacht huiverde Perlmutter. *Als de opgraving een succes was…* De afgelopen dagen was er steeds meer gesproken over die vloek van Narmer. Eerst – toen het project van start ging en de geruchten over het doel van hun speurtocht langzaam de ronde begonnen te doen onder de bemanning – was die vloek een grap geweest, iets waar ze het bij een biertje over hadden, waar ze om lachten. Maar naarmate de tijd verstreek, waren de gesprekken serieuzer geworden. Zelfs Perlmutter, de meest verstokte agnost die je je kon indenken, begon langzamerhand de zenuwen te krijgen, vooral na wat Rogers overkomen was.

Hij keek weer om zich heen. De duisternis leek van alle kanten op te dringen, hem bijna te vermalen, tegen zijn borst te drukken tot hij bijna geen lucht meer kreeg…

Dat deed de deur dicht. Hij griste de nog warme soldeerbout en zijn andere gereedschappen beet, smeet ze in de buidel en deed die dicht. Op zijn knieën in het Kraaiennest gezeten ritste hij het halvecirkelvormige luik in het dekzeil open zodat er een opening zichtbaar werd die toegang gaf tot Rood. Onder hem lag een verticale buis, hier en daar verlicht met leds, waarin de behuizing van de mast liep, als een pijpenrager in een pijp. Hij slingerde de buidel over zijn schouder, pakte de bovenste sport van de ladder, wrong zich door de opening in het dekzeil, bleef even staan om het dicht te ritsen en vervolgde zijn weg omlaag. Hij daalde voorzichtig af – het ging om een afstand van tien meter, en hij had geen zin om te vallen.

Onder aangekomen haalde hij diep adem en veegde zijn zweethanden aan zijn hemd af. Hij zou de laagfrequente radio controleren, kijken of de plaaggeesten inderdaad uitgedreven waren. En dan ging hij op zoek naar Fontaine, die waarschijnlijk al aan tafel zat.

Maar toen hij het hek van de mast wilde dichtdoen, bleef hij even staan. Er zaten twee hekken in de omheining. Eén leidde naar de gang met de onderzoekslaboratoria en de zendruimte. Het andere leidde naar onderstation-Rood, de energiecentrale. Een kwartier geleden, toen hij het ene hek was doorgegaan, had het andere dicht gezeten.

Nu stond het open.

Met gefronste wenkbrauwen deed hij een stap die kant uit. Normaal gesproken was het donker in het onderstation: dat draaide zonder dat iemand ernaar hoefde om te kijken. De enige keren dat iemand daar naar binnen ging, was als er iets gerepareerd moest worden. Maar als er iets mis was met het elektrische systeem, had hij dat zelf als eerste geweten. Hij deed nog een stap.

'Hallo?' zei hij in het donker. 'Is daar iemand?'

Begon hij gek te worden, of had hij nu een lichtje gezien, dat diep in het onderstation werd uitgeknipt?

Hij likte aan zijn lippen en stapte door het hek heen het onderstation binnen. Wat was dat nou – daar lag een plas water. Wat was hier aan de hand? Was de bodem lek geslagen of zo?

Hij deed nog een stap, en tastte tegelijkertijd naar de lichtknop. 'Hallo? Hall…'

En toen knalde zijn wereld uiteen in een schok van pijn en een razend, onaantastbaar wit.

25

Om halftien de volgende ochtend rinkelde de binnenlijn van de telefoon in Logans kantoor.

Toen het toestel voor de derde maal overging, nam hij op. 'Met Jeremy Logan.'

'Jeremy? Porter Stone hier. Stoor ik?'

Logan ging rechterop zitten. 'Nee.'

'Zou je dan even naar Operations willen komen? Ik heb hier iets wat je volgens mij even moet zien.'

Logan sloeg het bestand op waaraan hij had zitten werken – een verslag van zijn gesprek met Hirshveldt de vorige avond. Toen stond hij op en liep zijn kantoor uit.

Tweemaal moest hij de weg vragen voordat hij wist waar hij zijn moest. De inwoners van het Station leken die ochtend erg gespannen, en dat was amper verbazend. De vorige avond was iemand van ICT, ene Perlmutter, geëlektrocuteerd. Het was bijna zijn dood geworden. Logan had het verhaal gereconstrueerd aan de hand van diverse gesprekken die hij half had opgevangen bij het ontbijt. De man was in een plas water gestapt waarin een kabel lag waar stroom op stond. 'Fontaine heeft hem gevonden. Zijn baas,' had Logan iemand horen zeggen. 'Vreselijk. Het leek wel of hij helemaal onder het roet zat, pikzwart van de brandwonden.'

Logan had onwillekeurig aan de vloek van Narmer moeten denken. *Zijn ledematen zullen tot as worden.* Dit had hij voor zich gehouden, en in zijn hoofd opgeborgen om later over na te denken.

In tegenstelling tot de vorige tragedie bij de generator was er geen bijeenkomst gehouden om het ongeluk te analyseren, om te proberen de oorzaak te achterhalen. Logan nam aan dat er nog geen vergadering gepland was, of dat die misschien wel gehouden was, maar alleen voor de hoogste managers. Hij wist wel dat Perlmutter in kritieke toestand verkeerde en bij Ethan Rush onder observatie was.

Operations, diep in Wit gelegen, bleek de grote ruimte vol beeldschermen te zijn die hij al eerder had gezien. Opnieuw zat Cory Landau, de cherubijn met het Zapatasnorretje, in de futuristische centrale cockpit. Op een scherm niet ver van hem vandaan zag Logan het computerrasterbeeld waarop te zien was welk deel van het terrein tot dan toe in kaart was gebracht. Dat was al aanzienlijk meer dan de eerste keer dat hij naar dat scherm had gekeken.

Rondom Landau stonden Porter Stone, Tina Romero en dr. March, die alle drie naar een van de grootste schermen keken. Daarop was te zien wat Logan voorkwam als een soort groenige soep met oscillerende lijnen van statische ruis.

Toen hij binnenkwam, keek Stone op. 'Ah, Jeremy. Kom hier eens kijken.'

Logan kwam bij hen in de centrale cockpit staan. 'Wat is dat?'

'Skeletten,' zei Stone. Hij sprak het woord met bijna fluisterende eerbied uit.

Logan keek met hernieuwde belangstelling naar het scherm. 'Waar is dit precies?'

'Vak H5,' zei Stone zachtjes. 'Vijftien meter onder water.'

Logan keek naar Tina Romero, die naar het scherm zat te staren en doelloos met haar gele vulpen speelde. 'En hoe ver is dat van het eerste skelet verwijderd?'

'Zo'n twintig meter. Exact in de richting die ik de duikers heb voorgesteld.' Ze keek March met een tevreden glimlachje aan: *Ik zei het toch?*

'Nog een,' klonk een kwaakstem door de luidspreker. Logan besefte dat het een van de duikers was, vanuit de modderige diepten van de Sudd. Op het beeldscherm verscheen de gestalte van een duiker met een zwarte wetsuit aan, die plotseling uit de groene soep opdook. In een hand had hij een bot.

Stone leunde naar een microfoon toe. 'Hoeveel zijn dat er tot nu toe?'

'Negen,' antwoordde de stem in de verte.

Nu draaide Stone zich naar Romero om. 'Ethan heeft me verteld wat jij zei tijdens zijn onderzoek van het eerste skelet. Dat je wist dat die dood zelfmoord was, en dat je wist waar de volgende verzameling botten te vinden zou zijn. Zou je ons willen uitleggen hoe je dat wist?'

Als Romero al bescheiden had willen blijven zwijgen, was dat verlangen nu weggevaagd door het verzoek van de baas. 'Tuurlijk,' zei ze, terwijl ze met een vinger een verdwaalde haarlok van haar voorhoofd veegde. 'Ten eerste hadden we één lichaam gevonden. En nu hebben we er ettelijke – ik schat in totaal twaalf. Daarna vinden we een enorme berg botten. Dat komt door de manier waarop Narmer begraven zal zijn, en door de manier waarop zijn graf was verborgen. Vergeet niet, dit was vóór de tijd van de piramides – de vroegste farao's waren begraven in diep uitgegraven schachten en *mastaba*'s. We moeten ervan uitgaan dat Narmers graf, hoe het er ook uitziet, in zoverre uniek is dat het een voorloper is van de latere graven. Maar in tegenstelling tot de vele farao's die na hem kwamen wilde Narmer niet eens de locatie van zijn graf bekendmaken. Op de plek waar dat graf is aangelegd moeten honderden arbeiders aan het werk geweest zijn, plus de leden van Narmers lijfwacht. Zodra het werk klaar was zullen al die arbeiders tot de laatste man gedood zijn. Hun lichamen zijn achtergelaten aan de randen van de grafzone. Later, toen Narmer zelf in het graf werd bijgezet, zullen de priesters en de mindere bewakers die bij de ceremonie aanwezig waren, op een rituele afstand van het graf gedood zijn. Dat heeft Narmers persoonlijke lijfwacht gedaan. De lijfwacht zelf zal vervolgens nog een zekere afstand hebben afgelegd voordat hij zichzelf van het leven beroofde. En dat alles om te garanderen dat Narmers stoffelijk overschot veilig bewaard bleef. Een leger van doden moest tot in alle eeuwigheid de wacht houden bij Narmers graf. Slechts één persoon, de persoonlijke secretaris van de farao, is de woestijn uit gelopen met die geheimen in zijn hand. En zodra hij die op het ostrakon had vastgelegd, zal hijzelf zijn persoonlijke bewakers opdracht hebben gegeven ook hem te doden.'

Stone knikte. 'Vandaar de afnemende aantallen lijken naarmate we verder van het graf vandaan zoeken.' Hij keek van Romero naar het scherm. 'En de richting waarin je de duikers liet zoeken – was dat pal noord?'

'Inderdaad.'

'En dat is omdat de ingangen van de farao's vertrekken in de piramides en andere grafplekken historisch gezien altijd naar het noorden gericht zijn?' informeerde Logan.

Stone glimlachte. 'Uitstekend, Jeremy. Dat was ook mijn conclusie.' Hij keek weer naar Romero. 'En die enorme berg skeletten, de bouwers – die ligt ook pal ten noorden van dit punt?'

'Dat denk ik wel,' antwoordde ze. 'Een meter of twintig.'

'En de ingang van het graf… ligt dan weer twintig meter verder naar het noorden?'

Romero gaf geen antwoord. Dat hoefde ook niet. Stone liep naar de deur. 'Ik moet Valentino spreken. We moeten hier onmiddellijk driedubbele duikteams op zetten.'

De radio knetterde. 'En alweer een skelet. Volledig onder de modder. Meneer, wat moeten we hiermee doen?'

Nu reageerde March voor het eerst. 'Je weet wat je te doen staat. Haal de kisten voor bewijsmateriaal en breng de botten naar het Station.'

Meteen maakte de glimlach op Romero's gezicht plaats voor een frons. 'Wacht eens even. Dat eerste skelet moesten we bovenhalen om het te analyseren, om onze richting te kunnen bepalen. Maar die priesters en dienaren... die moeten we met rust laten.'

Logan keek haar aan bij de plotselinge ernst in haar stem. Hij dacht terug aan wat hij haar had horen zeggen over haar ambivalente houding ten opzichte van grafgiften.

'Onzin,' riposteerde March. 'Als dit echt de priesters zijn van de eerste Egyptische farao, dan zijn hun botten van onschatbare historische waarde.'

'We zijn hier voor de geheimen van het graf,' beet Romero hem toe. 'Niet om een beetje te gaan zitten...'

'Momentje,' kwam Stone tussenbeide. Hij stond zichtbaar te popelen om Valentino zijn nieuwe orders te geven en kon geen geduld opbrengen voor een ideologisch debat. 'We halen zes skeletten omhoog. Een gaat naar Ethan Rush voor onderzoek, hoewel hij het momenteel nogal druk heeft met andere zaken. Fenwick, jij mag de andere vijf analyseren. De omringende modder wordt gezeefd op zoek naar juwelen of de restanten van kleding, hoewel ik niet denk dat er veel te vinden zal zijn. Zodra je klaar bent met je onderzoek, moeten vijf van de zes terug. We houden één skelet, niet meer. Mee eens?'

Na een korte stilte knikte Romero, en March volgde haar voorbeeld met zichtbare tegenzin.

'Uitstekend. Landau, geef jij de instructies door?'

'Ja, dr. Stone,' antwoordde Landau.

'Dank je.' En nadat hij elk van hen afzonderlijk had opgenomen liep Stone de zaal uit.

Vier uur later keek Logan naar binnen in de archeologielabs van Rood; daar heerste een soort gereguleerde chaos. Een handvol figuren met lange jassen en latex handschoenen aan stond over gootstenen en metalen onderzoekstafels gebogen een berg tere bruine botjes te bekijken en behoedzaam te betasten. Weer een handvol anderen zat gegevens in te voeren in computers, was bezig vondsten te voorzien van kunststof labels en stond kisten voor bewijsmateriaal te verruilen voor andere kisten. Er klonk een luid geroezemoes van stemmen tegen een achtergrond van stromend water en het janken van heel kleine zaagjes. Te midden van dit gewoel struinde Fenwick March rond als een pauw; nu eens bleef hij staan om een medewerker een vondst uit handen te nemen, dan weer om in het oculair van een microscoop te turen of iets te dicteren in de digitale recorder in zijn hand. Er hing een misselijkmakende stank van de rottende modder van de Sudd, met een boventoon van iets nog onaangenamers.

'Niet wássen!' blafte March naar een van de gestalten met de lange operatiejassen. De man sprong in de lucht van de schrik. 'Spóélen, druppel voor druppel!' Hij richtte zich tot een ander. 'Afdrogen, snel, we moeten dat deel stabiliseren voordat er nog meer wegschilfert. Opschieten, man, vooruit!'

Weer iemand anders keek op van een rommelige hoop heup- en bovenbeenbotten. 'Dr. March, deze zijn in één grote janboel binnengebracht vanuit het water, en we kunnen onmogelijk de juiste combinatie van…'

'Die scannen we later!' zei March, terwijl hij zich als gestoken naar haar omdraaide. 'Waar het nu om gaat, is dat ze schoongemaakt en genummerd worden en in de database komen. Nú, niet gisteren. Wat waarbij hoort, dat is van later zorg.'

Logan liep naar binnen. Misschien, dacht hij, hoopt March dat hij de botten mag houden als hij ze allemaal keurig schoongespoeld en geclassificeerd krijgt. Op dit soort momenten kwam iemands ware belang naar boven drijven. March was archeoloog, geen Egyptoloog – voor hem waren die botten het aller-, allerbelangrijkst.

March draaide zich om en merkte hem nu pas op. Hij trok zijn voorhoofd in rimpels, alsof hij vond dat Logan zich op verboden terrein bevond. 'Ja?' zei hij op vragende toon. 'Wat is er?'

Logan toverde zijn vriendelijkste glimlach tevoorschijn. 'Ik vroeg me af,' zei hij, terwijl hij knikte naar een schedel die in een gootsteen lag, terwijl iemand er voorzichtig het zand en de modder af spoelde, 'of ik er eentje mocht lenen?'

26

Logan zat langzaam en weloverwogen te typen op de computer in zijn kantoortje. Het was laat in de avond, en Bruin was stil als het graf. Eindelijk had hij kans gezien de laatste aantekeningen over zijn gesprek met Hirshveldt uit te werken, evenals de diverse waarnemingen tijdens hun korte expeditie naar de Sudd. Nu sloot hij het document en opende een tweede, met de onverklaarde en onheilspellende gebeurtenissen op het Station. Hij voegde er de brand in de generator aan toe, en de elektrocutie van de communicatiespecialist, Mark Perlmutter. Ondanks een uiterst gedetailleerd onderzoek was er geen logische verklaring gevonden voor de aanwezigheid van een kabel waar stroom op stond, of voor een waterplas, in het onderstation. Perlmutter, die de helft van de tijd buiten kennis was, had iets gemompeld over een lichtje dat hij gezien had, maar er viel nog niet te zeggen of dit misschien iets uit zijn koortsdromen was. De geruchtenmolen draaide op volle toeren: sabotage, de vloek van Narmer; en na de ontdekking van de berg skeletten met de bijbehorende garantie dat ze nu heel dicht bij het graf zelf moesten zitten, heerste er een eigenaardige mengeling van emoties onder het personeel: een beladen gevoel van verwachting en tegelijkertijd een rillerig soort angst.

Logan zelf had het onderstation van Rood bekeken en de paar man gesproken die misschien reden hadden gehad die dag het vertrek binnen te gaan. Geen van hen wist ergens van of had iets ongebruikelijks gezien. Bovendien hadden ze allemaal een eerlijke, oprechte indruk gemaakt – Logan had niets dan verdriet en verwarring gevoeld bij het groepje.

Hij sloot het bestand en keek naar het kleine blauwe kistje voor bewijsmateriaal dat naast zijn computer stond. Hij pakte het op, haalde de deksel eraf en viste er voorzichtig een in lappen gewikkeld bundeltje uit. Hij verwijderde de lagen textiel, en daar lag een eeuwenoude schedel, bruin als tabak.

Hij pakte de schedel in de doek op en draaide hem heen en weer om hem van alle kanten te bekijken. March had er niets voor gevoeld om hem de schedel te lenen, maar omdat hij zich bewust was van het feit dat Stone overtuigd was van Logans kwaliteiten, had hij niet durven weigeren. Wel had hij met zorg de minst interessante, zwaarst beschadigde schedel mee-gegeven, met strikte orders om deze vóór het eind van de avond te retour-neren in de staat waarin hij was aangeleverd.

De schedel had zo'n vijftig eeuwen lang relatief beschermd in de mod-derige ondergrond gelegen, en hoewel hij vol deuken zat, een barst ver-toonde en geen tanden meer had, verkeerde hij naar omstandigheden in goede conditie. Hij rook sterk naar de Sudd – die geur waarvan intussen het hele Station doordrenkt was en waar Logan 's nachts van droomde. Hij pakte een juweliersloep uit zijn tas, klemde die voor zijn oog en bestu-deerde zorgvuldig het hele oppervlak van de schedel. Hoewel het occipi-tale bot ontbrak, bespeurde hij geen zichtbare tekenen van geweld. Het schedeldak vertoonde diepe krassen, evenals de linker oogkas, maar die waren ongetwijfeld veroorzaakt door schurende kiezeltjes. Een voor een bekeek hij de schedelnaden: coronaal, sagittaal, lambdanaad. Te zien aan de afmetingen van het processus mastoideus of tepelbeen en aan de ron-ding van de oogkas moest dit een man geweest zijn; dat wekte geen verba-zing.

Nu legde hij de lap weg en hield de schedel heel voorzichtig in zijn blote handen. Vanuit die schedel hadden ooit twee ogen naar buiten gekeken. Wat voor wonderen hadden zij aanschouwd? Hadden ze Narmer gezien, die toezicht kwam houden op de bouw van zijn graf? Waren ze misschien getuige geweest van de doorslaggevende veldslag waarmee Narmer heel Egypte had verenigd? Op zijn allerminst hadden ze de rij priesters gezien die in zuidelijke richting een vreemd en vijandig land in trok om daar het stoffelijk overschot van hun farao te gaan begraven terwijl zijn *ka* zich bij de goden in het hiernamaals voegde. Had de man bevroed dat dit een reis was waarvan hijzelf niet zou terugkeren?

Terwijl hij de schedel langzaam om- en omdraaide in zijn handen, maakte Logan zijn gedachten leeg zodat hij openstond voor perceptie of suggestie. 'Wat wil deze schedel me vertellen, Karen?' vroeg hij zijn over-leden vrouw terwijl hij met de botstructuur in zijn handen zat. Maar er kwam niets – de schedel gaf hem geen enkele aanwijzing afgezien van een indruk van broosheid en een heel hoge leeftijd. Uiteindelijk wikkelde hij hem met een zucht weer in zijn doek en legde hem terug in het kistje.

Als Tina Romero gelijk had, zouden ze heel binnenkort een waar knekelveld aantreffen – de stoffelijke resten van de grafbouwers – en kort daarna het graf zelf. Dan kon Porter Stone nog een megavondst bijschrijven op zijn staat van dienst. En als het graf inderdaad de kroon van het verenigde Egypte bevatte, was dit zonder enige twijfel de belangrijkste vondst van zijn hele loopbaan.

Logan leunde achterover en keek peinzend naar de kist. Stone was een apart mens, een heel apart mens. Hij bezat een bijna grenzeloze discipline, gekoppeld aan hartstochtelijke overtuigingen; en toch nam hij mensen in dienst die het met hem oneens waren, die misschien zelfs twijfelden aan zijn kans op welslagen. Hij bezat een smetteloze wetenschappelijke achtergrond en was in hart en nieren rationalist en empirist, maar toch deinsde hij er niet voor terug zich te omringen met mensen die gespecialiseerd waren in zaken waar de meeste wetenschappers hun neus voor ophaalden. Logan zelf was daar een schoolvoorbeeld van. Hij schudde vol verwondering zijn hoofd. Het feit was dat Porter Stone alles zou doen, hoe onorthodox of schijnbaar onbelangrijk ook, om succes te waarborgen. Er was tenslotte geen andere reden om iemand als Jennifer Rush op te nemen in zijn gelederen, iemand die Zenerkaarten las zoals een aap met kokosnoten jongleert en die in staat was om…

Plotseling zat Logan stijf rechtop in zijn stoel. 'Natuurlijk,' zei hij in zichzelf. 'Natuurlijk.' Langzaam stond hij op, nam het kistje onder zijn arm en liep in gedachten verzonken zijn kantoor uit.

27

Toen Logan de ziekenboeg binnenkwam, was het daar stil. De lampen aan het plafond waren gedimd en aan de balie zat een verpleegkundige. Ergens diep in het doolhof van kamertjes klonk het gedempte gepiep van apparatuur.

Ethan Rush kwam een hoek omlopen, in gesprek met de verpleegkundige aan zijn zijde. Hij bleef staan toen hij Logan zag. 'Jeremy. Ben je hier voor Perlmutter? Die heeft momenteel tamelijk veel pijn, en we hebben hem een verdoving moeten…' Rush onderbrak zichzelf en keek Logan met samengeknepen ogen aan.

'Ik kom niet voor Perlmutter,' zei Logan.

Rush richtte zich tot de verpleegkundige. 'We hebben het er later nog over.' Toen gebaarde hij naar Logan. 'Kom mee naar mijn kantoor.'

Rush' kantoor was een steriel ogend hokje achter de balie. Hij gebaarde naar een stoel, schonk zich een kop koffie in en ging zelf ook zitten. Hij zag er afgemat uit.

'Wat kan ik voor je doen, Jeremy?' vroeg hij.

'Ik weet waarom jouw vrouw hier is,' antwoordde Logan.

Toen Rush niet reageerde, ging hij verder. 'Ze probeert contact te leggen met de doden uit die tijd, nietwaar? Ze probeert Narmer door te krijgen.'

Rush bleef zwijgen.

'Dat is de enige logische verklaring,' vervolgde Logan. 'Je hebt me zelf verteld dat veel mensen na een bijna-doodervaring nieuwe paranormale vaardigheden ontwikkelen. Sommigen beweren met de doden te kunnen spreken. Je hebt me ook verteld dat de speciale gave van jouw vrouw retrocognitie is. Retrocognitie. Dat wil zeggen, kennis van gebeurtenissen en personen uit het verleden. Meer dan een normaal begrip of logische conclusies.'

Hij stond op en schonk zichzelf een kop koffie in. 'Het is een heel zeldzame vorm van parapsychologie, maar er is wel het een en ander over geschreven. In 1901 maakten twee vrouwelijke Britse geleerden, Anne Moberly en Eleanor Jourdain, een wandeling in Versailles. Ze dwaalden het terrein over op zoek naar het Petit Trianon, het château van Marie-Antoinette. Daarbij kwamen ze vreemd geklede figuren tegen, waaronder voetknechten die in een verouderd Frans spraken, en een jonge vrouw die op een krukje zat te schetsen. Moberly en Jourdain voelden een vreemde, drukkende somberheid die pas wegviel toen ze hun zoeken staakten en het terrein verlieten. Later raakten ze ervan overtuigd dat ze op telepathische wijze waren binnengedrongen in Marie-Antoinettes eigen herinneringen en beelden op die plek. En dat de vrouw die daar had zitten schetsen de koningin zelf was geweest. In de daaropvolgende jaren hebben Moberly en Jourdain uitgebreid onderzoek gedaan naar hun ervaring, en hebben daar uiteindelijk in 1911 een boek over gepubliceerd: *An Adventure*. Wat ik overigens kan aanbevelen.'

Hij ging weer zitten en nam een slok koffie.

Na een tijd ging Rush verzitten. 'Je kent Porter Stones manier van doen: hij gooit er alles tegenaan wat hij maar vinden kan. Hij haalt er liever tien specialisten met tien verschillende vakgebieden bij, tegen tienmaal de kosten, dan één algemeen deskundige met bijna dezelfde vaardigheden. Voor hem maakt dat "bijna" het verschil uit tussen succes en mislukking.' Hij zweeg, en wendde zijn blik af. 'In het begin was de locatie van het graf zijn grote zorg. Stone was ervan overtuigd dat het graf hier ergens lag. Maar de exacte plek was onbekend, en hij had een deadline. Iedereen die hem kon helpen de juiste plek te vinden, íedereen, werd in overweging genomen.'

Rush schudde zijn hoofd. 'Op de een of andere manier kwam hij erachter wat wij bij ons Centrum doen, wat de... gave van mijn vrouw is. Vraag me niet hoe: we hebben het hier over Porter Stone. Hij zocht contact. Eerst weigerde ik zonder meer. De Sudd leek zo'n afgelegen, vijandige plek. Ik moest zelf natuurlijk mee; niemand anders kan haar oversteek in veilige banen leiden. En ik had simpelweg veel te veel te doen, ik peinsde er niet over. Hij bood meer geld. Ik weigerde nogmaals. Ik heb je denk ik wel verteld dat het Centrum een groot aantal rijke weldoeners heeft die bijna-doodervaringen hebben gehad. Toen bood hij me de positie van expeditiearts, en zo veel geld dat het waanzin was geweest om te weigeren. Bovendien' – hier dempte hij zijn stem even tot hij bijna fluisterde – 'dacht ik dat het goed kon zijn voor Jennifer.'

'Goed voor Jennifer?' herhaalde Logan.

'Om haar de kans te geven haar talent op positieve wijze in te zetten. Want eerlijk gezegd weet ik niet of ze het wel als een gave ziet.'

Logan dacht terug aan zijn ontmoeting met Jennifer Rush, aan de innerlijke zorg die hij gevoeld had, aan de nog onverklaarde storm van empathische emotie die hij had ervaren toen hij haar de hand schudde. Inderdaad, dat is geen gave, dacht hij. Jaren geleden had hij een zeer getalenteerd telepaat gekend. De man was steeds dieper in een depressie weggezakt en had uiteindelijk zelfmoord gepleegd. De artsen hadden hem geestesziek verklaard, hadden de stemmen in zijn hoofd toegeschreven aan schizofrenie. Logan wist wel beter. Hij kende zelf de keerzijde van een gave die je niet kon uitschakelen. Nu voelde hij zich nog dommer om de manier waarop hij Jennifer Rush had aangesproken.

'Dus eerst,' onderbrak Rush Logans gedachtegang, 'was Jen hier om indrukken op te doen – vluchtige beelden of glimpen van gebeurtenissen uit het verleden die ons konden helpen het graf te lokaliseren. Maar toen zagen Fenwick March en Tina Romero kans de locatie beter af te bakenen, en de oorspronkelijke reden voor haar aanwezigheid werd minder belangrijk. En bovendien was tegen die tijd…' Rush aarzelde. 'Tegen die tijd was alles anders.'

'Je bedoelt dat ze inderdaad contact had gelegd met een wezen uit die tijd,' zei Logan.

Het duurde even voor Rush reageerde. Toen knikte hij bijna onzichtbaar.

Logan voelde een prikkeling door zich heen gaan. Zelfs hij vond dat tegelijkertijd verschrikkelijk spannend, en amper te geloven. *Mijn god, zou dat echt waar zijn?* 'Weet Stone dat?' vroeg hij.

Rush knikte weer. 'Uiteraard.'

'Wat vindt hij ervan?'

'Wat ik je al zei: hij zal alles doen, alles proberen, om zijn zin te krijgen. En Jen heeft haar paranormale krachten voldoende aangetoond; daar gelooft hij maar al te graag in.' Rush keek hem aan. 'En jij? Wat denk jíj ervan?'

Logan haalde diep adem. 'Ik denk… nee, ik wéét, want ik heb het zelf gevoeld, dat bepaalde heel sterke persoonlijkheden, levenskrachten als je het zo wilt noemen, ergens aanwezig kunnen blijven, lang nadat het aardse lichaam is overleden. Hoe sterker en hoe gewelddadiger de persoonlijkheid en de wil, des te langer blijven ze aanwezig. Je hebt alleen maar een uitzonderlijk getalenteerd iemand nodig om die aanwezigheid te voelen.'

Rush haalde langzaam zijn vingers door zijn haar. Hij keek naar Logan, wendde zijn blik af, keek hem weer aan. Die hele toestand zit hem niet lekker, dacht Logan. Dit is iets heel anders dan hij verwacht had.

'Wie weten hier verder nog van?' informeerde hij.

'March en Romero natuurlijk. Misschien een of twee anderen... maar misschien ook niet. Je kent Stone. En dit is niet direct vertrouwd terrein.'

'En wat vindt je vrouw zelf?'

'Het staat haar niet aan. Het is iets vreemds en eigenaardigs en volgens mij is ze er bang voor.'

'Waarom ga je er dan mee door? Als ze hier is om te helpen het graf te vinden en als dat graf ieder moment gevonden kan worden, waarom blijf je dan nog?'

'Omdat Porter Stone ons dat met klem verzocht heeft,' antwoordde Rush, nog zachter. 'Waarschijnlijk om twee redenen. Ten eerste is het graf nog niet gevonden – en met zijn obsessieve denkwijze zal hij mogelijke hulptroepen niet laten gaan zolang hij niet zeker weet dat het gevonden is.'

Hij zweeg.

'Dat is één reden,' merkte Logan op.

Het leek een hele tijd te duren voordat Rush uiteindelijk antwoord gaf. 'Haar missie hier is gewijzigd toen we... bepaalde gegevens in handen kregen.'

'Gegevens?' vroeg Logan.

Rush antwoordde niet. Dat hoefde ook niet.

'De vloek, bedoel je,' zei Logan. Nu sprak hijzelf ook bijna fluisterend. 'Wat heeft Narmer, of wie het ook is, precies gezegd, via Jennifer?'

Rush schudde zijn hoofd. 'Vraag me dat alsjeblieft niet. Daar heb ik het liever niet over.'

Logan dacht even na. Het gevoel van opwinding, van zaken die niet van deze wereld waren, had hem niet verlaten. *Dus die vloek zit Stone ook dwars.* Dat was de enige verklaring die hij kon verzinnen voor Jennifer Rush' gewijzigde opdracht. *Stone weet niet wat hij zal aantreffen als hij bij het graf aankomt. Hij wil overal zo goed mogelijk op voorbereid zijn – en hij neemt alle hulp aan waar hij de hand op kan leggen. Zelfs van gene zijde.*

'Wil jij eens met haar praten, alsjeblieft?' vroeg Rush plotseling.

Even begreep Logan de vraag niet. 'Wat bedoel je?'

'Wil jij hier eens met Jen over praten, over die, eh... excursies van haar, over haar gevoelens?'

'Waarom ik?' vroeg Logan. 'Ik heb haar maar één keer ontmoet, en dan nog kort, ook.'

'Weet ik. Ze heeft me erover verteld.' Rush aarzelde. 'Het klinkt misschien raar, maar volgens mij zal ze jou vertrouwen, zal ze zich tegenover jou uitspreken. Misschien komt het door je bijzondere beroep, of misschien is het iets in je manier van doen. Je hebt een goede indruk gemaakt.' Weer aarzelde hij. 'Zal ik je eens wat zeggen, Jeremy? Jen praat nooit, maar dan ook nooit, over haar bijna-doodervaring. Normale mensen houden er niet over op, blijven maar doorgaan over wat ze meegemaakt hebben. Maar zij heeft het er nooit over. Niet eens voor de gegevens van het Centrum. O, we hebben het wel over de gevoeligheid die zij daardoor heeft ontwikkeld, en we meten haar speciale gaven en proberen die in kaart te brengen. Maar ze praat nooit over de ervaring zelf. Ik vroeg me af of… nou ja, of jij haar misschien zo ver kon krijgen dat ze er iets over zegt.'

'Geen idee,' zei Logan. 'Maar ik kan het proberen.'

'Heel graag. Ik wil zelf niet meer aandringen.' Rush plukte even aan zijn kraag. 'Ik hou me stoer, maar ik maak me zorgen om haar. Ik moet zeggen dat er sinds het ongeluk een gespannen sfeer in huis heerst, maar ik heb geprobeerd haar alle ruimte te geven. Ik kan je alleen zeggen… Ik kan je alleen zeggen dat we ooit heel close waren.' Hij zweeg. 'We zijn natuurlijk nog steeds heel dol op elkaar, maar zij heeft het er moeilijk mee om… eh… met de wereld om te gaan zoals ze vroeger deed. En sinds we hier zijn wordt ze soms midden in de nacht wakker, trillend als een riet en badend in het zweet. Als ik haar dan vraag wat er is, doet ze het af als een nachtmerrie. En nu Stone wil dat ze meer contacten legt met gene zijde…' Hij wendde zijn blik af.

'Ik zal met alle genoegen doen wat ik kan,' zei Logan.

Het duurde even voor Rush hem weer aankeek. Toen beantwoordde hij met een diepe zucht Logans blik, drukte hem even de hand en glimlachte dankbaar, zonder iets te zeggen.

28

Toen Logan de cafetaria binnenliep voor zijn gebruikelijke ontbijt van gepocheerde eieren en een halve Engelse muffin, trof hij Tina Romero in haar eentje in een verre hoek van de zaal aan, gespannen over een iPad gebogen.

'Mag ik erbij komen zitten?' vroeg hij.

Ze gromde iets wat een ja of een nee kon zijn. Logan ging zitten en tuurde naar haar iPad. Romero was bezig met een kruiswoordpuzzel uit de *New York Times*.

'Wat is iets van vier letters, "klein doosje voor naaigerei"?' vroeg ze zonder haar blik van het scherm af te wenden.

'"Etui."'

Ze typte het woord en keek op. 'En hoe weet jij dat, als ik vragen mag?'

'Het kruiswoordraadsel van de *Times* is een van mijn verborgen genoegens. En daarin gebruiken ze "etui" aan de lopende band.'

'Ik zal het onthouden.' Ze legde de iPad neer. 'Zo. Ik heb gehoord dat je gisteren voor Hamlet hebt gespeeld.'

'Wat? O, met die schedel, bedoel je.'

Romero knikte. 'Ik hoorde March klagen tegen een van zijn vazallen. Heb je nog slechte vibraties doorgekregen van dat ding?'

'Ik heb helemaal geen vibraties doorgekregen.' Logan sneed een stuk van zijn ei af. 'Maar de schedel verkeerde in verbazend goede staat. Een paar krassen over het schedeldak en in een van de oogkassen, meer niet.'

'In een van de oogkassen?' herhaalde Romero.

'Ja.'

'Welk oog?'

Logan dacht even na. 'Links. Hoezo?'

Romero haalde haar schouders op.

Logan dacht terug aan dr. Rush' verzoek van de vorige avond. 'Wat vond jij van Jennifer Rush' vertoning, in de lounge?'

'Daar heb ik aan zitten denken. Kunnen die kaarten nep zijn?'

'Alleen als je partner ze in de lucht houdt.'

'In dat geval was het een bijzondere prestatie.'

Logan knikte. 'Het lijkt me ook een bijzondere vrouw.'

Romero nam een slok van haar koffie. 'Ik heb medelijden met haar.'

Logan fronste zijn wenkbrauwen. 'Waarom?'

'Omdat het niet deugt – haar hiernaartoe slepen na alles wat ze al doorstaan heeft.'

'Denk jij dat ze niet wilde?'

Romero haalde nogmaals haar schouders op. 'Volgens mij is ze te lief om hem ook maar iets te weigeren.'

Hem? dacht Logan. Bedoelde ze Porter Stone, of haar echtgenoot?

Romero nam nog een slok van haar koffie. 'Dit soort klussen kan het slechtste in de mensen naar boven halen. Ik heb mensen naar opgravingen zien komen met volslagen flutargumenten.' Ze dempte haar stem. 'Ik weet het niet. Misschien doet Ethan Rush wel het mooiste werk ter wereld. Maar in mijn ogen ziet het eruit alsof Jennifer zijn proefkonijn is.'

Logan staarde haar aan. Bedoelde ze nou echt dat Rush zijn vrouw uitbuitte, dat hij haar vreselijke ervaring misbruikte voor zijn eigen gewin? Hij wist inderdaad bijzonder weinig over het Centrum voor Transmortaliteitsonderzoek. Maar Rush leek oprecht om zijn vrouw te geven. *Ik hou me flink,* had hij de vorige avond nog gezegd, *maar ik maak me zorgen.* Maakte hij zich zorgen om haarzelf, of omdat ze zo belangrijk was voor zijn Centrum?

Er klonk een walkietalkiegepiep. Romero stak een hand in haar zak, haalde haar toestel eruit en drukte op de zendknop. 'Romero hier.' Aan de andere kant werd gepraat, en terwijl ze luisterde sperde ze haar ogen steeds verder open. 'Jemig! Ik kom er meteen aan.'

Ze liet de radio weer in haar tas vallen en stond zo haastig op dat haar stoel bijna omviel. 'Dat was Stone,' zei ze, terwijl ze haar iPad en tas bijeen griste. 'Ze hebben de jackpot binnen!'

'Het knekelveld?' vroeg Logan.

'Yep. En weet je wat dat betekent? Dat we zo goed als bij de ingang van het graf zitten. Stone heeft alle duikteams tegelijk ingezet. Ik wed om een rondje in de Oasis dat we het graf zelf binnen anderhalf uur gevonden hebben.' En met die woorden liep ze de kantine uit, zo hard dat Logan bijna moest rennen om haar bij te houden.

29

Tina Romero zat er zeven minuten naast. Ruim anderhalf uur later meldde duikteam 5 dat ze iets gevonden hadden wat een natuurlijke spleet in de bedding van de Sudd leek te zijn – bijna vijftien meter onder het oppervlak – die volledig was opgevuld met grote rotsblokken. Stone liet één archeologisch duikteam achter op de plek van de skeletten, onder toezicht van Fenwick March. De andere teams dirigeerde hij naar de locatie van team 5. Vanuit het zenuwcentrum keek Logan op een reeks enorme lcd-schermen naar het zich ontvouwende schouwspel dat in live videobeelden, gechoreografeerd door Cory Landau, werd weergegeven. Landau zelf bleef bij alle tastbare opwinding een flegmatieke figuur.

De beelden van de videocamera's op de helmen van de duikers waren korrelig en vervormd, maar wat hij zag, deed Logans hart sneller kloppen. Smalle lichtbundels uit zaklampen dansten door de zwarte modder en het slib van de Sudd en streken langs de opening in de lavasteen: bijna drie meter lang en ruim een meter breed, met de vorm van een kattenpupil, opgevuld met grote rotsblokken. Duikteams hadden geprobeerd de blokken van hun plek te krijgen, maar zonder resultaat: door hun eigen gewicht, in combinatie met de plakkende modder van de Sudd en het verstrijken der jaren, waren ze opeengepakt tot een bijna solide massa.

'Dit is Tango Alfa,' kwam de ontzielde stem van vijftien meter onder hun voeten. 'Nog steeds niets.'

'Tango Alfa,' klonk Porter Stones stem van elders in het Station. 'Dan het vuurwerk maar inzetten.'

De radio knetterde opnieuw. 'Tango Alfa, roger.'

Logan keek naar Romero, die naast hem stond, net als hij aan de beeldschermen gekluisterd. 'Het vuurwerk?' vroeg hij.

'Nitroglycerine.'

'Dynamiet?' Logan trok zijn voorhoofd in rimpels. 'Is dat verstandig?'

'Zorg altijd dat je dynamiet op zak hebt!' grinnikte Romero. 'Je zult ervan staan te kijken hoe vaak Stone dat spul heeft moeten gebruiken bij zijn diverse opgravingen. Maar maak je geen zorgen – een van onze duikers zat vroeger bij de marine, en hij is er heel erg handig mee. Het gaat met chirurgische precisie.'

Logan bleef zitten luisteren naar het radiogekeuvel. Toen een van de duikers bij het graf een markeerboei losliet, stuurde Stone, die de vorderingen kennelijk samen met Frank Valentino bijhield vanaf het duikplatform, de duiker met het 'vuurwerk' op pad. Logan en Romero keken naar de schermen, waar de man voorzichtig het uiterst explosieve materiaal aanbracht rond de met rotsblokken verstopte ingang: vier zakjes zwart rubber ter grootte van knikkers, onderling verbonden met lange lonten. Daarna trok hij zich terug bij de rest van de duikers, die op veilige afstand stonden te wachten.

'Lading aangebracht,' meldde de duiker.

'Uitstekend,' zei Porter Stone. 'Ga je gang.'

Even leek het hele Station collectief zijn adem in te houden. Daarna klonk een zacht *whoem* waarbij de hele omgeving even leek te beven.

'Redfern hier,' klonk een nieuwe stem via de radio. 'Ik zit in het Kraaiennest. Markeerboei in zicht.'

'Kun je de exacte positie bepalen?'

'Jazeker. Momentje, graag.' Het bleef even stil. 'Honderdtwintig meter pal oost. Zevenentachtig graden relatief.'

Romero wendde zich tot Logan. 'Het zal even duren voordat alle opgewervelde modder is gezakt,' zei ze met een gebaar naar de schermen. 'Kom op. Volgens mij kan ik je iets interessants laten zien.'

'Wat dan?' vroeg Logan.

'Een van Porter Stones vele wonderen.'

Ze ging hem voor, Wit uit, Rood door, en vervolgens, door de kronkelende gangen van Bruin, naar een luik met ramen die uitzicht gaven op het ononderbroken panorama van de Sudd. Toen ze het deurtje had geopend, zag Logan een trap die op poten als stelten naar een smalle houten loopbrug leidde, die om de hele buitenwand van het koepelvormige canvasdak van Bruin heen liep. Logan klom achter haar aan de trap op en bleef boven staan om om zich heen te kijken; eerst naar de helse wirwar van de Sudd, daarna naar de miniatuurstad waarin de expeditie was gehuisvest. Boven Rood stak een lange, smalle buis uit, met aan het uiteinde een klein plateautje met een reling eromheen, en een woud van antennes. Op het plateau stond een man met een verrekijker in de ene en een radio in de andere hand. Dit, begreep Logan, moest het Kraaiennest zijn.

Hij wendde zich om naar Romero. 'Wat een uitzicht. Waarnaar zijn we op zoek?'

Ze gaf hem een tubetje antimuggenzalf. 'Wacht maar af.'

Maar nog voordat ze goed en wel uitgesproken was, hoorde Logan motoren dreunen. Langzaam kwamen beide grote catamarans aanvaren, uit de richting van Groen. De twee enorme boten waren nu vreemd genoeg uitgerust met wat eruitzag als een combinatie van een sneeuwschuiver en een ezelprakker. De uitrustingsstukken waren aan de boeg bevestigd en vormden een soort stekelvarken van kettingzagen en lange spiesen met haken aan het uiteinde, die als boegsprieten naar voren staken. De twee schepen werden gevolgd door een ware armada van jetski's en kleinere bootjes. Logan zag de grote schepen precies vóór hen in positie komen. Over de achterstevens werd druk heen en weer gelopen; hij hoorde geschreeuwde instructies en zag dat er kabels werden vastgebonden aan zware bolders op Bruin, Rood en Blauw.

Logan keek naar een van de kleinere boten. De bemanning daarvan was druk bezig een zoveelste kabel vanuit de diepten van de Sudd binnen te halen en over een kaapstander te wikkelen. Stokken, lianen en dikke modder kleefden als evenzovele wortels aan de kabel.

Logan knikte naar de boot. 'Wat zijn ze daar aan het doen?'

Romero glimlachte. 'Ze lichten het anker.'

Er volgde een reeks snelle, geschreeuwde bevelen. Plotseling bruiden de motoren van de twee grote catamarans gelijktijdig, en langzaam gleden ze naar voren. Even was Logan zich bewust van een wel heel raar gevoel, dat hij niet meteen kon thuisbrengen. Toen begreep hij wat er gebeurde: het complete Station, met alle boten, pontons, loopbruggen, methaanscrubbers en generatoren, was in beweging.

'Mijn god,' zei hij.

Nu snapte hij het doel van de vreemdsoortige apparatuur aan de voorplecht van de catamarans. Het waren inderdaad, letterlijk, ploegen: ploegen waarmee ze de bijna ondoordringbare plantenmassa van de Sudd opzij duwden. Hij hoorde de kettingzagen spugen en grommen. De kleinere boten begonnen tussen de grote catamarans door te zigzaggen en visten hardnekkige stukken drijfhout uit het water of hielpen dichte massa's rottende vegetatie aan stukken te hakken met haken, staven en draagbare kettingzagen.

Langzaam, centimeter na centimeter, kroop het Station verder naar het oosten. Logan keek over zijn schouder en zag dat het oppervlak van de Sudd in hun kielzog meteen weer dichttrok, alsof een kind zijn vinger door een waterplas haalde: geen spoor van hun aanwezigheid.

'We trekken naar het graf,' zei hij.

Romero knikte.

'Waarom? Nu we weten waar het is kunnen ze er toch vanuit de huidige positie naartoe duiken?'

'Zo werkt Stone niet. Dat zou inefficiënt, langzaam en, als je erbij stilstaat, onpraktisch zijn. Bedenk wel: de ingang naar dat graf ligt bijna vijftien meter onder water, onder een dikke laag drek. Hoe wou jij daar naar binnen? Hoe zou jij de kunstvoorwerpen in dat graf beschermen tegen het walgelijke vuil van de Sudd?'

Logan keek haar aan. 'Geen idee,' zei hij boven het gejank van de catamarans en de kettingzagen uit.

'Dat doe je door een luchtsluis aan de ingang van het graf te koppelen. En dan zet je de Navelstreng in.'

'De Navelstreng?'

'Een buis met een doorsnee van bijna twee meter, die onder druk staat. Met licht en stroom, met houvast voor klimmers. Een uiteinde wordt aan de luchtsluis gekoppeld, het andere aan de Muil. Alle resterende modder wordt weggeblazen, en de druk wordt geëgaliseerd. *Et voilà* – een fijne, droge doorgang van en naar Narmers graf.'

Logan stond perplex bij de gedachte aan zo'n gewaagd ontwerp. *Een van Porter Stones vele wonderen*, had Tina het genoemd. En ze zat er niet ver naast.

'Nog een uur, dan kunnen we voor anker bij het graf,' merkte ze op. 'En de modder van die explosie zal intussen wel gezakt zijn. Zullen we eens gaan kijken wat ze daarbeneden gevonden hebben?'

Toen ze weer in het Operations Center stonden, was Cory Landau zo vriendelijk de videobeelden die de duikers hadden uitgezonden terug te spoelen totdat Tina Romero hem liet stoppen.

'Die daar,' zei ze. 'Wie is dat?'

Landau tuurde naar het scherm. 'Delta Bravo,' zei hij.

'Kun je hem via de radio oproepen?'

'Geen probleem.' Landau stak een hand uit, draaide aan een knop en gaf haar een radio.

'Delta Bravo,' zei ze in de microfoon. 'Delta Bravo, dit is dr. Romero. Hoort u mij?'

'Luid en duidelijk,' kwam het antwoord.

'Kunt u eens naar de rotsspleet gaan en de hele ingang filmen?'

'Jazeker.'

Zwijgend keken ze naar de videobeelden. De rotsblokken waren ofwel aan stukken geblazen ofwel verwijderd, en Logan zag de kloof in de rotsbodem. Bij het felle licht van de duikerslantaarns leek hij nog steeds hermetisch afgesloten met massa's stenen, waardoor een massieve verticale rotswand was ontstaan, alsof er een muur was opgetrokken binnen de natuurlijke uitholling in het steen.

'Dichterbij, graag,' fluisterde Romero bijna.

De video zoomde in.

'Mijn god,' zei ze. 'Dat lijkt wel graniet. Tot nu toe is altijd gedacht dat Netcheritkhe de eerste farao was die andere materialen gebruikte dan baksteen.'

'Narmer wilde waarschijnlijk dat zijn graf voor alle eeuwigheid zou voortbestaan.'

Romero bracht de radio weer naar haar lippen. 'Delta Bravo, een overzicht, graag.'

Het beeld schoof langzaam omhoog over de stenen wand.

'Daar!' riep ze. 'Stop. Inzoomen.'

Het modderige, korrelige videobeeld zoomde in op iets wat aan het graniet en aan een kant van het lavagesteente was vastgemaakt: een ruitvormige plaquette met gebeeldhouwde hiërogliefen.

'Wat is dat?' vroeg Logan.

'Een grafzegel,' antwoordde Romero. 'Verbijsterend. Nog nooit aangetroffen bij zo'n oud graf. En kijk – het is nog heel. Geen grafschenners, geen plunderaars.'

Ze veegde haar handen af aan haar shirt, en greep de radio weer beet. Logan zag dat haar handen even beefden. 'Delta Bravo. Nog één ding, graag.'

'Shoot.'

'Ga eens omlaag met die camera. Naar de onderkant van de muur.'

'Roger. Daar ligt nog wat steen en puin dat we moeten wegruimen.'

Ze wachtten terwijl het beeld langzaam over het stenen oppervlak schoof. Af en toe zagen ze niets door de wolken modder en troep; dan vroeg Romero de duiker nog even terug te gaan. Plotseling liet ze hem weer stilhouden.

'Daar!' riep ze uit. 'Stilhouden!'

'Ik zit onder aan de muur,' antwoordde de duiker.

'Weet ik.'

Logan zag een tweede onverbroken zegel, groter dan het eerste. Er waren twee hiërogliefen in aangebracht.

'Wat is dat?' vroeg hij.

Romero knikte. 'Een *serekh*. De eerste afbeelding van een koninklijke naam zoals die in de Egyptische iconografie is gebruikt. Cartouches kwamen pas in zwang in de tijd van Senefer, de vader van Khoefoe.'

'En de naam in de serekh? Kun je die lezen?'

Romero likte aan haar lippen. 'Ik zie het symbool voor de meerval, en de dissel. De fonetische weergave van Narmers naam.'

30

'Hoe lang hebben we?' vroeg Logan aan Ethan Rush. Het was avond, en ze liepen de bijna verlaten gangen van Bruin door. 'De productieve periode, bedoel je?' antwoordde Rush. 'Als het meezit, vijf minuten. De voorbereiding duurt veel langer.'

Hij bleef staan bij een gesloten deur zonder opschrift en keek om naar Logan. 'Er zijn een paar basisregels. Hou je stem gedempt. Spreek langzaam en rustig. Geen plotselinge bewegingen maken. Niets doen waardoor er iets verandert in de omgeving – geen lichten feller maken of dimmen, geen stoelen of apparatuur verplaatsen. Duidelijk?'

'Kristalhelder.'

Rush knikte. 'In het Centrum hebben we ontdekt dat een oversteek het best lukt als hij plaatsvindt in de omgeving van een bijna-doodervaring.'

'De omgeving? Ik geloof niet dat ik dat snap.'

'We simuleren de ervaring zelf. Dat doen we via een medisch ingeleid coma – heel licht, uiteraard. Samen met psychomantische technieken. Je ziet straks wat ik bedoel.'

Logan knikte. Hij wist dat een psychomanteum een kamertje of hokje was, vaak van spiegels voorzien en heel donker, speciaal gebouwd om mensen in trance te brengen of in een staat van paranormale openheid. Zo ontstond dan een poort of geleide naar de wereld der geesten. De oude Grieken hadden het systeem ontwikkeld en er waren ook nu nog verscheidene van in gebruik in Amerika en andere delen van de wereld. Volgens velen waren ze van nut bij het leggen van contacten met mensen die naar een volgend leven waren overgegaan. Logan dacht aan de spiegel die hij die eerste dag in de testruimte had gezien, toen hij daar was met Jennifer en Ethan Rush. Het was een van de dingen geweest die hem hadden geholpen bij zijn conclusie over waarom Jennifer Rush op het Station was.

'Werk je met een Ganzfeld-effect?' vroeg hij.

Rush keek hem nieuwsgierig aan. 'Dat hoeft niet, vanwege de medicijnen,' antwoordde hij. 'En let dan nu alsjeblieft goed op. Beperk je commentaren tot een minimum, tot we elkaar nadien spreken. Hoe meer je weet, des te beter zul je haar kunnen… kunnen helpen.'

Logan knikte.

'Nog één ding. Verwacht geen onthullingen. Verwacht zelfs geen logische verhalen. Soms moeten we een transcript een hele tijdlang bestuderen voordat we het begrijpen. Als het al ooit zo ver komt.' En met die woorden opende Rush de deur en liep rustig naar binnen.

Logan liep achter hem aan. Hij herkende de kamer. Daar stond het ziekenhuisbed met de rijen medische en andere apparatuur. Aan de muur achter het bed hing een grote spiegel, blinkend opgewreven. De verlichting was schemerig, net als de eerste keer dat hij het vertrek had gezien.

En ook nu weer lag Jennifer Rush op het bed, gekleed in een ziekenhuishemd. Er liepen ECG-kabeltjes van haar armen en borst naar een meter; op haar hoofd was een groot aantal EEG-elektroden vastgemaakt. De rood-grijze strepen van de medische elektroden leken misplaatst tegen de achtergrond van haar roodbruine haar. Aan de binnenkant van haar pols was een perifere infuuslijn bevestigd. Ze keek naar Rush, keek naar Logan, en glimlachte even. Er lag een vage blik in haar ogen, alsof ze verdoofd was.

Tot Logans verbazing stond Stone aan het hoofdeinde van het bed, met zijn hand op Jennifers schouder. Hij gaf haar een geruststellend klopje en liep toen van het bed weg. Hij knikte naar Logan en sprak Rush aan.

'Vraag je het?' vroeg hij gedempt. 'Van die poort?'

'Ja,' antwoordde Rush.

Stone bleef hem nog even aankijken, alsof hij zich afvroeg of hij verder nog iets zou zeggen. Toen knikte hij ten afscheid en liep zachtjes de kamer uit.

Rush gebaarde dat Logan aan het hoofdeinde van het bed moest gaan zitten. Een minuut of vijf lang was hij zelf bezig met allerlei apparaten; hij ijkte de schermen, controleerde displays. Logan bleef rustig zitten kijken. Er hing een flauwe geur van sandelhoutwierook en mirre.

Uiteindelijk liep Rush met een injectiespuit in zijn hand naar het bed toe. 'Jen,' zei hij zachtjes, 'ik ga de propofol toedienen.'

Er kwam geen reactie. Rush stak de naald in de opening van de infuusaansluiting. Jennifer werd doodstil. Logan keek naar de instrumenten aan het hoofdeinde en zag haar bloeddruk dalen, haar ademhaling en polsslag bijna halveren.

Rush controleerde haar lichamelijke toestand via de apparatuur aan het voeteneinde van het bed. Geen van beiden spraken ze. Na een paar minuten bewoog Jennifer even. Meteen pakte Rush twee elektroden met wattenschijfjes aan de uiteinden en plakte die op haar slapen.

Logan keek hem zwijgend maar met opgetrokken wenkbrauwen aan.

'Cortexstimulator,' antwoordde Rush. 'Voor het stimuleren van de pijnappelklier.'

Logan knikte. Hij wist dat onderzoek had aangetoond dat de pijnappelklier neurochemisch inwerkte op previsualisatie en paranormale activiteit.

Rush keerde terug naar het woud van bewakingsapparatuur aan het voeteneinde. Een minuut of twee stond hij te kijken hoe zijn vrouw langzaam terugdreef naar een soort half bewustzijn. Toen liep hij weer naar haar toe en stak een tweede naald in het infuus.

'Meer propofol?' informeerde Logan zachtjes.

Rush schudde zijn hoofd. 'Benzodiazepine,' fluisterde hij. 'Neemt de herinnering weg.'

Neemt de herinnering weg? dacht Logan. Waarom zou je?

Rush liep naar het hoofdeinde en haalde twee voorwerpen uit de zak van zijn witte jas. Een, zag Logan, was een oogspiegel. Het andere was tot zijn verbazing een oud uitziend amulet van ongepoetst zilver, met een wit kaarsje op de bovenrand. Met de oogspiegel bekeek Rush haar pupillen, en daarna stak hij de kaars aan en liet het amulet zachtjes heen en weer bungelen aan de ketting, tussen Jennifer Rush' gezicht en de spiegel.

'Kijk naar het amulet,' zei dr. Rush met rustige, kalmerende en zachte stem, 'alleen naar het amulet. Denk je geen ander beeld in. Denk nergens anders aan.'

Hij bleef instructies prevelen. Logan herkende de techniek: vocale instructies, een standaard hulpmiddel voor hypnose. Maar plotseling veranderde zijn tekst.

'En nu,' zei Rush, 'haal je langzaam, diep adem. Ontspan je armen en benen. Ontspan je nek. Ontspan je schouders. Ontspan je armen: eerst je vingers, dan je polsen, je onderarmen, je bovenarmen. Ontspan je voeten. Ontspan je benen.'

Een minuut, misschien twee minuten lang, klonk er geen enkel geluid behalve Jennifer Rush' zachte ademhaling.

'Ontspan nu je geest. Laat je gedachten vrij. Laat je bewustzijn uit je lichaam glippen. Laat een lege schil achter, waar niets in huist.'

Logan keek, en ademde de sandelhoutlucht in. Na nog een minuut blies Rush de kaars uit en legde het amulet weg. Stilletjes sloop hij naar het voeteneinde en bekeek de instrumenten. Daarna liep hij terug naar haar zijde en ging staan wachten.

Jennifer Rush' ademhaling klonk luider, bijna ronkend. Het leek donkerder te worden in de kamer, alsof vreemde, oude mistbanken zich samenbalden.

Plotseling werd Logan bang. Hij wist niet waarom, niet precies – maar om de een of andere reden gingen al zijn inwendige alarmbellen rinkelen: een pure vlucht- of vechtreflex. Hij kon zich ternauwernood inhouden om niet overeind te springen en de kamer uit te rennen. Zijn hart bonsde in zijn keel en hij moest zijn best doen zich te beheersen.

Vanuit het bed klonk een steeds moeizamer ademhaling.

Rush zette een digitale recorder aan en plaatste hem op een dienblad vlak naast het bed. Langzaam boog hij zich over het bed. 'Wie spreekt daar?'

Jennifers lippen bewogen alsof ze probeerde woorden te vormen. Logan zag dat ze haar handen tot vuisten balde, alsof ze zich hevig moest inspannen.

'Wie spreekt daar?' herhaalde Rush.

Jennifer maakte een sissend geluid. 'Nut,' zei ze op droge en afstandelijke toon. Of misschien was het 'Set' – dat kon Logan niet goed horen. Hij wist alleen dat deze ene lettergreep haar al enorme inspanning kostte.

'Wie spreekt daar?' vroeg Rush voor de derde keer.

Weer bewoog Jennifers mond. *Zz... zegsman... van Horus.*

Rush veranderde iets aan de instellingen van de recorder. Het resultaat leek hem te bemoedigen.

Maar Logan niet. Dat kwam niet alleen door het kille gevoel van kwaad dat over de ruimte was neergedaald, en wat maar al te veel leek op wat hij de dag van de brand in de generator had meegemaakt. Het was ook de grote inspanning, fysiek en emotioneel, die Jennifer moest leveren.

'Kun je iets zeggen over het zegel?' vroeg Rush. 'De eerste poort?'

De... eerste... poort, herhaalde ze.

'Ja,' antwoordde Rush. 'Wat moeten we daarmee...'

Plotseling begonnen Jennifers ogen uit te puilen, het wit had een ongezonde groene tint gekregen door het schijnsel van de instrumenten. De pezen in haar nek zwollen op als kabels. '*Ongelovigen!*' zei ze. '*Vijanden van Ra!*' Haar hoofd kwam dreigend omhoog; een handvol EEG-kabels sprong los en viel weg. '*Scheer u weg van hier. Anders zal Hij Wiens Gezicht Naar Achteren kijkt zich voeden met uw bloed en uw kinderen de melk uit de mond stoten. De grondvesten van uw huis zullen breken en gij zult een eindeloze dood sterven in de Buitenste Duisternis!*'

Logan schoot overeind van zijn stoel. Haar stem klonk afgrijselijk, temeer daar hij amper boven een slissend gefluister uit kwam. Instinctief stak hij een hand uit om haar te kalmeren. Maar zodra zijn huid de hare raakte, ging er een soort bliksemflits door hem heen: hij voelde die aanwezigheid weer, onverzoenlijk, razend van woede, met een haat die naar hen uitstraalde vanuit een diep, zwart gat. Kreunend van ontzetting liet hij zich weer in zijn stoel zakken.

Even snel als hij begonnen was, hield de stroom verwensingen ~~weer~~ op. Jennifer Rush zweeg. Haar hoofd zakte terug in het kussen en rolde opzij.

'Dat was het,' zei Rush. Hij zette de recorder uit en liep terug naar de schermen aan het voeteneinde van het bed. Hij leek het korte maar vreselijke drama dat Logan had beleefd niet opgemerkt te hebben.

Logan streek met zijn hand over zijn voorhoofd. 'Is dat... de normale gang van zaken?'

Rush schudde zijn hoofd. 'De allereerste oversteek, de eerste waarbij ze contact maakte, bedoel ik, was enorm nuttig. We konden de locatie van het graf nauwkeuriger bepalen, dankzij een referentiepunt voor een driehoeksmeting. Maar daarna...' Rush zuchtte. 'Het lijkt wel of wat het ook is intussen begrijpt wie we zijn en wat we hier zoeken.'

Logan keek naar Jennifer Rush, die plat op haar rug in bed lag. Nu voelde hij zich nog onnozeler: hij had aangenomen dat dit soort ervaringen plezierig voor haar was, hij had haar gelukgewenst met haar talenten. Hij keek weer naar Rush. 'Is dat hele trauma werkelijk... werkelijk nodig?'

Rush beantwoordde zijn blik. 'De meeste dialogen in ons Centrum verlopen prettig. Maar meestal zijn daarbij geliefden betrokken, mensen die kortgeleden zijn overgegaan. Dit... dit is iets heel anders. Vergeet niet dat Jennifer zich de oversteek zelf amper zal herinneren. Daar is die benzodiazepine voor. We proberen het de komende dagen nog een paar keer. Als er verder niets bruikbaars uit komt, dan...' Hij haalde zijn schouders op.

Logan keek weer naar de vrouw in het bed. Hij wist dat er mensen waren, March voorop, die dachten dat ze deed alsof. Dat ze deed alsof, misschien omdat haar man dat wilde: tenslotte had hij als leider van zijn Centrum daar iets bij te winnen. Maar nu hij de oversteek met eigen ogen had aanschouwd, wist hij zeker dat dit geen doen-alsof was. Iets of iemand had via Jennifer Rush tegen hen gesproken. En die iemand was razend.

Rush maakte een paar aantekeningen op een klembord en schakelde wat instrumenten uit. 'Nu kan ze verder rustig slapen,' zei hij. 'Je zult zien, ze herstelt zich bijzonder snel.' Hij wees naar de apparatuur. 'Jeremy, ik wil meteen een begin maken met de invoer van de gegevens. Wil jij even bij haar blijven terwijl ik de analyse start?'

'Natuurlijk.' Logan keek naar Rush, die zijn digitale recorder pakte en de kamer uit liep.

Een minuut lang, twee minuten misschien, bleef het stil. Logan, die nog niet van de schok bekomen was, probeerde tot rust te komen, probeerde te begrijpen wat er zojuist gebeurd was. Op een gegeven moment hoorde hij een beweging in het bed achter zich. Hij keek op en zag dat Jennifer Rush hem aan lag te kijken.

'Hoe voel je je?' vroeg hij.

Zwijgend schudde ze haar hoofd. Maar plotseling stak ze haar hand uit en greep zijn pols beet, zo hard dat het bijna pijn deed. Hij verstrakte even en vreesde een nieuwe explosie van sensaties, maar er was niets.

'Dr. Logan,' zei ze, haar zijden stem zacht en dringend, 'toen we elkaar in de lounge spraken, zei ik dat ik meemaakte wat iedereen die "overgaat" meemaakt.'

'Ja,' antwoordde hij.

'En dat is ook zo. Althans, in het begin wel. Maar toen begon ik heel andere dingen te zien. Volslagen anders.'

Haar greep verstrakte nog meer en haar barnsteenbruine ogen keken hem strak aan. In die blik, in dat gezicht, lag iets wat hij niet lezen kon.

'Help me,' fluisterde ze plotseling, bijna onhoorbaar zacht. 'Help me.'

De deurknop bewoog. Meteen liet Jennifer Rush zijn pols los. Ze hield zijn blik nog een paar seconden gevangen. Maar toen de deur openging en Rush binnenkwam, ging ze langzaam achterover in bed liggen, en verloor het bewustzijn.

31

Logan zat aan het bureau van zijn kantoortje in Bruin. Zonder echt iets te zien keek hij naar het scherm van de laptop. Het was heel laat, bijna twee uur, 's ochtends, maar hij voelde zich te rusteloos om te slapen.

In zijn loopbaan als enigmatoloog had hij een groot aantal ongewone en, soms, gevaarlijke dingen meegemaakt. Hij had bergen beklommen in de Himalaya, op zoek naar de yeti. Hij was in een duikklok afgedaald naar de bodem van Schotse meren. Voor iedere handvol geesten of spectrale aanwezigheden die hij had ontzenuwd was er minstens één tegenhanger geweest die hij niet met wetenschappelijke methoden had kunnen verklaren. Hij was driemaal getuige geweest van een duivelsuitbanning. Maar niets in zijn jarenlange ervaring had hem het soort onbehaaglijke gevoel bezorgd dat hij had gekregen van de onzichtbare aanwezigheid die hij de avond tevoren had bespeurd aan Jennifer Rush' ziekenhuisbed.

Hij ging verzitten en pakte het transcript van de 'oversteek':

[Opname begint om 21.04.30 uur]
V: Wie spreekt daar?
V: Wie spreekt daar?
A: [onverstaanbaar]
V: Wie spreekt daar?
A: Zegsman van Horus.
V: Kun je me iets zeggen over het zegel? De eerste poort?
A: De eerste poort.
V: Wat moeten we daarmee…
A: Ongelovigen! Vijanden van Ra! Scheer u weg van hier. Anders zal Hij Wiens Gezicht Naar Achteren kijkt zich voeden met uw bloed en

uw kinderen de melk uit de mond stoten. De grondvesten van uw huis zullen breken en gij zult een eindeloze dood sterven in de Buitenste Duisternis!

[Opname eindigt om 21.07.05 uur]

De grondvesten van uw huis zullen breken. Dat maakte deel uit van de vloek van Narmer, zoals Tina Romero die voor hem had vertaald. Logan vroeg zich af hoeveel Jennifer Rush wist over de vloek. Was ze daar überhaupt van op de hoogte?

Hij legde het transcript weg. Er was nog iets. Hij probeerde zich te herinneren wat Romero hem had verteld. *An'kavasht – Hij wiens gezicht naar achteren kijkt. Een god van nachtmerries en kwaad, die Buiten vertoeft, 'in de eindeloze nacht'.*

Buiten. In de Sudd.

De afgelopen paar dagen had Logan via een speciale computer in Stones kantoor, die een satellietverbinding met het internet had, onderzoek gedaan naar vervloekingen in het oude Egypte. Die hadden een lange en kleurrijke geschiedenis die veel verder ging dan het roddelbladachtige sensationalisme van Toetanchamon en Howard Carter. Logan was wel vaker vloeken tegengekomen: in Gibraltar, Estland, New Orleans… Maar telkens was er een tegengif geweest, een spreuk die de vloek ongedaan maakte, een manier om de verwensing weer goed te maken. Bij de graven van het oude Egypte was dat niet het geval. Ondanks alles wat hij gelezen had, ondanks al zijn onderzoek, leek er maar één manier te zijn om dat soort vloeken te omzeilen: er met een grote boog omheen lopen.

Onweerstaanbaar werden zijn gedachten teruggelokt naar Jennifer Rush: zoals ze bijna wanhopig zijn pols had gegrepen, de blik in haar ogen toen ze hem om hulp had gesmeekt. Het was alsof de schellen hem van de ogen waren gevallen en hij haar voor het eerst in al haar angstaanjagende kwetsbaarheid had gezien.

Ik dacht dat het goed voor Jennifer zou zijn, had Rush gezegd. *Om haar de kans te geven haar talent op positieve wijze in te zetten.* Maar wat hij zojuist gezien had – hoe kon dat ooit als positief worden beschouwd?

Er werd aan zijn deur geklopt. Logan draaide zich om en zag Ethan Rush – als geroepen – op de drempel staan.

'Kom binnen,' zei hij.

Rush liep de drempel over. Hij knikte naar Logan, maar respectvol, bijna als een schooljongen die zich bewust is van zijn wangedrag. Hij ging in de stoel naast het bureau zitten.

'Wat denk je?' vroeg Rush na een korte stilte.

'Ik denk dat jouw vrouw verdere oversteken bespaard moeten blijven.'

Rush glimlachte even en haalde toen zijn schouders op, alsof hij wilde zeggen dat die beslissing niet aan hem was. 'Ik ben er zelf ook niet blij mee. Maar weiger Stone maar eens iets! En Jennifer doet telkens weer mee.'

'En dit soort dingen heb je nog nooit gezien? Bij je onderzoek op het Centrum?'

'Niet in deze orde van grootte. En niet over zo'n, eh, grote tijdsspanne. Zoals ik al zei, de meeste ervaringen die wij meemaken, betreffen verwanten die nog maar kort dood zijn, of mensen – ook recent overleden – die in de buurt van de oversteekplaats hadden gewoond. Maar goed, Jen heeft dan ook een uniek talent.' Rush schudde zijn hoofd.

'Je had het over een grote tijdsspanne. Dus jij denkt dat degene die via haar spreekt, iemand kan zijn uit de tijd waarin het graf is gebouwd?'

'Ik weet het niet.' Rush leek van zijn stuk gebracht door de vraag, of misschien door het idee zelf. 'Het lijkt ongelooflijk. Maar wat voor andere kracht uit het geestenrijk kan er nou aanwezig zijn op zo'n afgelegen plek?' Hij zweeg even. 'Wat denk jij?'

Het duurde even voordat Logan antwoord gaf. 'Een tijdje geleden,' begon hij, 'toen ik suggereerde dat jouw vrouw misschien met Narmers stem sprak, was dat gewoon een flauwe grap. Maar nu heb ik spijt van die opmerking. Hoe dan ook, wie het ook is die via Jennifer spreekt, ik geloof niet dat het Narmer is. Want zie je, de oude Egyptenaren geloofden dat de ziel na de dood in alle eeuwigheid blijft bestaan. Als je de geheime rituelen kende, als je in je graf alles meenam wat je nodig had gehad voor een fysiek leven op aarde, zouden je ziel – *ba* – en de beschermende geest daarvan – *ka* – de weg naar het volgende leven vinden.' Hij dacht even na. 'Dat zal Narmer natuurlijk gedaan hebben: hij is overgegaan naar het hiernamaals. Dus misschien is degene die via jouw vrouw spreekt, iemand anders, een rusteloze ziel, op drift geraakt in de geestenwereld en toch op de een of andere manier aan deze plek gebonden.'

'Maar een ziel die zo oud is…' Rush dacht even na voordat hij verder sprak. 'Hoe kán dat? Ik bedoel, ik heb echt het nodige gezien in het Centrum. Als er iemand bereid is te geloven, ben ik het wel. Ik had Jen nooit hiernaartoe meegesleept als ik het niet voor mogelijk had gehouden. Ons eigen onderzoek heeft aangetoond dat het in theorie kán. Maar hoe…'

Zijn aarzelende stem stierf weg.

'Er zijn een heleboel theorieën die een verklaring kunnen bieden,' zei Logan. 'Algemeen wordt aangenomen dat een boosaardige geest nog heel lang aanwezig blijft, lang nadat het aardse lichaam is vergaan. Hoe groter het kwaad, des te langer de invloed blijft hangen. Zoals de halfwaardetijd van radioactieve stoffen. Jouw vrouw is zo uniek gevoelig dat ze misschien de geleide is voor zo'n invloed. Denk aan haar als aan een paranormale weerhaan. Of misschien beter, als een onbewuste en onvrijwillige bliksemgeleider. Een bliksemgeleider doet niets zelf – hij trekt alleen aan.'

'Maar wíé wordt er dan aangetrokken?' wilde Rush weten.

'Wie zal het zeggen? Een dode priester? Iemand die was achtergelaten om het graf te bewaken? Misschien wel iemand die helemaal geen vijfduizend jaar geleden is overleden, maar pas honderd jaar.'

'Maar tijdens haar eerste oversteek maakte ze een paar specifieke opmerkingen over de locatie, en daar hebben we echt wat aan gehad.'

'Ja, dat zei je.' Logan ging verzitten. 'Zou ik die transcripten eens mogen zien?'

'Ik zal kijken wat ik kan regelen.'

'En ik wil ook graag een transcript van jouw dictaten in het Centrum.'

Rush keek hem aan. 'Wat voor dictaten?'

'Wat je me maar bezorgen kunt. Onderzoek, doktersverslagen, interviews met proefpersonen.'

'Waarom is dat belangrijk?'

'Je hebt me om hulp gevraagd. Hoe meer ik van jouw werk begrijp, van wat Jennifer en de anderen hebben meegemaakt, des te beter zal ik je kunnen bijstaan.'

Daar moest Rush even over nadenken. Na een tijdje knikte hij traag. 'Ik zal een dvd'tje voor je maken. Verder nog iets?'

'Ja. Wat is er zo belangrijk aan die eerste poort?'

'De eerste poort?' Rush leek verbaasd over de plotselinge verandering van onderwerp. 'Dat is de verzegelde ingang van het graf. Stone was op zoek naar hulp om dat zegel veilig te verbreken.'

'Om het zegel veilig te verbreken,' herhaalde Logan. 'Hij is bang voor een valkuil.'

Rush knikte. 'Narmer heeft gigantische moeite gedaan om zijn graf te beveiligen,' zei hij. 'Het ligt dus niet voor de hand dat hij de sleutels zonder slag of stoot uit handen zal geven.'

32

Porter Stones kantoor zag er even smetteloos en minimalistisch uit als bij Logans eerste bezoek. Het enige verschil met toen leek dat de eenzame kalenderpagina van die maand was weggehaald, zodat er nu helemaal niets aan de muur hing.

Stone, die in een radio had zitten praten, zette die uit zodra Logan binnenkwam. 'Jeremy. Ga zitten.'

'Dank u.'

Met zijn koele, onderzoekende blik nam Stone zijn bezoeker van top tot teen op. 'Welnu. Waar wilde je me over spreken?'

'Ik heb me laten vertellen dat het werk goed vordert.'

'Ik ben bijzonder tevreden met de voortgang. De interface met het graf – de luchtsluis – is vastgemaakt aan de omringende rotsbedding. De Navelstreng is van de Muil naar de luchtsluis gespannen. De bekabeling is aangebracht en de buis staat onder druk. De koppeling is stabiel: we hebben een aantal standaard en diagnostische tests uitgevoerd. We hebben een bodemradar van vijfhonderd megahertz de diepte in gestuurd – op afstand bedienbaar. Volgens die radar, in combinatie met de sonarbeelden, moeten er voorbij de eerste poort drie kamers op een rij liggen.'

Hoewel hij het over de vondst van zijn leven had, bleven Stones toon en lichaamstaal rustig en gereserveerd. Alleen de harde glinstering in zijn blauwe ogen deed zijn ware gevoelens vermoeden. 'Alles is zover,' vervolgde hij. 'Het is tijd om het zegel te verbreken en het graf binnen te gaan.'

Logan haalde een hand door zijn haar. 'Wie gaat als eerste naar binnen?'

'Tina. Dr. March. Ethan Rush. Een paar van Frank Valentino's mannen voor het zware sjouwwerk. En ikzelf, uiteraard.' Hij glimlachte. 'Een van de voordelen van het feit dat ik dit uitje heb gefinancierd.'

'Ik zou nog iemand willen adviseren,' zei Logan.

Stone trok zijn wenkbrauwen op. 'O? Wie dan wel?'

'Mijzelf.'

Stones glimlach vervaagde. 'Dat zal helaas niet gaan. Waarom zou ik jou meenemen op een eerste tocht?'

'Om allerlei redenen. Ten eerste maakt dat deel uit van mijn taakomschrijving. U hebt me hierheen gehaald om diverse eigenaardige fenomenen te onderzoeken: we hebben allebei een sterk vermoeden dat dit graf daar op de een of andere manier verantwoordelijk voor kan zijn. Verder ben ik als geen ander in staat deze gebeurtenis te documenteren – en ik weet dat documentatie in de toekomst heel belangrijk zal zijn.'

'Ja. Maar we kunnen toch wachten tot het graf gestabiliseerd is?'

'Nee. Want als er inderdaad een vloek op rust – hoe die zich ook zal manifesteren – dan moet ik er van begin af aan bij zijn. Denk aan Narmers openingszin: "Eenieder die mijn graf betreedt…" Er is nog niemand het graf binnengegaan, maar het Station heeft nu al te kampen met onverklaarde verschijnselen. Als er nog meer komt, zit het er dik in dat dat zal beginnen zodra er mensen het graf ingaan.'

'Daar zit wat in,' zei Stone. 'Een reden temeer dus om te wachten. Waarom zou je je nodeloos blootstellen aan gevaar?'

'Ik heb net als alle anderen alle aansprakelijkheidsdocumenten en afstandsverklaringen ondertekend, daar heeft Ethan Rush wel voor gezorgd.' Logan leunde voorover in zijn stoel. 'En er is nog een argument vóór, dr. Stone. Niemand weet wat er aan de andere kant van die poort ligt. Maar als er iemand aanwezig is om daarmee af te rekenen, dan ben ik dat. U hebt mijn cv gezien. U weet met wat voor… laten we zeggen… bovennatuurlijke toestanden ik in het verleden te maken heb gehad. Niemand is zo goed voorbereid op dat soort zaken als ik. Ik kan u verzekeren dat ik dingen gezien heb waar mensen met minder ervaring beslist niet tegen bestand zijn. U hebt me nodig juist omdát we niet weten wat we daar zullen aantreffen.'

Stone keek hem indringend aan. 'Je vergeet dat ik niet bepaald een beginner ben op dit gebied. Ik heb een behoorlijk aantal graven geopend.'

'Maar geen graf waar zo'n zware vervloeking op rust.' Logan haalde diep adem. 'Laat me mijn werk doen, dr. Stone.'

Stone bleef hem nog even aankijken. Plotseling keerde dat sluwe, bijna heimelijke lachje terug. 'Morgenochtend, acht uur,' zei hij. 'En geen minuut later.'

33

De laatste keer dat Logan het duikplatform had gezien, was op de dag van het duikongeluk geweest. Toen was het bomvol geweest in de enorme, weergalmende ruimte. Nu was het nóg voller. Tien, twaalf mensen zaten de muur vol instrumenten in de gaten te houden, misschien meer; een legertje assistenten en laboranten stond opgewonden te praten in het midden van de hal, samengedromd rond de Muil.

Langzaam liep Logan op hen af. Het reusachtige lcd-scherm waarop eerder het schaakbordmotief van de Sudd-bodem was weergegeven, was nu donker: het had zijn werk gedaan. Hoge palen met natriumlampen stonden rond de Muil opgesteld, de schijnwerpers op de opening gericht. Toen hij dichterbij kwam, zag hij Tina Romero te midden van de menigte staan. Ze zag hem, maakte zich los van de groep en kwam naar hem toe.

'Jij hebt jezelf maar uitgenodigd, hoor ik,' zei ze. 'Stone moet wel echt van je houden.'

Logan haalde even zijn schouders op. 'Hoe kan hij ook anders?'

'Wil je dat echt weten?'

Het werd op luchtige toon gezegd, maar Logan merkte iets stekeligs in haar stem op. Hij wist hoe ze zich voelde, want hij bespeurde het zelf ook: een enorme opwinding dat hij hier aanwezig was op wat misschien de belangrijkste dag in de archeologie zou blijken sinds Schliemanns ontdekking van Troje, maar tegelijkertijd een diepe, allesoverheersende angst voor wat farao Narmer voor hen in petto kon hebben.

Porter Stone stond een eindje verderop met Frank Valentino. Hij keek op zijn horloge en zei iets tegen Valentino, die meteen een megafoon greep. 'Attentie!' blafte hij. 'Mensen, even stilte. Terug naar je werkplek.'

Langzaam, in hun eentje of in kleine groepjes, slenterden de mensen weg van de Muil. Nu kwamen Stone en Valentino aanlopen, samen met twee gespierde sjouwers. Stone knikte naar Tina, en daarna naar Logan. 'Klaar?'

'Ja,' antwoordden ze in koor.

'We pakken het als volgt aan. Valentino's mannen gaan als eersten, en daarna ikzelf, Tina, dr. March, dr. Rush, en dan Jeremy hier. We hebben het merendeel van de apparatuur die we nodig zullen hebben al naar de luchtsluis gebracht. Zodra we nogmaals hebben vastgesteld dat de site veilig is, bekijken we de poort zelf, en daarna boren we een proefgaatje. Pas daarna verbreken we het zegel om naar binnen te gaan. Het is voor het eerst dat iemand dat graf betreedt, dus vandaag houden we het bij een visuele inspectie. Alles wordt op video vastgelegd, maar we komen nergens aan, afgezien van een aantal monsters voor analyse. Daar zorgen Tina en Ethan Rush voor. Is dat duidelijk?'

Tijdens deze speech waren Ethan Rush en Fenwick March komen aanlopen. Er werd alom geknikt.

'Mooi zo. Doe dan je ademapparatuur en je handschoenen aan. We houden contact via de radio.'

Logan volgde Tina's voorbeeld en liep naar een laboratoriumtafeltje op wielen. Daar pakte hij een stel latex handschoenen en trok die aan. Vervolgens nam hij een van de gezichtsmaskers die op een hoop op de tafel lagen en plaatste die over zijn mond en neus. Hij bevestigde de clip van zijn radio aan zijn riem en zette het toestel aan.

De anderen deden hetzelfde; Valentino's mannen en Ethan Rush hadden ook nog een klein zwart rugtasje bij zich, en Tina stond met een compacte videocamera in de hand.

En toen waren ze zover. Stone keek hen een voor een aan, wierp een blik op Valentino's mannen en stak zijn duim naar hen op. Toen de twee naar de Muil toe stapten, ging er tot Logans verbazing een spontaan applaus op onder de diverse laboranten en assistenten; die waren niet naar hun werkplekken teruggekeerd zoals de instructie was geweest, maar stonden op een kluitje bij de grote schuifladder te kijken naar de zeven mensen die zich opmaakten om af te dalen naar het graf.

Logan wachtte en keek hoe Valentino's mannen naar de Muil liepen, de metalen reling grepen, hun benen eroverheen slingerden en uit het zicht verdwenen. Daarna ging Stone, en vervolgens Romero, March en Rush.

En toen was het zijn beurt. Hij haalde diep adem en stapte op de rand van de Muil af. Hij greep de reling en tuurde over de rand.

De laatste keer dat hij dat gedaan had, was de Muil niet meer geweest dan een opening in de onderliggende Sudd, met zwarte, smerig stinkende blubber die tot aan de rand reikte. Nu keek hij een lange, flauw aflopende gele tunnel in, gemaakt van een of ander zwaar, plooibaar materiaal. Een stuk of tien kabels van uiteenlopende diktes en in diverse kleuren liepen als aderen langs de wanden van de tunnel. Deze Navelstreng, zoals de constructie werd genoemd, was iets smaller dan de Muil zelf. Hij was tegen de uitwendige druk van de Sudd beschermd door houten stutten in een overlappend zeshoekig patroon, met ruim een halve meter tussenruimte tussen de stutten. Langs de linkerwand liep een soort katrolsysteem, waarschijnlijk om zwaardere voorwerpen uit het graf omhoog te halen of erin te laten zakken. Een reeks ruitvormige leds liep in een ononderbroken rij langs de bovenrand van de buis, zodat de Navelstreng in een koel licht baadde. In de wand zaten zware hand- en voetsteunen. Onder zich zag hij de anderen hand over hand afdalen naar wat ze de Sluis hadden genoemd.

Hij haalde nogmaals diep adem, pakte de reling, hees zich eroverheen, keek of hij stevig stond en begon omlaag te klimmen.

'Stone hier,' knetterde de stem over de radio. 'Ik heb het buitenste perron van de luchtsluis bereikt.'

Logan daalde dieper af; hij zorgde ervoor dat hij regelmatig bleef ademen. De Navelstreng was smetteloos schoon, geen spoortje modder langs de binnenmuren. De lucht die door zijn masker binnenkwam bevatte maar een vleug van de geur van rottende planten. En toch kon hij geen moment de walgelijke blubber vergeten die aan alle kanten tegen de tunnelbuis aan drukte.

De afdaling zelf kostte hem geen enkele inspanning. Hij had gedacht dat het Station pal boven het graf zou drijven en dat ze als via een ladder loodrecht omlaag moesten. Maar Porter Stone hield overal rekening mee, en had het Station zo geplaatst dat de Navelstreng onder een hoek van vijfenveertig graden liep, zodat mensen relatief gemakkelijk omhoog en naar beneden konden. Onderweg viel hem op dat de houten stutten dikker werden naarmate hij dieper afdaalde, ongetwijfeld als compensatie voor de steeds grotere druk van buiten.

Binnen drie minuten stond hij bij het groepje op het perron voor de luchtsluis. Hij keek nieuwsgierig om zich heen. Het perron werd gevormd door de basis van de Navelstreng: een metalen loopbrug, zo'n drie meter aan weerszijden van de sluis. Daaronder staken vier dikke metalen stutten door het gele materiaal van de buis heen en verdwenen de diepte in, waarschijnlijk verankerd in de bedding van de Sudd. De plekken waar de stutten de onderkant van de buis verlieten, bestonden uit metalen slurven, de randen waren in een brede cirkel hermetisch afgesloten met latex, rubber en smalle stalen banden.

In een hoek van het perron was een aantal grote kisten voor bewijsmateriaal keurig opgestapeld. Daarnaast lag een berg archeologische instrumenten en apparatuur voor het bekijken en stabiliseren van oude vondsten, en zelfs benodigdheden om zaken ter plekke te conserveren.

Drie van de vier wanden van het perron zagen er net uit als de rest van de Navelstreng: met stutten in een zeshoekvorm, en dooraderd door dikke kabels. In de vierde wand zat echter een zware, ronde deur van een ondoorzichtig materiaal, rond als de toegang tot een bankkluis en schijnbaar even ondoordringbaar.

Met zeven personen op het perron was er weinig ruimte over. Even zei niemand iets; ze keken elkaar door het glas van hun snorkels heen aan; er hing een spanning die niemand leek te willen doorbreken. Na een tijdje drukte Stone op de zendknop van zijn radio.

'Stone hier,' zei hij. 'We gaan naar binnen.'

'Roger,' kwam de stem uit het zenuwcentrum boven.

Terwijl Tina Romero de gebeurtenissen filmde, liep Stone naar de zware deur toe. 'Ik maak de Sluis open,' zei hij. Voorzichtig draaide hij vier grote bouten in het ronde paneel los, een op elk van de vier windrichtingen. Hij pakte de dikke hendel midden in de deur vast en trok de deur vrij uit de sponning.

Op onhoorbare scharnieren zwenkte hij open. Net daarachter zag Logan de granietwand die de toegang tot Narmers graf afsloot. De rotsen en modder die de toegang tegen de elementen hadden beschermd waren volledig verwijderd, zodat alleen de lagen graniet en het omringende lavasteen zichtbaar waren: de monding van de vulkanische opening. Een gladde granieten muur glansde in het weerspiegelde licht van de Navelstreng. Afgezien van de twee zegels was er geen enkele markering in de stenen wand te bespeuren. Wat op de videobeelden van de duikers zo ver weg had geleken, zo onwerelds, lag nu pal voor hen, op nog geen meter afstand.

Logan merkte dat zijn hart sneller sloeg, bijna pijnlijk snel. De luchtsluis zelf was met dikke rubber afdichtingen vastgemaakt aan het onregelmatige lavaoppervlak, luchtdicht gemaakt met een of andere chemische substantie en op hun plek gehouden met hetzelfde soort metalen staven waarmee ook het buitenste perron aan de Suddbodem was verankerd.

Nu liepen Stone en Fenwick March naar voren, elk met een vergrootglas en een krachtige zaklamp in de hand. Voor het oog van de andere aanwezigen speurden ze de granietwand centimeter na centimeter af, terwijl ze met hun gehandschoende handen zachtjes tastten en drukten. Het proces nam bijna een kwartier in beslag. Uiteindelijk liepen ze het perron weer op.

'Tina?' zei Stone via de radio. 'Wil jij de zegels bekijken, graag?'

Tina pakte het vergrootglas en de lantaarn van March aan en stapte naar de wand toe. Ze bekeek eerst het bovenste zegel door het vergrootglas, en liet zich toen op haar knieën zakken om het koninklijke zegel aan de onderzijde van de strekken graniet op te nemen. Beide zegels zaten vast met een tweetal bronzen staken, een aan ieder uiteinde, met dunne bronzen draadjes in krullen die Logan deden denken aan een strop. Aan de rechterzijde van elk zegel zat een stuk rossig keramiek ter grootte van een vuist, waarin zowel het draad als de staak vastzaten. Daarin waren de hiëroglifen zelf uitgehouwen.

'En?' vroeg Stone.

'Volledig intact,' zei ze. Logan hoorde een lichte beving in haar stem. 'Maar deze serekh, die heeft iets ongewoons. Die heeft een vorm die ik niet ken.'

'Maar het is zonder enige twijfel Narmers zegel?'

'De hiëroglifen zijn de meerval en de dissel – de rebus voor Narmers naam.'

'Uitstekend. Dan beginnen we.'

Romero kwam overeind. Terwijl zij de camera richtte, kwamen March en Stone naast haar staan. Stone had een klein kistje voor bewijsmateriaal in zijn handen; op de bodem van het kistje lag een laag watten. March had een scalpel en een tang in de hand. Onder het toeziend oog van de anderen, die gespannen zwegen, hief March heel voorzichtig zijn scalpel naar het grafzegel. Langzaam en methodisch bracht hij het lemmet omlaag, dwars over het zegel, en sneed het doormidden. Daarna werkte hij, heel voorzichtig weer, met scalpel en tang het zegel weg van het graniet. De stukken legde hij in Stones kistje.

Logan merkte dat hij zijn adem stond in te houden. Hij blies bewust uit en ademde een teug nieuwe lucht in. Ondanks de spanning van het moment moest hij wel onder de indruk zijn van de zorg waarmee Stone en zijn team niet alleen het hele evenement registreerden maar ook waarmee ze de elementen van het graf conserveerden. Stone was geen schatjager: hier was een behoedzaam archeoloog aan het werk, iemand die het verleden niet wilde kapotmaken maar het wilde bewaren.

Nu begaf het drietal zich naar het grotere koninklijke zegel bij de drempel. March zette zijn scalpel erbovenop. En toen wachtte hij. Er verstreek een minuut, twee minuten.

De spanning in de Sluis werd bijna tastbaar. Dit was het dan: zodra het koninklijk zegel verbroken was, was het graf geschonden. Logan slikte. *Eenieder die mijn graf betreedt zal een zeker en snel einde beleven. Ik, Narmer de Eeuwiglevende, zal hem en de zijnen kwellen, dag en nacht, wakend en slapend, tot waanzin en dood zijn eeuwige tempel zijn.*

'Fenwick?' kwam Stones vriendelijke stem over de radio.

De archeoloog schrok op. Toen bukte hij zich dichter over het zegel en haalde er met een trage snijbeweging het scalpel doorheen, zodat het in tweeën ging.

Ook zonder radio moet de collectieve zucht te horen zijn geweest die op dat moment opging. 'Nu kunnen we niet meer terug,' zei Tina zachtjes.

March nam de twee stukken van het zegel en legde ze in Stones kist. Daarna deden Stone, March en Romero een stap achteruit. Iedere beweging leek zo zorgvuldig gechoreografeerd dat het hele schouwspel aan een ballet deed denken.

Stone richtte zich tot dr. Rush. 'Ga uw gang, doctor.'

Rush stak een hand in zijn rugzak en haalde er een draadloze boor en een dikke boorkop uit, zo'n dertig centimeter lang. Hij draaide de kop in de houder en liep op de granietwand af. Hij koos een plek pal in het midden, zette de boorkop op het steen en startte de motor.

Stone maande de anderen op afstand te blijven terwijl de boor jankte. Na een minuut hoorde Logan het gezoem van de boor plotseling wegvallen; Rush was door de wand heen. Er klonk een zacht fluitend geluid toen er lucht door het boorgat ontsnapte.

De arts drukte een plastic plug in het gat dat hij had gemaakt en legde de boor weg. 'Het graniet is niet bijzonder dik,' zei hij over de radio. 'Een centimeter of tien.' Hij stak zijn hand weer in de rugzak en haalde er een vreemd ogend instrument uit: een lange, doorzichtige buis met een plastic doos eraan waarin een led-display zat. Aan een van de zijkanten van de doos bungelde een rubber zakje. Hij haalde de plug uit het boorgat en stak de doorzichtige buis door de opening. Daarna drukte hij op een knop op de doos, en er klonk enig gezoem terwijl de rubber zak werd opgeblazen. Rush drukte op nog een aantal knoppen en bekeek daarna de led-display.

'Stof,' zei hij via de radio. 'Deeltjes. Een hoog CO_2-gehalte. Maar geen ziekteverwekkende bacteriën.'

Nu begreep Logan waar het apparaat voor diende. Het was het high-tech equivalent van Howard Carter die een kaars aanstak om de lucht te testen die uit het graf van Toetanchamon kwam walmen.

'Schimmelconcentraties?' vroeg Stone.

'Een volledig biologisch onderzoek zal moeten wachten tot ik weer op de afdeling ben,' antwoordde Rush. 'Maar in de veldanalyse is niets opvallends te bespeuren. Er is eerder een opmerkelijke áfwezigheid van schimmels. Het microklimaat in het graf toont geen anaërobe bacteriën en laat acceptabele tellingen zien voor aërobe bacteriën.'

'In dat geval gaan we verder. Maar voor de veiligheid brengen we decontaminatiedouches naar het duikplatform en die gebruiken we zodra we de Navelstreng uit komen.'

Terwijl Rush zijn apparatuur weer in zijn rugzak borg, liep Stone naar het boorgat toe. Hij had iets uit de dozen achter in de luchtsluis gehaald; een vezeloptiekcamera in commandostijl, met een lichtje aan het uiteinde en een lange, buigzame kabel met een bril aan het uiteinde. Hij zette de bril over zijn grote snorkel heen, richtte de punt van de camera op het boorgat en stak het uiteinde naar binnen. Een tijdlang stond hij zwijgend door de bril naar binnen te kijken. Toen verstarde hij plotseling, en hapte naar adem.

'God,' zei hij op schorre fluistertoon. 'Mijn god.'

Hij trok de camera uit het boorgat en zette langzaam de bril af. Hij draaide zich om naar de anderen, en Logan schrok van zijn gezicht. Stones zorgvuldig bestudeerde nonchalance, zijn onverstoorbare kalmte, leken hem verlaten te hebben. Zelfs met zijn gezicht half afgedekt door de snorkel zag hij eruit als iemand die... Met hamerend hart vond Logan het moeilijk Stones uitdrukking te definiëren. Als iemand die zojuist de hemel had aanschouwd, misschien. Of de hel.

Zonder iets te zeggen gebaarde Stone naar de twee helpers. Die kwamen naar voren, een met een kleine elektrische beitel, de ander met een stofzuiger aan een lange slang. Ze nummerden de granietblokken een voor een met krijt, en daarna begon de eerste het pleisterwerk tussen de stenen weg te halen terwijl de ander met de stofzuiger het stof opzoog. Logan nam aan dat deze voorzorgsmaatregel werd getroffen voor het geval het pleisterwerk vergiftigd was.

Zodra het eerste blok van zijn plaats was, vorderde het werk snel. Binnen twintig minuten was een aantal van de granietblokken opgestapeld aan de zijkant van de luchtsluis en was het gat in de ingang van het graf zo groot dat er iemand doorheen kon.

Logan keek naar het gat, naar de duisternis die daarachter lag. Als op een onuitgesproken afspraak had nog niemand met zijn lantaarn naar binnen geschenen; ze wachtten tot ze zelf het graf in konden.

Nu keek Stone om naar de anderen. Hij had zijn stem terug, en leek zich weer min of meer in de hand te hebben. Zijn blik belandde op Tina Romero, en hij stak zijn gehandschoende hand uit naar de donkere opening in de granieten wand.

'Tina?' zei hij over de radio. 'Dames eerst.'

34

Romero knikte. Ze greep haar lantaarn en deed een stap naar voren, waarbij ze met haar lamp de zwarte leegte van het graf in scheen.

Meteen deed ze een wankelende stap achteruit. 'Holy shít!' zei ze. Alle anderen hielden gelijktijdig hun adem in.

In het graf, op luttele centimeters van de opening, stond een afzichtelijk kalkstenen beeld: een schepsel van meer dan twee meter met het hoofd van een slang, het lijf van een leeuw en mensenarmen. Het zat gehurkt, de spieren gespannen alsof het ieder ogenblik door de opening heen op hen af kon springen. Het was in verbluffend levensechte kleuren beschilderd, zinderend na vijfduizend jaar in het donker. De ogen waren ingelegd met carneolen die dreigend glinsterden in het licht van hun lantaarns.

'Jemig,' zei Romero, die van de schrik aan het bekomen was. 'Dat is me de grafwaker wel.'

Ze liep weer op de opening af en liet het licht schijnen over het verontrustende standbeeld. Aan de voeten van het beeld lag een menselijk skelet, met de schamele resten van wat ooit weelderige kleding geweest moest zijn, nog aan de botten klevend.

'Een grafwaker,' zei Romero gedempt via haar radio.

Heel voorzichtig liep ze om het beeld heen, dieper de grafkamer in. Bij iedere stap ging er een wolkje stof op. Even later ging Stone achter haar aan, gevolgd door March, en toen Rush, met zijn apparatuur in de hand. De assistenten bleven op het perron staan. Als laatste kwam Logan. Hij liep langs het granieten zegel, glipte om het beeld en het skelet heen, en ging het graf zelf binnen.

Het was geen grote kamer, een meter of vijf diep en drie meter breed, iets smaller naar het einde toe. De lichtbundels uit hun lantaarns vormden lange, spookachtig aandoende sporen in het opwarrelende stof. De muren waren volledig overdekt met turquoise tegels: faience, besefte Logan algauw. Op de groenblauwe achtergrond krioelde het van de primitieve hiërogliefen en geschilderde afbeeldingen. De lucht voelde opmerkelijk koel en droog aan.

Het graf stond vol keurig opgestapelde grafgiften: rijk bewerkte, gebeeldhouwde en beschilderde stoelen; een enorm hemelbed van verguld hout, een groot aantal ushabti, schitterend gedraaid aardewerk, een met goud beklede kist, geopend zodat de inhoud zichtbaar was: amuletten, kralen en sieraden. Tina Romero liep langzaam het vertrek door en legde alles vast met haar camera. March volgde haar op de voet en betastte hier en daar een voorwerp met zijn gehandschoende vinger. Rush stond zijn draagbare sensor af te lezen. Stone hield zich op de achtergrond en liet alles op zich inwerken. Er werd niet veel gesproken, en het weinige wat gezegd werd, kwam op gedempte, bijna eerbiedige toon. Het leek wel of nu pas het besef doordrong: *we zitten in farao Narmers graf.*

Ook Logan bleef op de drempel staan; samen met Stone keek hij wat de anderen deden. Hij had erop gestaan mee te komen, maar hij was als de dood geweest voor dit moment. Hij had gevreesd dat de kwade geest, die boosaardige sfeer, hier nog sterker zou zijn. Maar er was niets. Nee, dat klopte ook niet helemaal: er leek wel iets te zijn, maar het was bijna of het graf zelf hen in de gaten hield, of het lag te wachten tot…

Tot wat? Dat kon Logan niet zeggen.

March legde met een bijna liefkozend gebaar zijn hand op de turquoise muur. 'Deze gang moet gevormd zijn door uitgestoten magma, heel ruig en scherp. En nu is het oppervlak glad als glas. Denk eens aan de manuren die erin zijn gaan zitten om dat oppervlak zo te polijsten, en dat met de primitieve middelen uit die tijd.'

Tina was voor een lange rij hoge vazen van rossig-rode klei blijven staan, perfect gelijkvormig en met donkerder randen. 'Deze blacktop-vazen kwamen veel voor in de periode van de eenwording van Egypte,' zei ze. 'Die kunnen van nut zijn bij de datering.'

'Ik neem een paar monsters voor de thermoluminescentietests voor de volgende keer dat we hier komen,' zei March.

Even bleef het stil terwijl ze de omgeving in zich opnamen.

'Ik zie geen sarcofaag,' zei Logan met een blik om zich heen.

'Deze buitenste kamer bevat normaal gesproken alleen huishoudelijke artikelen, met misschien wat benodigdheden voor de uitoefening van zijn ambt,' antwoordde Stone. 'Dingen die de farao nodig had in zijn volgende leven. De sarcofaag staat dieper in het graf, waarschijnlijk in de laatste kamer, achter de derde poort. Daar is opgeslagen wat de farao het liefst ongeschonden wilde bewaren.'

Tina knielde voor een grote kist van beschilderd hout met gouden randversieringen. Langzaam en voorzichtig veegde ze het stof van het deksel en tilde het op. Bij het licht van haar zaklamp zagen ze tientallen papyri liggen, strak opgerold en in perfecte staat verkerend. Daarnaast lagen twee stapels beschreven kleitabletten.

'Mijn god,' fluisterde ze ademloos. 'Denk eens wat een massa geschiedenis hierin te vinden moet zijn.'

Stone was naar het vergulde hemelbed gelopen. Het was schitterend, het fonkelde met een bijna onaardse gloed in het licht van hun lantaarns. De diverse, rijk bewerkte onderdelen werden bijeengehouden met enorme bouten: massief goud, zo te zien. 'Moet je die hemel eens zien,' zei hij, en hij wees omhoog. 'Dat stuk verguld hout moet honderden kilo's wegen. Maar alles is perfect bewaard gebleven. Het ziet eruit alsof het gisteren gemaakt is.'

'Hé, vreemd,' zei March. Hij stond naar een schildering op een van de wanden te kijken, een afbeelding van twee eigenaardig ogende voorwerpen. Een zag eruit als een doos met een soort staaf erbovenop waar een koperkleurige vaandel of banier omheen leek te waaien. Het ander was een wit voorwerp, een soort kom met lange slierten goud aan de bovenrand. Rondom de twee objecten was een wirwar van hiëroglifen aangebracht.

'Wat kan dat zijn, denk je?' vroeg Stone.

Tina schudde haar hoofd. 'Ik heb nog nooit zoiets gezien. Niet eens iets wat er ook maar in de verte op leek. Dit is uniek. Het lijken me werktuigen. Een of ander soort instrumenten. Maar ik kan me niet indenken wat je ermee zou kunnen.'

'En de opschriften eromheen?'

Het was even stil terwijl Romero er met haar lantaarn langs scheen. 'Het lijken me waarschuwingen. Dreigementen.' Weer een stilte. 'Ik zal ze boven beter moeten bestuderen.' Ze deed een stap achteruit en richtte haar camera op de schrifttekens.

'Het mag dan iets unieks zijn,' merkte Logan op, 'maar er is hier nog meer van.' Hij wees naar een reliëf aan de muur waar hij bij stond, het grootste reliëf in de kamer. Het stelde een mannelijke figuur op een troon voor, in zijaanzicht, met zijn linkerbeen naar voren zoals gewoon was bij alle oude Egyptische kunst. Hij had fraaie kleding aan: het moest om een belangrijke figuur gaan. Maar vreemd genoeg had hij op zijn hoofd diezelfde twee voorwerpen – de komvormige onderop, de doos met de roede boven. Om hem heen stond een groep hogepriesters, zo te zien.

'Verdomd,' zei March.

'Wat kunnen dat nou zijn?' vroeg Stone. 'Kronen zijn het niet.'

'Misschien een of ander soort bestraffing,' suggereerde Logan.

'Ja, maar kijk hier dan eens.' Tina wees naar een buiten het oppervlak uitstekend detail onder het reliëf zelf. 'Dat is een serekh – de afgebeelde figuur is dus van koninklijken bloede.'

'Is het Narmers serekh?' vroeg Stone.

'Ja. Maar dan op de een of andere manier veranderd, beklad.'

Langzaam begaf de groep zich naar de achterwand. Het licht uit de lantaarns speelde over het oppervlak: een tweede wand van gladgepolijst graniet, de blokken op hun plek gemetseld. Ook hier waren het grafzegel en het zegel van de farao ongeschonden, intact. In tegenstelling tot de eerste deur was deze echter gevat in een sponning van wat zo te zien massief goud was.

'De tweede poort,' zei March bijna eerbiedig.

Ze bleven er een tijdje naar staan kijken, tot Stone de stilte verbrak: 'We gaan terug naar het Station om onze vondsten te analyseren. We sturen een technisch team naar beneden om deze kamer hier te bestuderen, te zorgen dat alles structureel in orde is. En dan…' Hij zweeg, en heel even beefde zijn stem. '… dan gaan we verder.'

35

Het zag er allemaal nog hetzelfde uit: hetzelfde schemerig verlichte lab, met het eenpersoonsbed en de verzameling medische instrumenten. Er hing dezelfde geurenmengeling van sandelhout en mirre; er klonk hetzelfde gemekker van de bewakingsapparatuur. Dezelfde grote, blinkend opgewreven spiegel weerkaatste de kleine knipperlichtjes. Jennifer Rush lag op het bed; haar ademhaling was oppervlakkig, ze verkeerde opnieuw onder de invloed van propofol.

Het enige verschil, bedacht Logan, was dat ze die ochtend het graf van farao Narmer hadden geschonden.

Hij keek hoe Rush de elektroden aan haar slapen bevestigde en de Versed toediende, hij luisterde naar de monoloog waarmee hij de hypnose inleidde. Zelf voelde hij een grote spanning, een diepgewortelde onwil om het trauma van de eerste oversteek nogmaals mee te maken. Maar ditmaal leek de kwaadaardige invloed die hij eerder had gevoeld weliswaar nog aanwezig, maar verder weg, sterk afgezwakt.

Op onhoorbare scharnieren ging de deur open en Tina Romero kwam binnen. Ze knikte naar Rush, glimlachte naar Logan en stapte zachtjes op hem af.

Rush wachtte tot zijn vrouw even in beweging kwam en haar ademhaling moeizamer klonk. Toen zette hij de digitale dictafoon aan. 'Wie spreekt daar?' vroeg hij.

Ditmaal kwam het antwoord onmiddellijk. 'Zegsman van Horus.'

'Hoe heet je?'

'Degene… wiens naam niet genoemd wordt.'

Tina boog zich naar Logan over en fluisterde in zijn oor: 'Er wordt gespeculeerd dat Narmer, toen hij farao werd, niet meer toestond dat zijn koninklijke naam werd uitgesproken. Op straffe des doods.'

Rush bukte zich naar de roerloze gestalte van zijn vrouw en zei zachtjes: 'Wie was die figuur – die figuur die het graf bewaakte?'

'Gij... hebt mij bezoedeld.' De stem was ditmaal niet boos. Hij klonk eerder verdrietig, somber zelfs. 'Gij hebt mijn gewijde huis ontheiligd.'

'Wie is die bewaker?' vroeg Rush opnieuw.

'De eter... der zielen. Hij die vertoeft in het tiende deel van de nacht. De dienaar van Ra.'

'Maar wie...?'

'Hij komt u halen, de grafschenners. De ongelovigen. Uw ledematen worden... van uw romp gescheiden, uw lijn gebroken. Geb zal zijn voet op uw hoofd zetten... Horus zal u neersabelen...'

'Wat was die afbeelding in de schildering in het graf?' vroeg Rush op beheerste toon. 'Dat, ehm, versiersel op het hoofd van die man?'

Een korte stilte. 'Dat wat leven brengt aan de doden... en dood aan de levenden.'

Rush dempte zijn stem nog verder. 'Wat kun je me vertellen over de tweede poort?'

'Wanhoop... Uw einde nadert snel... op geklauwde voeten.' En na die woorden slaakte Jennifer Rush een lange, diepe zucht, draaide haar gezicht naar de muur en zei niets meer.

Rush zette de dictafoon uit, stak hem in zijn zak en onderzocht zijn vrouw zorgvuldig. Met gefronst voorhoofd draaide hij zich om naar de bewakingsapparatuur aan het voeteneinde.

'Wat is er?' vroeg Logan.

'Dat kan ik niet goed zeggen,' zei Rush, terwijl hij naar de metertjes tuurde. 'Heel even nog.'

'"Geb zal zijn voet op uw hoofd zetten,"' herhaalde Tina. 'Dat klinkt als een parafrase van de Piramideteksten. Spreuk 354 of 356, geloof ik. Maar hoe kan zij daarvan weten?'

'De Piramideteksten?' vroeg Logan.

'De oudste religieuze documenten ter wereld. Litanieën en magische spreuken uit het Oude Rijk, die alleen mochten worden uitgesproken door de farao's en hun familie.'

'Narmer,' zei Logan zachtjes.

'Als dat zo is, als ze uit Narmers tijd stammen, dan zijn ze nog ouder dan tot nu toe is aangenomen; minstens zevenhonderd jaar ouder.'

'Waar gingen die teksten over?'

'Over het reanimeren van het lichaam van de farao na zijn dood, hoe zijn lijk beschermd moest worden tegen plundering, hoe de farao veilig naar het volgende leven kon oversteken... alles wat de oude Egyptische vorsten maar bezighield.'

Logan besefte dat ze stonden te fluisteren. 'Wat zei ze over dat ornament in die wandschildering?'

'Dat het leven bracht aan de doden, en dood aan de levenden,' antwoordde Tina.

'Wat kan dat betekenen, denk je?'

'Waarschijnlijk pure onzin. Daarentegen waren de Egyptische farao's volledig gefascineerd door bijna-doodervaringen, wat zij "het tweede deel van de nacht" noemden.'

'Het tweede deel van de nacht,' zei Logan als in zichzelf. 'Jennifer had het ook over een deel van de nacht.'

Rush keek op van zijn instrumenten en wierp een blik op hen. 'Tina,' zei hij, 'zou je Jeremy en mij heel even willen excuseren?'

Tina haalde haar schouders op en ging op weg naar de deur. Met haar hand op de klink draaide ze zich om.

'Ik hoop dat dit de laatste keer is dat je haar dit aandoet,' zei ze. En met die woorden verdween ze, de deur zachtjes in het slot trekkend.

In de stilte die op haar vertrek volgde keek Logan naar Rush. 'Wat is er?'

'Het duurt langer voordat ze bijkomt,' zei hij. 'Ik weet niet goed waarom.'

'Hoe lang duurt het normaal gesproken?'

'Meestal is ze vrijwel meteen weer bij. Maar die laatste oversteek, waar jij bij was... toen kostte het haar bijna tien minuten om goed wakker te worden. Dat is niet normaal.'

'Kun je haar iets geven?'

'Dat probeer ik liever niet. In het Centrum hebben we ook nog nooit iets hoeven geven. Propofol werkt maar zo kort dat ze al een tijd geleden bij bewustzijn had moeten komen.'

Het bleef even stil. Plotseling veerde Rush op alsof hij zich iets herinnerde, en viste een schijf uit de zak van zijn witte jas.

'Hier had je om gevraagd,' zei hij. 'Medische dossiers, klinische experimenten, en onderzoeksuitslagen van ons werk in het Centrum. Uitermate vertrouwelijk behandelen, graag.'

'Uiteraard. Bedankt.'

Rush keek weer naar zijn vrouw. Tegelijkertijd liepen beide mannen naar het hoofdeinde van het bed.

'Ik denk dat ik zelf een sessie met haar inplan,' zei Logan. 'Morgen, met jouw welnemen.'

'Hoe eerder, hoe beter,' antwoordde Rush.

36

De communicatieruimte lag diep in het hart van Rood, in dezelfde gang als het onderstation waar Perlmutter luttele dagen geleden zijn bijna-dodelijke elektrische schok had gekregen. Het was een relatief kleine ruimte, volgebouwd met elektronische apparatuur waarvan Logan de bedoeling niet eens kon raden.

Jerry Fontaine, het hoofd van de afdeling Communicatie, was een zwaargebouwde man met een verschoten kaki broek aan en een roze overhemd met korte mouwen. De witte katoenen zakdoek in zijn rechterhand kreeg geen moment rust: ofwel hij werd zenuwachtig samengebald in Fontaines kolenschep van een hand, ofwel er werd mee over diens voorhoofd gewist, waarop eindeloze zweetdruppels zich bleven aftekenen.

'Hoe is het met Perlmutter?' vroeg Logan terwijl hij een notitieboekje opensloeg en plaatsnam in de enige onbezette stoel van het vertrek.

'Volgens de dokter kan hij morgen weer aan het werk,' antwoordde Fontaine. 'Goddank.'

Logan haalde een map uit zijn tas en opende die. 'Vertelt u mij eens wat over die verschijnselen die u hier hebt gezien.'

Weer bette Fontaine zijn voorhoofd. 'Het is nu al tweemaal gebeurd. Laat op de avond. Dan hoor ik de apparatuur aangaan, gepiep en geknipper, terwijl alles uit zou horen te staan. Want hier wordt alleen overdag gewerkt.'

'Waarom is dat?' informeerde Logan.

'Omdat Perlmutter en ik de enigen zijn die het centrum bemannen. En wij gebruiken het bijna als een soort telegraafkantoor – op Stones orders. Ieder verzoek om iets op het internet op te zoeken, telefoontjes naar het hoofdkantoor, alles moet via ons. En er wordt alleen in noodgevallen 's nachts gewerkt.'

Stone en zijn gebruikelijke hang naar geheimhouding, dacht Logan.

'Wat voor machines gaan er dan precies aan?'

'Een van de satelliettelefoons.'

'Eén van de satelliettelefoons? Zijn er dan meerdere?'

Fontaine knikte. 'We hebben er twee. Een NNR Globaleye voor de geosynchrone satelliet, en de LEO.'

'De LEO?'

'De Low Earth Orbit-satelliet, die dus in een lage baan om de aarde draait. Terrastar. Goed voor zendingen met een grote bandbreedte.'

Logan schreef iets in zijn notitieboek. 'En welke hoorde u aangaan?'

'De zender voor LEO.'

Logan keek naar de onbegrijpelijke apparatuur, vol knoppen en meters. 'Kunt u me die aanwijzen?'

Fontaine wees naar een toestel in een stelling pal naast hem. Geborsteld grijs metaal met een ingebouwd toetsenblok en een hoofdtelefoon. Logan haalde de ionenteller uit zijn tas, hield die voor de satelliettelefoon en bekeek de display.

'Wat doet u?' vroeg Fontaine.

'Even iets controleren.' De uitslag was normaal; Logan borg de teller weer weg.

Hij keek naar Fontaine. 'Kunt u me wat meer details geven?'

Weer een haal met de zakdoek. 'De eerste keer was, eens kijken, zowat twee weken geleden. Ik was iets vergeten en ik kwam hier terug vlak voordat ik naar bed ging. Er piepte iets, gevolgd door de elektronische ruis van de LEO.'

'Hoe laat was dat?'

'Om halftwee in de ochtend.'

Logan noteerde het. 'Ga verder.'

'De tweede keer was eergisternacht. Omdat Perlmutter in de ziekenboeg ligt, moet ik nu alles in mijn eentje doen. Ik had wat achterstallige klusjes, dus kwam ik na het avondeten terug om die af te maken. Dat duurde langer dan ik verwacht had. Ik maakte net de laatste aantekeningen in het logboek toen dat gepiep weer begon en de LEO aanging. Ik schrok me beroerd, dat kan ik u wel zeggen.'

'En hoe laat was dat?'

Fontaine dacht even na. 'Halftwee. Net als de vorige keer.'

Behoorlijk punctueel voor een mechanische klopgeest, dacht Logan. 'Hoe werkt die telefoon precies?'

'Simpel. Je brengt de verbinding met de satelliet tot stand, je controleert de cijfers voor up- en downstream. En dan hangt het ervan af wat je wilt verzenden. Analoog, digitaal, stem, een webpagina, e-mail, noem maar op.'

'En ik neem dus aan dat de telefoon geen ingebouwde timer heeft – hij kan niet zichzelf aanzetten om berichten te verzenden of te ontvangen.'

Fontaine knikte.

'Houdt u een logboek bij van alle communicatie per satelliettelefoon?'

'Uiteraard. Dr. Stone wil overal logs van – van wie het verzoek afkomstig was, waar de zending heen is gestuurd, wat het was.' Hij klopte even op een rij dikke mappen op een plank achter zich.

'Heeft de telefoon ook een eigen, inwendig log?'

'Ja. In de flash-RAM. Die moet je handmatig wissen vanuit het bedieningspaneel.'

'Wanneer is dat voor het laatst gebeurd?'

'Dat is nog niet gedaan. Niet sinds we hier begonnen zijn. Daar heb je een wachtwoord voor nodig.' Fontaine fronste zijn wenkbrauwen. 'U denkt toch niet...' Zijn stem stierf weg.

'Ik denk,' zei Logan zachtjes, 'dat we eens naar dat interne log moeten kijken. Nú.'

37

Toen Logan de oproep kreeg voor een vergadering in Vergaderkamer A voor een bespreking van de eerste betreding van het graf de vorige dag, had hij aangenomen dat de groep even groot zou zijn als bij de vorige bespreking, over het ongeluk met de generator. Maar de grote zaal was zo goed als verlaten. Fenwick March was er met een van zijn assistenten, Tina Romero, Ethan Rush, Valentino, en een of twee anderen die hij niet herkende.

Logan keek naar het groepje en besloot dat hij zijn ontdekking misschien toch ter sprake kon brengen.

Stone kwam binnen, op de voet gevolgd door zijn persoonlijke secretaris. Stone sloot de deur en liep langs de twee halve kringen van stoelen de ruimte door. Voor het whiteboard bleef hij staan.

'Aan de slag,' zei hij energiek. 'Houd uw verslagen kort en terzake, graag. Fenwick, ik begin met jou.'

De archeoloog rommelde even in zijn papieren en schraapte zijn keel. 'We zijn al begonnen met een inventarislijst op basis van de videoanalyse van de eerste kamer. Onze epigraficus is begonnen met het vastleggen van de inscripties. En zodra dr. Rush toestemming geeft, sturen we een prospector omlaag voor een gedetailleerde beschrijving van de afmetingen en inhoud van de ruimte.'

Stone knikte.

'Onze kunsthistoricus is bezig geweest met een analyse van de schilderingen. Naar haar mening – tot nu toe uiteraard alleen op de videobeelden gebaseerd – behoren deze tot de oudste bekende Egyptische grafschilderingen, bijna even oud als het Beschilderde graf 100 in Hiërakonpolis.'

'Uitstekend,' zei Stone.

'Bij visuele inspectie lijken de artefacten in uitstekende staat te verkeren, zeker gezien hun leeftijd, maar er zijn er enkele die zichtbaar baat zullen hebben bij zorgvuldige stabilisatie en restauratie. De blacktopvazen en enkele van de amuletten, bijvoorbeeld. Wanneer kunnen we beginnen met labelen en verwijderen?'

Romero liet een boos gesis horen.

'Alles op zijn tijd, Fenwick,' antwoordde Stone. 'De kamer moet worden gerasterd, in kaart gebracht en veilig verklaard. En dan kunnen we naar de artefacten zelf gaan kijken.'

'Ik hoef u er niet aan te herinneren dat we maar weinig tijd hebben,' merkte March op.

'Nee, dat hoef je inderdaad niet. Daarom gaan we zo snel mogelijk te werk. Maar we gaan de dingen niet afraffelen en ofwel het graf ofwel ons eigen leven op het spel zetten omdat we te veel haast hebben.' Stone richtte zich tot Romero. 'Tina?'

Romero ging even verzitten. 'Het is wat vroeg voor eenduidige conclusies. En natuurlijk moet ik de tabletten en papyri beter bestuderen. Maar wat ik tot nu toe heb ontdekt is enigszins verwarrend.'

Stone trok zijn voorhoofd in rimpels. 'Verklaar je nader.'

'Tja…' Romero aarzelde. 'Sommige van die inscripties lijken wat grof te zijn uitgehouwen en geschilderd – alsof de schrijver haast had.'

'Je vergeet dat we het over een archaïsche periode hebben,' snoof March. 'De eerste dynastie. De decoratieve kunsten stonden nog in de kinderschoenen.'

Romero haalde haar schouders op, zichtbaar onaangedaan. 'Hoe dan ook, een groot aantal van de voorwerpen en de inscripties zijn uniek in de Egyptische geschiedenis. Er wordt gesproken over goden, praktijken, rituelen en zelfs overtuigingen die in tegenspraak zijn met de conventionele kennis, met wat in latere perioden volgde – de Middenperioden, het Nieuwe Koninkrijk.'

'Dat is me niet duidelijk,' zei Stone.

'Het is lastig te beschrijven, omdat het allemaal zo nieuw en onbekend is, en ik ben nog maar kort bezig met de analyse. Maar het lijkt wel of…' Weer zweeg ze even. 'Toen ik die inscripties voor het eerst bekeek, toen ik de namen van de aangeroepen goden zag, het geslacht, de volgorde van de rituelen, dat soort dingen, toen leek het wel of… of Narmer het fout had. Tot ik besefte dat dat natuurlijk niet kon: Narmer was de eerste: dit is zonder enige twijfel het oudste graf van een Egyptische farao dat ooit gevonden is. Ik kan dus alleen maar aannemen dat, tja, dat de overdracht van

Narmers overtuigingen en rituelen naar volgende generaties niet vlekke-
loos is verlopen. Het lijkt wel of zijn nakomelingen niet begrepen wat
Narmer wilde bereiken en zijn handelingen dus ritueel na-aapten zonder
te begrijpen wat ze deden. Kijk, sommige aspecten van de oud-Egyptische
rituelen doorgronden wij nog steeds niet, dingen die met elkaar in tegenspraak lijken. Het is dus heel goed mogelijk dat we, als we die aspecten opnieuw bekijken in het licht van Narmers "origineel", plotseling de ver-
schillen kunnen aanwijzen en verduidelijken. Zodra ik wat verder ben
met mijn analyse weet ik meer. Maar hoe je het ook bekijkt, dit gaat de
Egyptologie voorgoed omverwerpen.'

Stone wreef over zijn kaak. 'Spannend. En ben je al verder met die...
die grafwaker?'

'Eerst dacht ik dat het een afbeelding moest zijn van Ammut – de Eter
der Harten – die, althans volgens latere Egyptische overtuiging, de on-
waardige zielen naar de Verslinder der Zielen stuurde. Tot ik besefte dat de
morfologie niet klopte. Het is een hypothese, maar ik denk dat dit een
ruwe en heel primitieve weergave kan zijn van de god die in het Midden-
rijk bekend zou worden als Aapep. In later jaren zou hij worden afgebeeld
als krokodil of slang. Dit stemt overeen met de figuur die we zagen. Aapep
was de god van duisternis, chaos, een eter van zielen, de verpersoonlijking
van het kwaad. Interessante keuze als babysitter.' Ze zweeg even. 'Misschien zien we hier een heel vroege versie van deze god, voordat Amemit
en Aapep volledig identieke identiteiten hadden ontwikkeld.'

Logan zag dat Rush even zijn blik ving. De eter der zielen, dacht Logan.
Dat was de god waarover Jennifer het ook had gehad. Hoe kon ze dat hebben geweten, vroeg hij zich af, tenzij een stem uit het verre verleden haar
dat had verteld? De arts keek vermoeid – en dat verbaasde Logan niets.
Het had bijna twee uur geduurd voordat Jennifer was bijgekomen na de
oversteek van de vorige dag.

'We weten natuurlijk niet precies,' ging Romero verder, 'wat de rol van
deze godheid is binnen Narmers theogonie – of waar hij in zo'n vroege
periode voor stond.'

'En die grote schildering in het graf?' vroeg Stone. 'Waar iemand op-
staat die voor een of ander soort straf lijkt te staan?'

'Daarover weet ik nog niets meer dan gisteren. Sorry. Het is een onderwerp waar ik absoluut geen verstand van heb.'

'En de tweede poort?'

'Voor zover ik na visuele inspectie kan zeggen lijkt het koninklijke zegel
identiek aan het eerste.'

'Dank je.' Stone keek naar dr. Rush. 'En jij, Ethan?'

Rush ging iets rechterop zitten en kuchte even. 'Ik ben klaar met mijn analyse van de atmosfeer, het stof dat we ter plekke hebben gevonden, en gruis van het pleisterwerk. Alles lijkt inert. Een relatief hoge concentratie aan schimmelsporen en pollen, maar niets om bang voor te zijn, zolang de blootstellingstijden beperkt blijven. Dit valt natuurlijk met zorgvuldig schoonmaken te verhelpen. Ik heb geen bewijs gevonden voor gevaarlijke bacteriën, virussen of schimmels. Zolang decontaminatie nog niet voltooid is, adviseer ik N95 mondkapjes voor het uitfilteren van deeltjes, in combinatie met latex handschoenen. Maar dat maakt deel uit van de standaardprocedures.'

'Gif?' vroeg Stone.

'Ik heb niets kunnen vinden.'

Stone knikte dat hij tevreden was, en richtte zich tot een van de anderen. 'GPR-rapport?'

Een magere, nerveus ogende jongeman leunde voorover en duwde zijn bril omhoog op zijn neus. 'Bodemradaronderzoek van de tweede kamer toont een grote massa, zo te zien één enkel voorwerp, dat circa vier meter lang is en twee meter hoog. Daaromheen staan vier kleinere, identieke voorwerpen.'

Even bleef het stil.

'Een sarcofaag,' zei March zacht.

'En de vier canopische vazen,' vulde Romero aan.

'Misschien.' Stone fronste zijn wenkbrauwen. 'Maar in de tweede kamer, niet in de derde?'

'Er lijken nog diverse objecten aanwezig te zijn,' zei de jongeman. 'Maar door de ruis in het signaal kunnen we die moeilijk onderscheiden.'

'Prima.' Stone dacht even na. 'We gaan de rest van de dag door met het beveiligen, stabiliseren en decontamineren van kamer 1. En morgenochtend vroeg gaan we meteen door naar de tweede poort. Als een van jullie intussen bij je analyses iets ongewoons tegenkomt, laat je het meteen weten.'

Hij wendde zich tot Logan. 'En nu we het daar toch over hebben: heb jij hier iets aan toe te voegen, Jeremy?'

'Ja. Gisteravond heb ik Fontaine gesproken. Die meldde dat een van de elektronische apparaten op zijn afdeling zich vreemd gedraagt – af en toe gaat het ding spontaan aan, werkt wanneer het uit had moeten staan, en doet dit zonder menselijke tussenkomst.'

Heel zachtjes floot Romero de tune van *The Twilight Zone*.

'Het apparaat in kwestie is een van de satelliettelefoons. Toen ik erachter kwam dat beide voorvallen zich hadden voorgedaan om halftwee 's nachts, heb ik Fontaine gevraagd het flashgeheugen van het toestel te controleren.'

'En?' vroeg Stone.

'Het interne log meldde een totaal van vier niet-aangevraagde satelliet-uplinks, elk om exact 01.34 uur plaatselijke tijd. De uplinks bestonden uit versleutelde e-mails, elk naar een doorstuurservice, zodat ze niet te traceren zijn.'

Er viel een geschokte stilte.

Stones gezicht was asgrauw geworden. 'Hoe kan dat? Niemand heeft toegang tot de satelliettelefoons. Die kunnen alleen worden gebruikt door de mensen van de afdeling zelf.'

'Verder onderzoek van de telefoon toonde aan dat hij was uitgerust met een extra, handgemaakt moederbord. Fontaine is bezig dat bord te bestuderen met een oscilloscoop en een signaalgenerator, maar de functie lijkt te zijn om tekstberichten te onderscheppen uit het draadloze netwerk van het Station, die te versleutelen en laat in de avond naar de satelliet te versturen, als er niemand meer op de afdeling aanwezig is. Vervolgens stuurt de satelliet de berichten door naar de eindbestemming.'

Een tweede, nog langere stilte. Logan zag de aanwezigen ongemakkelijke blikken wisselen.

'Wie weten hiervan?' vroeg Stone.

'Fontaine, ikzelf, en nu ook de aanwezigen hier.'

Stone likte aan zijn lippen. 'Dit blijft onder ons. Begrepen? Niemand anders krijgt dit te horen.' Hij schudde zijn hoofd. 'Jezus nog aan toe. Een spion.'

'Of een saboteur,' zei Romero.

'Of allebei,' voegde Logan daaraan toe.

38

Achter Porter Stone aan klom Tina Romero hand over hand via de Navelstreng de diepte in. Bij deze afdaling droeg ze geen snorkel, alleen een N95-kapje, en dus kreeg ze een vage geur en smaak van rottende planten binnen. Tijdens de afdaling werd het koeler, tot ze kippenvel op haar armen had tegen de tijd dat ze op het perron bij de luchtsluis stonden.

Een bewaker groette hen beiden met een hoofdknik. Sinds Logans ontdekking van de stiekeme mailverzending had Stone, die normaal al behoorlijk obsessief kon doen over geheimhouding, de gebruikelijke bewaking verdubbeld. Behalve de bewaker die dag en nacht bij de Muil stond, had hij nu ook een bewaker op het perron gezet. Verder waren er videocamera's opgesteld, die in de gaten werden gehouden door Corey Landau en de overige techneuten in Operations.

Tina glimlachte ietwat grimmig in zichzelf. Ondanks Stones smeekbedes, dreigementen en keiharde eisen dat er geen woord naar buiten mocht lekken, hadden berichten van de saboteur – of de bedrijfsspion – op grote schaal het Station verlaten. Het was wel ironisch: er heerste natuurlijk enige consternatie, maar ook een zekere besmuikte opluchting. Ze had zich afgevraagd: als er een saboteur aanwezig was, zou die dan soms ook achter de onverklaarbare gebeurtenissen zitten?

Er klonk enig gekletter boven haar hoofd en Fenwick March kwam bij hen op het perron staan, gevolgd door twee van Valentino's helpers, allebei met stukken van een roestvrijstalen balkenconstructie onder hun armen.

Stone nam het groepje even op. 'Juist,' zei hij achter zijn masker. 'Dan gaan we maar.'

De bewaker pakte een op batterijen werkende lier van het metalen hekwerk, en het zestal liep op de opening van het graf af. Tina zag dat de rest van de granieten wand zorgvuldig was verwijderd en dat de eerste poort nu helemaal open was. Ze hees haar videocamera omhoog. Dit was nog maar haar tweede tripje naar beneden. March was er al herhaalde malen geweest; Stone was nog tweemaal het graf in gegaan om toezicht te houden op de opening van de tweede poort.

Toen ze de eerste kamer in stapte, zag ze dat er uit voorzorg steunbalken waren geplaatst: in de lengterichting, van de ene grafwand naar de andere. Het standbeeld van Aapep de grafwaker was afgedekt met een zeil, en daar was Tina blij om: het was zo'n levensechte afbeelding, en Aapep zag er zo bloeddorstig uit, dat ze zich niet op het weerzien had verheugd, ook al was ze zich bewust van de onschatbare waarde van het beeld.

De kamer waar het die eerste keer zo schemerig was geweest, was nu hel verlicht met hogedruknatriumlampen, en opnieuw stond ze versteld over de schoonheid en de opmerkelijk goede toestand van de artefacten. Tot haar irritatie zag ze dat een groot aantal van de interessantste en belangrijkste stukken al weggehaald was: daar lagen tijdelijk archieflabels voor in de plaats. Dat moest March gedaan hebben, dacht ze: die klootzak stond altijd te popelen om oudheidkundige vondsten in zijn vurige tengels te krijgen. Als hij zijn zin kreeg, zou alles wat hij vond volledig leeggeroofd worden, zonder dat er ook maar iets achterbleef waaraan te zien was hoe het er ooit uitgezien had. Haar eigen filosofie was juist het tegengestelde: bekijken, stabiliseren, analyseren, beschrijven, documenteren – en dan, als alles veiliggesteld was, precies zo achterlaten als ze het gevonden hadden.

De achterwand van de eerste kamer ging nu schuil achter een plastic zeil. Daar weer achter heerste volkomen duisternis. De tweede poort was al in zijn geheel verwijderd, wist ze, maar er was nog niemand in kamer 2 binnengegaan. Dat zouden zij nu als eersten gaan doen.

Zonder een woord te zeggen knikte Stone naar de twee sjouwers. Die kwamen naar voren en haalden voorzichtig het plastic laken weg, vouwden het op en legden het op de grond. Daarachter lag een lege, zwarte rechthoek.

Stone liep naar de tweede poort toe. Tina volgde, met March direct op haar hielen. Hier, bij de ingang van kamer 2, werd Tina nu een stel vage omtrekken gewaar. Ze kreeg een droge mond.

'Haal eens zo'n schijnwerper,' zei Stone.

Een van de dragers reed de lamp naar de groep toe. En op dat moment begon de hele kamer plotseling te fonkelen en te stralen.

Het leek wel of iemand de zon had aangezet. De kamer glinsterde zo hevig dat Tina haar blik moest afwenden.

'God,' prevelde Stone met verstikte stem. Opnieuw was zijn fineer van afstandelijkheid weggevallen onder de betovering van Narmers graf.

Toen Tina's ogen aan het licht gewend waren, kon ze de details in kamer 2 ontwaren. Ze tilde de videocamera op en begon te filmen. Ieder oppervlak – muren, vloer, plafond – was overdekt met, naar het scheen, puur goud. Dat was de oorsprong van die onvoorstelbaar heldere glans. Hoewel het vertrek maar iets kleiner was dan de eerste kamer, stond er veel minder in. Er waren inderdaad vier canopische vazen van calciet, waarin de ingewanden van de gemummificeerde farao zaten. Voor iedere vaas stond een kistje, zo te zien ook van puur goud. Een van de wanden vertoonde een grote schildering van Narmers overwinning op de koning van Opper-Egypte. Op een andere schildering was Narmer te zien op een ligbed, kennelijk al in zijn graf, terwijl er een begrafenispriester met hem bezig was. Er stonden twee schrijnen tegenover elkaar tegen twee wanden van de kamer. Op elk was in verzonken reliëf een serekh aangebracht van Narmer met zijn koningsnaam: *niswt-biti*, farao van Opper- en Neder-Egypte. Grappig, dacht ze: Egyptologen konden de taal lezen, maar de uitspraak bleef een raadsel. Hoewel deze formulering het vaakst voorkwam in de fonetische spelling *nzw*, bijvoorbeeld in de Piramideteksten, was hier de vrouwelijke uitgang *t* gehandhaafd. Vreemd. Maar goed, er was wel meer vreemd aan wat ze tot nu toe gezien had over Narmer en diens graf. Er was zo veel wat verrassend modern was – in oud-Egyptische termen, dan. De begrafenis in een graf, de koninklijke zegels, de grafgiften, de hiërogliefische berichten die zo sterk deden denken aan het Boek der Doden – al die elementen deden denken aan het middelste en het nieuwe koninkrijk, niet aan de archaïsche periode, de eerste dynastie van de vroegste farao's. Het leek wel of Narmer zijn tijd eeuwen vooruit was geweest en of zijn kennis, praktijken, ontdekkingen en openbaringen met hem gestorven waren, om pas duizend jaar later herontdekt te worden door de piramidebouwers…

Ze zette die gedachten uit haar hoofd en richtte haar aandacht op de videocamera. Boven op de twee schrijnen stonden diverse offeranden: amuletten; schitterend vervaardigde messen van vuursteen; beeldjes van albast, ivoor, en ebbenhout. Maar het opvallendste voorwerp stond midden in de kamer: een enorme sarcofaag in een heel ongebruikelijke kleur lichtblauw graniet, onbeschilderd – wat ook uiterst ongebruikelijk was –

en in volkomen perfecte conditie. Veel beter, bijvoorbeeld, dan het gebarsten exemplaar rond Toetanchamons grafkist. Het graniet was bewerkt in een prachtig, fijn gedetailleerd filigrain. Aan het hoofdeinde van de sarcofaag stond een beeld van een reusachtige valk met wijd gespreide vleugels, de gestileerde klauwen in de stand van de wijzers van een klok op vijf en zeven uur; deze hield ceremonieel de wacht over het lichaam van de koning.

De anderen hadden zwijgend staan kijken, met stomheid geslagen door de schitterende aanblik. Nu deed Stone een stap naar voren. Hij liep een beetje stijf, alsof hij houten benen had. Hij inspecteerde de kamer even en liep op de vier kleine gouden kistjes af.

'Deze kistjes, zoals ze hier voor de canopische vazen staan,' zei hij afwezig, meer in zichzelf dan tegen de anderen. 'Daar had ik nog nooit van gehoord.' Hij knielde voor het dichtstbijzijnde, bestudeerde het zorgvuldig en raakte het hier en daar heel even aan met een in latex gehulde hand. Na een tijdje tilde hij, heel behoedzaam, het deksel op. Tina hield haar adem in. Vanuit de kist fonkelde hen een bijna uitpuilende schat aan edelstenen tegemoet: opaal, jade, diamant, smaragd, parels, robijnen, saffieren, tijgeroog... een haast obscene rijkdom.

'Grote goedheid,' mompelde March.

Tina had de videocamera laten zakken om beter te kunnen kijken. 'De helft van die edelstenen was niet eens bekend bij de oude Egyptenaren,' zei ze. 'Althans, niet in die vroege periode.'

'Narmer moet handelsroutes hebben gevonden die in verval zijn geraakt na zijn rijk,' antwoordde Stone, nog steeds op eerbiedig gedempte toon.

Tina likte aan haar droge lippen. Voor haar ogen lag zo'n onwerkelijk aandoende schoonheid dat ze er met haar verstand niet bij kon. Het was fysiek onmogelijk dit alles in zich op te nemen.

Stone keek naar Tina. 'En die twee schrijnen? Zo'n opstelling heb ik nog nooit gezien.'

'Ik zou ze beter moeten bestuderen. Maar ik denk dat ze misschien een tweeledige functie hebben. Het zijn niet alleen schrijnen, maar ook symbolen van de grootste beproeving die Narmer in zijn overtocht door de Onderwereld zal meemaken: de Zaal van de Twee Waarheden. Ervan uitgaande dat ze daar in die vroege periode al in geloofden. Daar staat tegenover dat dit iets unieks is; als ze al een dubbel doel dienen, dan is dat in de dynastieën na Narmer verloren gegaan.'

'Symbolen, zei je?' herhaalde Stone.

'Bijna alsof ze dienstdeden als simulatie van de Zaal der Twee Waarheden. Een soort oefening, zeg maar.'

'Maar dat hebben we nog nooit gezien,' zei March.

Tina gebaarde door de grafkamer alsof ze wilde zeggen: *Dat geldt toch zeker voor dit hele graf?*

De sjouwers waren nu de roestvrijstalen draagconstructie aan het opzetten. De bewaker maakte de lier eraan vast en startte op een teken van Stone de motor. Even daverde er een gebrul door de grafkamer, dat vervolgens afnam tot een laag dreunen. De sjouwers maakten de enterhaken vast aan de randen van het sarcofaagdeksel en tilden langzaam, heel langzaam, het deksel weg en opzij, voordat ze het voorzichtig op de grond lieten zakken.

De bewaker zette de motor uit en iedereen, zelfs de sjouwers, dromde rond de stenen kist samen. In de sarcofaag lag een lijkwade van een onbekend materiaal, in een complex patroon geweven. Stone stak er zijn hand naar uit. Toen zijn handschoen contact maakte met het textiel, verkruimelde het tot grijs stof.

Er klonk een gemompel van ontzetting, dat echter algauw overging in kreten van verbazing. Onder het stof was een lijkkist zichtbaar geworden in de sarcofaag: een lijkkist van zuiver goud, het oppervlak gebeeldhouwd als het portret van een koning in een schitterend gewaad.

Zonder iets te zeggen pakten Stone en March het deksel van de binnenste kist bij de handvatten beet en trokken het opzij. Daarin lag een mummie, dik ingepakt in lakens. Over het oppervlak waren lotusbladeren gestrooid. Op het gezicht lag een gouden masker, gedreven in de vorm van het autoritaire, bijna strenge gezicht van de god-koning.

De mummie wasemde een vage geur van stof en bederf uit, maar Tina merkte het niet. Met de camera in de hand en met bonzend hart boog ze zich eroverheen.

'Narmer,' fluisterde Stone.

39

'Ik hoor van Ethan dat jij nooit praat over je bijna-doodervaring,' zei Logan.

Jennifer Rush knikte. Ze zaten tegenover elkaar in Logans kantoor. Het was al heel laat en in Bruin, net als het hele Station, heerste een diepe stilte. Hij was niet meegegaan naar de tweede grafkamer, speciaal om zich op dit gesprek voor te bereiden. Op de een of andere manier had hij het gevoel dat dat momenteel belangrijker was voor zijn werk, en misschien ook voor Jennifer zelf.

'Ik neem aan dat jij terdege beseft hoe ongebruikelijk dat is,' ging hij verder. 'De meeste mensen die zoiets hebben meegemaakt, praten daar maar al te graag over. Het onderzoek van jouw echtgenoot is gebaseerd op die bereidheid om te praten.'

Jennifer bleef zwijgen. Ze verhief haar blik en keek hem heel even aan voordat ze haar ogen weer neersloeg.

'Luister eens,' zei Logan vriendelijk. 'Ik heb heel erge spijt van de dingen die ik eerder tegen je gezegd heb. Ik had voetstoots aangenomen dat jouw gaven... tja, dat die een geschenk waren. Dat was naïef gedacht van me.'

'Het geeft niet,' antwoordde ze eindelijk. 'Dat denkt iedereen. Ze hebben het over niets anders in het Centrum – wat ze niet allemaal gezien hebben, hoe geweldig het was, hoe ze nu heel anders over God denken, hoe anders hun leven er nu uitziet.'

'Jouw eigen leven ziet er ook heel anders uit – maar ik heb het gevoel dat zij niet hetzelfde bedoelen.'

'Ik word gepresenteerd als een soort uithangbord,' zei ze, met een heel klein vleugje bitterheid in haar stem. 'Ik ben de vrouw van de oprichter van het Centrum, mijn BDE was langer dan die van alle anderen die waar dan ook getest zijn, mijn paranormale gaven zijn het sterkst. Ik weet hoe belangrijk het werk is voor Ethan, en ik wil hem graag helpen waar ik maar kan. Alleen...'

'Alleen, als je over jóúw ervaring sprak, zou dat wel eens negatief kunnen uitpakken voor het Centrum.'

Ze keek hem weer aan, en Logan bespeurde iets van angst, een zekere wanhoop zelfs, in haar barnsteenkleurige blik. 'Ethan heeft me verteld over jouw... over je werk,' zei ze. 'Het soort dingen dat jij in het verleden hebt gedaan. Om de een of andere reden dacht ik wel dat jij het begrijpen zou. Dat jij me zou geloven. Ik ben nog nooit iemand tegengekomen met wie ik het hierover kon hebben. Ethan... Volgens mij wíl hij het niet horen. Het gaat zo regelrecht in tegen alles waarvoor hij...' Ze onderbrak zichzelf.

'Ik zal doen wat ik maar kan om je te helpen.'

Toen ze niet reageerde, vervolgde Logan: 'Ik weet dat het moeilijk is. Als je me nou eens zo gedetailleerd mogelijk, zo precies mogelijk, vertelde wat je die dag, drie jaar geleden, hebt meegemaakt?'

Jennifer schudde haar hoofd. 'Ik denk niet dat ik dat kan opbrengen.'

'Deel je verdriet met mij. Als je erover praat, zul je er op den duur misschien minder last van hebben.'

'Last,' herhaalde ze met een vreugdeloos lachje.

'Luister eens, Jennifer – mag ik Jennifer zeggen? ik ben empaat – wat jij me vertelt, beleef ik op dat moment zelf ook, althans gedeeltelijk. Ik sta achter je. Als het te moeilijk wordt, houden we ermee op.'

Ze keek hem aan. 'Beloof je dat?'

'Ja.'

'En je denkt echt dat het kan helpen?'

'Hoe meer je de zaken onder ogen kunt zien, des te beter leer je ermee omgaan.'

Ze zweeg even. Toen knikte ze langzaam. 'Oké.'

Logan pakte zijn grote tas, rommelde erin rond, pakte zijn digitale stopwatch en zette die op het bureau. 'Ik doe het licht uit. Ga lekker zitten, zo gemakkelijk mogelijk.'

Hij stond op, deed de deur van zijn kantoor op slot en knipte het licht uit. Nu was het donker in het vertrek, afgezien van de opgloeiende cijfertjes van de stopwatch en de gloed van zijn laptopscherm. Hij ging weer zitten en pakte haar handen beet.

'Doe rustig aan. We hebben alle tijd. Denk terug aan wat je je herinnert van tijdens en na het auto-ongeluk. Begin wanneer je zover bent. Vertel het verhaal met de snelheid waarmee het gebeurde, als dat lukt. Daar kan het klokje bij helpen.'

Hij leunde voorover en zweeg. Een tijdlang hoorde hij alleen Jennifers regelmatige ademhaling. Dat duurde zo lang dat hij zich afvroeg of ze misschien in slaap was gevallen. En toen klonk plotseling, vanuit het donker, haar stem.

'Ik zat in mijn auto,' begon ze. 'Het was op Ship Street, niet ver van Brown University. Plotseling kwam er een tegenligger, een terreinwagen – een blauwe, met een grote, zwarte balk aan de voorgrill – mijn rijbaan op zeilen. Een frontale botsing.'

Ze slikte, haalde diep adem en vervolgde: 'Er volgde een vreselijke klap; en daarna een daverend lawaai, een moment van pijn, een witte flits. En toen een hele tijd... niets.'

Logan stak zijn hand uit en zette de stopwatch op veertien minuten – zo lang was Jennifer Rush klinisch dood geweest.

'Het eerste wat ik me daarna herinner was dat mijn hoofd onprettig... tja, vól aanvoelde. Ik zou niet weten hoe ik het anders moet omschrijven. En daarna hoorde ik iets gonzen. Het begon heel zachtjes en het zwol geleidelijk aan. Ik werd er bang van. Plotseling hield het op, en merkte ik dat ik met grote snelheid door een donkere gang reisde. Ik liep of rende niet – in mijn herinnering word ik voortgetrokken. Daarna kwam er nog een witte flits. Toen een tijdlang niets. En toen hing ik – zweefde ik boven een ziekenhuisbed. Ik kon op mezelf neerkijken. Ik lag op een brancard. Dat zweven was heel eigenaardig: ik hing niet echt stil, ik deinde langzaam op en neer alsof ik in een zwembad ronddobberde. Er stonden overal dokters en verpleegkundigen. Ethan was er ook bij. Hij... hij had een defibrillator in zijn hand. Ze praatten allemaal door elkaar heen.'

'Weet je nog wat ze zeiden?' vroeg Logan.

Jennifer dacht even na. 'Een van hen zei: "Hypovolemische schok. We hadden geen schijn van kans."'

'Ga verder,' zei Logan.

'Even voelde ik een heel sterke drang om terug te keren naar mijn lichaam. Maar ik was hulpeloos, ik kon niets uitrichten. Dus bleef ik kijken. Heel snel ebde die behoefte weg. Daarna voelde ik niets: ik had geen pijn, ik was niet bang, niks. En toen begon alles – mijn lichaam, de dokters – langzaam te vervagen. En ik kreeg een mateloos gevoel van vrede.'

'Beschrijf dat eens,' zei Logan.

'Ik had nog nooit zoiets gevoeld. Het leek wel of mijn hele wezen, de kern van mijzelf, doordrenkt was van welzijn. Op dat moment wist ik dat er nooit meer iets fout kon gaan.'

Logan sloot zijn ogen. Ook hij voelde het, als iets op grote afstand. 'Alsof je omringd was door liefde.'

'Ja. Precies.' Ze zweeg even. 'Dat gevoel leek een hele tijd aan te houden.'

Ze zweeg. Logan bleef met haar handen in de zijne zitten wachten terwijl de seconden wegtikten. Er waren al meer dan zes minuten voorbij; dat was al langer dan de meeste bijna-doodervaringen.

'Het was donker, maar ik voelde dat ik weer in beweging was. En toen zag ik iets, in de verte. Een gouden grens, of een hindernis, iets in die trant. Daarachter leek niets te zijn. En er stond iemand... of iets... voor.'

'Een wezen,' zei Logan. 'Een Wezen van Licht.'

'Ja. Ik kon zijn gezicht niet zien, niet duidelijk in ieder geval, omdat het licht zo fel was. Ik dacht dat het misschien een engel was, maar hij had geen vleugels. Ik had het gevoel dat hij naar me glimlachte.'

'Ja,' fluisterde Logan. Ook hij zag het, zij het amper: een schimmig, flakkerend visioen van een onaardse schoonheid. De grenzeloze liefde die er heerste leek in eindeloze golven van dit wezen uit te gaan.

'Ik had het gevoel dat hij tegen me sprak. Niet hardop, maar in mijn hoofd. Hij vroeg me iets.'

'Kun je me zeggen wat die vraag was?' vroeg Logan – al kon hij wel raden wat ze zou antwoorden.

'Hij wilde weten of ik tevreden was met wat ik met mijn leven had gedaan. Of ik genoeg gedaan had.'

Logan knikte. Tot nu toe kwam alles wat Jennifer had verteld – het gevoel van uittreding, de donkere tunnel, het Lichtwezen, het niemandsland, de 'levensvraag' – overeen met andere bijna-doodervaringen. Hij keek op het klokje. Er waren meer dan tien minuten verstreken. Dit was langer – wist hij van een vluchtige bestudering van de documenten uit het Centrum voor Transmortaliteitsonderzoek – dan alle andere ervaringen die bij het Centrum waren geregistreerd.

'Het wezen herhaalde zijn vraag,' zei ze. 'En op dat moment zag ik mijn leven, vanaf mijn prille kinderjaren, dingen waar ik in geen tientallen jaren aan gedacht had, aan me voorbijflitsen. En toen...' Ze slikte nogmaals. 'En toen begon het.'

Logan pakte haar handen steviger vast. 'Vertel maar.'

Ondanks het donker zag hij de spanning op haar mooie gezicht verschijnen. 'Het wezen zei één woord: "Onvoldoende." En toen… veránderde hij.'

Haar ademhaling begon te stokken.

'Rustig maar,' zei Logan. 'Beschrijf eens wat er gebeurde. Hoe veranderde dat Wezen?'

'Eerst was het alleen een gevoel. Ik voelde die onuitsprekelijke, eindeloze liefde wegzakken. Ook de warmte, het gevoel van welbehagen, de vreugde stierven weg. Het ging zo langzaam, zo subtiel, dat ik het aanvankelijk niet eens doorhad. Maar toen ik het besefte, voelde ik me plotseling… bloot. En toen werd het wezen… donker. Het felle licht verduisterde. En nu kon ik zijn gezicht zien.'

Even verscheen er een beeld in Logans hoofd: een gezicht, een soort geitenkop, met een valse grijns, dicht behaard.

Jennifer begon sneller te ademen. 'Plotseling begon ook dat niemandsland dat voor me lag te veranderen. Het was niet meer van goud. Het trilde, het werd op de een of andere manier nat. Het leek wel een gordijn van bloed. En toen… toen smolt het weg.' Haar stem begon te beven. 'En daarachter… daarachter…'

'Ga verder,' fluisterde Logan amper hoorbaar.

'Daarachter lag… lag de krijsende duisternis. Ik probeerde weg te rennen. Maar ik werd ernaartoe getrokken, ik kon me niet verzetten. En toen was het te laat. Er was geen licht, er was geen lucht. Ik kreeg geen adem. Er waren overal… lijven, onzichtbaar, glibberig, die langs me heen gleden. En dat krijsen, dat krijsen… Ik zat klem tussen de lijven, ik kon me niet verroeren. Ik voelde…' Ze hapte nu naar adem. 'Ik voelde een vreselijke druk. Binnen in me. Alsof de kern van mijn wezen werd weggezogen. En de hele tijd stond híj te lachen… en toen voelde ik de rand van de… van de… O, God!'

Plotseling voelde Logan het weer: de boosaardige, demonische aanwezigheid, de eindeloze haat en woede. Het was iets tastbaars wat hem bijna tegen zijn rugleuning aan duwde.

'Jezus!' zei hij, en met alle kracht die hij in zich had rukte hij zich los van Jennifer.

Ze hapte naar adem. Even was het stil in het kantoortje. En toen barstte ze in een gierend snikken uit.

Logan nam haar teder in zijn armen. 'Het is al goed,' zei hij. 'Het komt allemaal goed.'

Maar ze kon niet ophouden met huilen.

40

Robert Carmody stond in de stoffige atmosfeer van de eerste graf-kamer verveeld te spelen met de focusring op de lens van zijn di-gitale camera. Vlak bij hem knielde Payne Whistler op de pas schoongeveegde vloer, met een tablet met inscripties in zijn gehand-schoende hand.

'Item A349,' zei Whistler in een draagbare dictafoon. 'Kleitablet. Gepo-lijste kalksteen.' Hij haalde een liniaal tevoorschijn en mat het voorwerp nauwgezet op. 'Zeventien bij negenenhalve centimeter.' Hij nam het op-pervlak even op. 'Het lijkt me een gebed om een veilige overtocht naar het volgende rijk af te smeken voor de farao.'

Hij maakte nog een paar opmerkingen en legde het tablet toen voor-zichtig op een witte linnen doek. 'Oké, Bob,' zei hij.

Met een zucht rolde Carmody een schijnwerper dichterbij. Hij bukte zich, stelde scherp op het kleitablet en maakte een tiental opnames onder diverse hoeken en met verschillende belichtingstijden. Toen rechtte hij zijn rug en bekeek het werk op het led-schermpje van zijn camera. 'Alweer een meesterstuk.'

Whistler knikte, pakte het kleitablet, voorzag het van een etiket, wik-kelde het behoedzaam in een nieuwe lap en legde het in een kunststof kistje. Carmody noteerde de referentienummers van de foto's in een klein schriftje.

'Jezus,' zei hij, terwijl hij zijn schrift dichtklapte. 'We zitten hier nu al… wat zal het zijn, drie uur? En nog niet één interessant stuk.'

Whistler keek hem aan. 'Meen je dat nou? Het is allemáál interessant. Meer dan interessant – dit zijn de grafgiften van de eerste farao van het verenigde Egypte.'

Carmody lachte laatdunkend. 'Moet je jezelf eens horen. Je lijkt Rome-ro wel.'

Whistler stond op en veegde zijn broek af. 'Geduld is een schone zaak. Als je meteen resultaat wilt, heb je het verkeerde beroep gekozen.'

'Hoezo beroep? Jij bent hier de archeoloog.'

'Prospector,' corrigeerde Whistler.

'Ik ben fotograaf. Ik zit hier nu drie weken. Ik kan niet naar huis bellen, ik kan geen pizza bestellen, ik kan niet eens gaan joggen.'

'In de kantine hebben ze meer pizza's dan jij van je levensdagen op kunt. En in de fitnessruimte staan zat loopbanden.'

'Geen kabel-tv. Geen World of Warcraft. Niks te neuken.'

'Nou, dat is jouw probleem.' Whistler zette de kist met het tablet weg.

'Kijk, ik ben niet achterlijk. Ik wist waar ik aan begon toen ik de vertrouwelijkheidspapieren tekende. Maar ik dacht dat ik foto's zou maken van, nou, mummies en zo. Gouden maskers. Dat soort dingen. Dingen die er later goed uit zouden zien op mijn cv, als we erover mochten praten. Maar alles wat maar een beetje spannend is, heeft híj al ingepikt. Hij houdt alles zelf. Moet je daar nou eens kijken.' Carmody gebaarde naar de achterwand van de grafkamer, waar de ingang naar de tweede kamer was afgesloten met een vergrendelde scheidsmuur.

'Wat dacht jij dan? March is hoofd Archeologie. Hou op met dat gezanik – je krijgt riant betaald. Je had het een stuk slechter kunnen treffen. Je had zíjn baan kunnen hebben.' Whistler stak zijn duim uit naar het perron van de Navelstreng, waar een bewaker roerloos stond te kijken hoe zij vorderden.

'Ik heb niet getekend om uitsmijter te zijn. Ik ben kunstenaar. Ik sta niet zomaar op de knoppen te drukken. Ik heb al vijf exposities gehad.'

'Iets verkocht, ook?' vroeg Whistler met een valse grijns.

'Daar gaat het niet om.'

'Kom, laten we nou maar voortmaken.' Whistler wendde zich af en haalde behoedzaam een nieuw voorwerp uit een vergulde houten kist die vlak bij hem stond. Hij draaide het artefact om in zijn handen en bekeek het zorgvuldig. 'Item A350. Kleitablet. Gepolijste kalksteen.' Hij mat het tablet op. 'Zesenhalf bij negen centimeter.' Hij keek naar de inscriptie. 'Lijkt me een opsomming van de cadeaus voor Narmers vrouw Niethotep op haar dertigste verjaardag.' Hij knikte in zichzelf. 'Kijk, dat is interessant.'

'Ja. Kijken hoe verf droogt is ook heel interessant. Hoe zeg je "fuck you" in hiërogliefen?'

Whistler stak zijn middelvinger op. Hij legde het tablet op de linnen doek. 'Ga je gang.'

Met een enorme zucht bracht Carmody zijn camera omhoog en maakte de obligate opnamen. Hij noteerde de nummers in zijn schriftje en keek met een zuur gezicht toe terwijl Whistler het tablet zorgvuldig opborg voor restauratie en documentatie.

'Ik wil gewoon weer eens lachen,' zei hij, terwijl Whistler zijn hand opnieuw in de vergulde kist stak. 'We zitten hier nou al drie weken midden in de rimboe – ik word gek.'

'Ga dan lekker in het moeras wandelen. Dan kun je als je terugkomt je muggenbeten tellen. Heb je wat te doen.' Whistler schudde zijn hoofd. 'Het laatste graf waaraan ik heb gewerkt was een neolithische zandput. Daarmee vergeleken is dit een paradijs.'

'Zal ik jou eens wat zeggen? Jij moest eens wat meer onder de mensen komen.'

'Misschien.' Whistler haalde nog een voorwerp uit de kist en bekeek het. 'Item A351. Kleitablet. Gepolijste zandsteen.'

'Niet weer een.' Carmody kreunde. 'Mensen, schiet me alsjeblieft af. Vooruit, maak er een einde aan.'

Op de metalen loopbrug klonk plotseling knetterend de radio van de bewaker. 'Muilbasis voor Eppers, meld je.'

De bewaker bracht de radio naar zijn lippen. 'Eppers hier.'

'De sensors melden verhoogde druk in de Navelstreng, op punt 19. Je wordt verzocht daarheen te klimmen voor visuele inspectie voordat we er een team reparateurs op af sturen.'

'Copy.' De bewaker stak zijn radio in zijn riem, draaide zich om naar de metalen sporten en klom het zicht uit.

Carmody keek hem na, en keek daarna om zich heen in de grafkamer. Zoals hij al had opgemerkt waren de meeste draagbare zaken intussen verwijderd. Afgezien van de vergulde kist en een paar laatste grafgeschenken waren alleen de meubels en het enorme beeld, afgedekt met een zeil, nog over.

Zijn blik viel op een van de stoelen, fijn gebeeldhouwd en versierd met gouden filigrainwerk. 'Moet je opletten,' zei hij. Hij liep naar de stoel en ging er met een gemaakt ernstig gezicht in zitten.

Whistler keek hem met een mengeling van verbazing en afgrijzen aan. 'Wat doe jij nou? Weg daar! Dat ding is nog niet eens gerestaureerd – straks maak je hem kapot!'

'Welnee. Hij is zo stevig als wat.' Hij vouwde zijn handen voor zijn borst. 'Koning Narmer hier. Breng me de maagd *du jour*.'

Whistler wierp een bezorgde blik op de bewakingscamera. 'Straks zien ze je nog. Stone vilt je levend.'

'Rustig maar. Paxton zit vandaag aan de balie – en dat is een vriendje van me.' Carmody stond uit de stoel op, keek om zich heen of de bewaker nog niet terug was, en liep naar het enorme, solide uitziende koninklijke bed. De poten en de hemelconstructie waren zwaar ingelegd met edelstenen en bladgoud, maar het bed zelf was van simpel, onbewerkt hout. Hij betastte het met zijn vingers, drukte erop en toen hij zich ervan vergewist had dat het geen kwaad kon, ging hij erop liggen.

'Carmody, je bent niet goed bij je hoofd,' zei Whistler op dringende toon. 'Sta op, straks ziet de bewaker je.'

'Ik doe even een dutje,' antwoordde Carmody. Hij hief zijn hoofd op en keek demonstratief om zich heen. 'Hé, Cleopatra, kom eens hier, wijffie; ik heb hier een koninklijke scepter die opgepoetst moet worden...'

Plotseling klonk er een scherp gekraak; het hele bed trilde en even later vouwde het zich dubbel. Voordat Carmody ook maar een vin kon verroeren was er een zuchtje verplaatste lucht en met een tweede, nog luider gekraak brak de enorme houten hemel van het bed los en stortte op hem neer.

Een flits helderwit, een moment van onuitsprekelijke, verpletterende pijn – en daarna niets meer.

41

Toen Logan de ziekenboeg van het Station binnenkwam, stond dr. Rush net een groen laken over Robert Carmody's verbrijzelde lichaam te trekken. Toen de arts voetstappen hoorde, keek hij op. Hij ving Logans blik en schudde zijn hoofd.

'Ik heb nog nooit een lichaam gezien dat zo grondig vernield was als dit hier,' zei hij.

'Ze zijn klaar met het voorlopig onderzoek,' wist Logan te vertellen. 'De gouden deuvels waarmee het hemelbed in elkaar zat lijken opzettelijk losgetrokken te zijn.'

Rush fronste zijn voorhoofd. 'Losgetrokken? Je bedoelt: sabotage?'

'Misschien. Of misschien omdat iemand ze later wilde meejatten. Het is tenslotte massief goud, en iedere deuvel afzonderlijk weegt minstens een ons.'

Rush zweeg even. 'Hoe is de stemming?'

'Zo'n beetje wat je zou verwachten. Mensen zijn geschrokken. Verdrietig. En bang. Er wordt weer meer over de vloek gepraat.'

Rush knikte afwezig. Hij zag bleek, en er zaten donkere wallen onder zijn ogen. Logan dacht terug aan wat de arts hem tijdens de vlucht had verteld: *Ik ben opgeleid als* SEH-*specialist. Maar op de een of andere manier kon ik er niet aan wennen als mensen doodgingen. O, natuurlijke oorzaken kon ik wel aan: kanker en longontsteking en nierfalen. Maar een plotselinge, gewelddadige dood...* Hij vroeg zich af of dit wel het juiste moment was om met Rush te praten, maar besloot dat er waarschijnlijk geen geschikter tijdstip zou komen.

'Heb je een momentje?' vroeg hij zacht.

Rush keek hem aan. 'Ik maak het hier even af, een paar aantekeningen nog. Als je wilt, kun je in mijn kantoor wachten.'

Tien minuten later kwam Rush zijn kantoor in lopen. Hij leek iets meer op zijn gemak, en had weer enige kleur in zijn gezicht. 'Sorry, het duurde wat langer,' zei hij terwijl hij achter zijn bureau ging zitten. 'Wat is er aan de hand, Jeremy?'

'Ik heb Jennifer gesproken,' zei Logan. Rush leunde voorover in zijn stoel. 'Echt waar? En heeft ze verteld over haar BDE?'

'We hebben hem in feite samen herbeleefd.'

Rush bleef hem even aankijken. 'In het Centrum heeft ze het er nooit uitgebreid over gehad. Best onhandig, gezien mijn positie daar.'

'Ik denk dat ze erover moest praten met iemand die volledig objectief is,' zei Logan. 'Iemand die ervaring heeft met... ongebruikelijke toestanden.'

Rush knikte. 'Wat kun je me vertellen?'

'Ik denk dat ik haar toestemming moet vragen voordat ik de details vertel – ook al ben jij het. Ik kan je wel zeggen dat het eerste deel van de ervaring redelijk standaard was. Maar het laatste deel – dat deel waar ze langer "over" was dan alle andere mensen in jouw database – dat was allesbehalve standaard.' Logan zweeg even. 'Dat was... afgrijselijk. Angstaanjagend. Geen wonder dat ze daar met niemand over wil praten – laat staan de situatie opnieuw beleven.'

'Angstaanjagend? Werkelijk? Ik dacht al wel dat er iets onplezierigs gebeurd moest zijn, gezien haar weigering om het erover te hebben, maar ik had geen idee...' Rush' stem stierf weg. 'Arme Jen.'

Even was het stil. Logan was sterk in de verleiding om meer te zeggen: *Er is nog iets. Ik heb geen idee waarom, maar Jennifers beschrijving van haar BDE, van het afgrijzen tegen het einde van die belevenis, doet me sterk denken aan de vloek van farao Narmer.* Waar die aandrang vandaan kwam, wist hij niet. Het was een gevoel, zoals wanneer er iets tussen je tanden zit dat je maar niet weg krijgt. Het zou niet helpen om daarover te beginnen. Maar misschien... heel misschien... kon hij op een andere manier iets betekenen.

Hij kuchte even. 'Mijn advies is om zeer beslist geen channelingsessies meer te houden. Zij raakt er overstuur van, en misschien doen ze haar zelfs kwaad.'

'Dat heb ik al tegen Stone gezegd,' zei Rush. 'Hij heeft toegezegd het aantal sessies dat nog gedaan moet worden, te beperken tot een of twee. Hij wil dat ik haar vraag naar die derde poort en wat daarachter ligt. En wat ze bedoelde met die tekst in de schildering: "Wat leven brengt aan de doden, en dood aan de levenden."'

'Niet doen,' adviseerde Logan. 'Bovendien: de sessies waarbij ik aanwezig was, hebben niets tastbaars opgeleverd.'

'Nou, de laatste wel. Tina Romero heeft een aantal van die spreuken bestudeerd – en volgens haar zijn ze intrigerend, gezien de context van wat bekend is over de stabiliteit van oud-Egyptische teksten.'

'Jij hebt me gevraagd met Jennifer te praten. Dat heb ik gedaan, en dit is mijn advies.' Logan haalde een dvd-hoesje uit zijn zak, legde het op het bureau en tikte erop met een vinger. 'Hier zijn de gegevens van jouw Centrum. Ik heb er eens naar gekeken.'

'En?'

'En ik wil graag antwoord op één vraag – een eerlijk antwoord, als het kan. Is Jennifer zich sinds haar BDE anders gaan gedragen? Is haar persoonlijkheid op wat voor manier dan ook veranderd?'

Rush keek naar Logan, maar gaf geen antwoord.

'Ik ben geen expert in dit soort zaken. Maar op basis van wat ik in die dossiers lees, van wat jij me al verteld hebt over de veranderde relatie met je vrouw, en van wat ze me zelf verteld heeft, concludeer ik dat Jennifers BDE iets volledig unieks was. En bovendien gedraagt ze zich sindsdien heel anders dan de mensen die jij in je Centrum hebt bestudeerd.'

Een tijdlang bleef Rush zwijgen. Uiteindelijk slaakte hij een zucht. 'Ik heb het tot nu toe niet willen toegeven – zelfs tegenover mezelf niet. Maar het is zo. Onze relatie is heel anders geworden, en dat is niet het enige.'

'Kun je die verandering beschrijven?'

'Het is maar subtiel. Soms denk ik dat het meer aan mij ligt dan aan haar, dat ik dingen zie die er niet zijn. Maar ze lijkt me... afstandelijk. Ze was altijd zo warm, spontaan. En dat gevoel heb ik niet meer bij haar.'

'Maar dat hoeft niet noodzakelijkerwijs aan haar BDE te liggen,' merkte Logan op. 'Het kan ook een teken van depressie zijn.'

'Depressie ligt niet in Jennifers karakter. En er is meer. Ze...' Rush zweeg. 'Ik weet niet hoe ik het zeggen moet. Ze lijkt minder... minder emotioneel dan vroeger. Een dom voorbeeld. Ze hield altijd enorm van sentimentele films. Bij het eerste beetje melodrama zat ze te snikken als een kind. Maar dat is niet meer zo. Een van de eerste avonden hier in het Station werd er voor de bemanning een oude tranentrekker vertoond, *Dark Victory*. Zelfs een stel van de meest doorgewinterde sjouwers pinkten een traantje weg na afloop. Maar Jennifer was volslagen onaangedaan. Het leek wel of de emotie niet langer doordrong.'

Logans volgende opmerking kwam traag en bedachtzaam. 'Ethan, er bestaan culturen waar ze geloven dat iemand onder bepaalde omstandigheden van zijn innerlijke geest gescheiden kan worden.'

'Innerlijke geest?' herhaalde Rush.

'Ik bedoel: de ontastbare levenskracht die ons met het volgende leven verbindt. De Byzantiërs, de Inca's, ettelijke Amerikaanse indianenstammen, de Rozenkruisers uit de Verlichting – allemaal geloofden ze in de een of andere vorm van die kracht. En er zijn nog steeds heel veel groepen die daarin geloven.'

Rush keek hem zwijgend aan.

'Jennifer zei dat ze aan het eind van haar BDE een vreselijke druk had gevoeld. Alsof – even kijken of ik me de woorden letterlijk herinner – "alsof de kern van mijn wezen weggezogen werd".'

'Wat wou je precies zeggen?'

'Ik wil helemaal niks zeggen. Dit is pure speculatie. Zou het kunnen dat jouw vrouw zo lang klinisch dood geweest is dat ze… tja, dat ze een integraal deel van haar menselijke geest kwijtgeraakt is?'

Rush lachte even, blaffend. 'Haar géést? Jeremy, dat is waanzin.'

'Vind je? Ik ga het anders wel nader uitzoeken. Je zou kunnen zeggen dat dergelijke verschijnselen de verklaring vormen voor de noodzaak achter een van de rites van de katholieke kerk zelf.'

'Wat voor rite dan?'

'Duivelsuitbanning.'

Plotseling heerste er een ijskoude stilte in het kantoor.

'Wat wou je daar precies mee zeggen?' vroeg Rush na een tijdje. 'Dat Narmer niet alleen vía Jennifer spreekt? Dat ze bij die oversteken… bezéten wordt door Narmer?'

'Ik weet niet wat er op die momenten gebeurt,' antwoordde Logan. 'Ik denk dat niemand dat precies kan zeggen. Ik weet alleen dat het wel eens gevaarlijk kon zijn.'

Rush slaakte een diepe zucht. 'Nog één laatste oversteek. Om te vragen naar die derde poort. En dan zal ik het niet meer toestaan.'

42

Met een notitieboekje in zijn hand liep Logan de helverlichte ruimte van het duikplatform in. Daar ergens, te midden van de drukte, het rumoer en de onophoudelijke bezigheden, liep de arbeider rond die het vreemde, onheilspellende, nachtelijke gefluister had gemeld. Dat was de volgende op Logans lijstje van mensen die hij wilde spreken. Als hij hem tenminste vinden kon.

Hij keek om zich heen en bleef plotseling als aan de grond genageld staan. Er gebeurde iets bij de Muil. Er stond een groot aantal mensen omheen samengedromd: laboranten, arbeiders, een paar onderzoekers, onder wie Porter Stone en Fenwick March, die in een ernstig gesprek verwikkeld waren. Nieuwsgierig liep Logan die kant uit. Er was een versterkt net van blauw plastic in de Muil neergelaten; met dikke kabels hing het aan een lier als een monsterlijk uitvergrote marionet.

Net op dat moment begon de motor van de lier te draaien; onder een luid gekletter van raderen rees het net langzaam omhoog. Stone leunde over de reling langs de Muil en keek gespannen de diepte in terwijl hij met geheven handpalm gebaarde dat de kraanmachinist moest blijven hijsen.

Logan zag hoe het net werd opgewikkeld rond een grote bolder net onder de lier. Even later gaf Stone de machinist een signaal om langzaam aan te doen. En plotseling verscheen er een enorme roestvrijstalen kist, op zijn plek gehouden door het net, in de lichtbundels. Het gevaarte was ruim twee meter lang en een meter breed; het leek wel een lijkkist, dacht Logan.

Op datzelfde moment besefte hij dat het een lijkkist wás. En daar kon maar één ding in zitten: Narmers mummie.

Met uiterste zorg trokken twee monteurs de kist in het net naar een klaarstaande brancard, lieten hem daarop neer en trokken het net weg. De hele procedure werd nauwlettend in de gaten gehouden door March, die als een nijdig insect om de monteurs heen gonsde en orders gaf. Stone stond er met een uitdrukkingsloos gezicht bij te kijken.

Plotseling zag Logan vanuit zijn ooghoek een beweging. Hij draaide zich om en zag Tina Romero in de deuropening van het duikplatform om zich heen staan kijken. Toen ze de kist op de brancard bespeurde, verstarde ze. Even bleef ze als aan de grond genageld staan, daarna stapte ze met samengeknepen ogen op March af. Ze bleef vlak voor hem staan en Logan ving flarden op van een gedempt maar boos gesprek. Tot Romero plotseling explodeerde.

'Egoïstische, arrogante lúl die je d'r bent!' riep ze uit. Ze greep met haar vuist zijn overhemd beet en duwde hem ruw achteruit. 'Blijf met je poten van hem af!'

Even hing er een geschrokken stilzwijgen. Toen kwam Porter Stone tussen hen in staan. Hij sloeg een arm om Romero's schouder en leidde haar met enige drang weg van de groep, terwijl hij zachtjes maar dringend op haar inpraatte. Met een vuurrood gezicht stopte March zijn overhemd weer in zijn broek. Hij haalde een hand door zijn dunne haar en draaide zich om naar de brancard.

Logan liep naar Stone en Romero toe. '… alleen weggehaald voor de CT-scan,' hoorde hij Stone zeggen, voordat die zijn stem nog verder dempte.

Na nog een paar minuten kneep Stone even in Romero's schouder. Hij keek haar even strak aan, wendde zich af en voegde zich weer bij de groep rond de Muil. Romero was blijven staan waar Stone haar had achtergelaten, zwaar ademend en met een strak gezicht. Even later wendde ook zij zich af en liep ze het duikplatform af.

Logan holde achter haar aan de loopbrug over die uit Geel wegleidde. 'Tina!' riep hij.

Ze draaide zich om, zag hem en liep verder.

'Wat is er aan de hand?' vroeg hij toen hij haar had ingehaald.

'Die klóótzak van een March,' zei ze zonder vaart te minderen. 'Vóór het begin van de expeditie hebben we een aantal basisregels opgesteld over de manier waarop de artefacten zouden worden gerestaureerd. Alles zou ter plekke bestudeerd worden, zorgvuldig gedocumenteerd en gestabiliseerd. Als er dingen uit het graf verwijderd moesten worden, zou dat eerst worden besproken door een comité van teamleiders. Maar die hufter is achter mijn rug om gegaan. Hij heeft kans gezien zowat alles wat niet nagelvast zit als het van énige waarde is uit het graf weg te halen. De hele boel is al van etiketten voorzien door dat stelletje eksters van hem. En ik moet me tevredenstellen met de video's.' Haar stem beefde even. 'Als ik toegang wil krijgen tot de spullen, moet ik aanvraagformulieren invullen. Niet te geloven dat Stone valt voor die onzinverhalen van March. En nu heeft hij dan zelfs de múmmie van Narmer te pakken...' Ze schudde haar hoofd. 'Op dit soort momenten wou ik maar dat het hele godvergeten Station gewoon naar de bodem van het moeras zonk.'

Ze liepen een eindje verder zonder iets te zeggen.

'Porter Stone staat anders bekend om zijn niet-invasieve benadering,' merkte Logan op.

'Weet ik. Daar is hij beroemd om. Maar hij is ook superparanoïde over de tijd die we nog hebben. De Af'ayalah-dam vordert sneller dan gepland – binnen enkele weken kan het hier allemaal onder water staan, en dan is het graf volkomen onbereikbaar. En March grijpt dat argument aan om er vaart achter te zetten. Hij hamert er bij Stone op dat dit de grootste vondst van Stones carrière is, hij speelt op zijn ego in. En nu die artefacten uit het graf weggehaald zijn... nu wordt het verduiveld moeilijk dat tweetal ervan te overtuigen dat wát dan ook moet worden teruggeplaatst.' Verbitterd schudde ze haar hoofd.

Ze hadden de gangen van Rood bereikt. Logan volgde de Egyptoloog haar kantoor in, en ze namen plaats aan weerszijden van haar met artefacten en notitieboeken overdekte bureau.

'Ik vroeg me af,' begon Logan, 'of je nog voortgang geboekt hebt. Inzake die aspecten van het graf die zo'n puzzel vormen, bedoel ik.'

'De hele klotetoestand is één grote puzzel,' grauwde ze. Ze was nog steeds in een pesthumeur, maar leek iets gekalmeerd te zijn.

'Je zei dat sommige inscripties je niet logisch leken. Ongebruikelijke serekhs. Vondsten die niet overeenstemmen met de farao's en de tradities uit later tijden.'

Ze knikte. 'Raadsels binnen raadsels.'

'Ik had zitten denken – die derde kamer, wat we daarin zullen vinden, zou die enig licht werpen op zulke vragen?'

'Misschien wel. Normaal gesproken is de laatste grafkamer de ruimte met de waardevolste, belangrijkste voorwerpen. Daarom waren we zo verbaasd dat we Narmer en zijn kostbare grafgiften in de tweede kamer aantroffen.' Ze haalde haar schoulders op. 'Een zoveelste raadsel.'

Logan zweeg even. 'Wat zullen we daar vinden, denk jij? Achter die derde poort, bedoel ik.'

Ze dacht even na en keek hem toen aan. 'Ik ben een van de beste Egyptologen ter wereld. Daarom heeft Stone mij uitgekozen. Ik heb zowat alle koningsgraven, zandputten, piramides, tempels en mastaba's bestudeerd die ooit ontdekt zijn. Niemand weet hier meer van dan ik. En zal ik u eens wat zeggen, mister Ghostbuster?' Ze leunde naar hem over en keek hem indringend aan. 'Ik heb geen fláúw idee wat we zullen aantreffen als we dat derde zegel verbreken.'

43

Toen Logan de onderzoeksruimte in stapte, stond dr. Rush over Jennifer heen gebogen. Zij lag op de onderzoekstafel, net als bij vorige oversteken in een ziekenhuishemd gehuld. 'Nog één keer, lieverd,' zei hij, en hij streelde even haar wang.

Met een korte glimlach keek ze naar hem op. Daarna keek ze naar Logan, die op het bed af kwam lopen. Hij knikte, pakte haar hand en gaf er even een kneepje in. De blik op haar gezicht kon hij niet lezen – was ze bang, legde ze zich bij haar lot neer? – en ditmaal voelde hij ook niets bij de aanraking.

Hij deed een paar stappen achteruit terwijl Rush op de instrumenten keek voordat hij het kalmerende middel zou toedienen. Er verstreken vijf minuten, tien; Rush stak de wierook aan en plaatste achtereenvolgens de twee naalden in de aansluiting van het infuus; hij gebruikte het amulet en de kaars, en hij sprak de gewijzigde hypnotiserende tekst uit. Tot slot pakte hij de digitale recorder en liep naar het hoofdeinde van het bed toe.

'Wie spreekt daar?' vroeg hij.

Het enige antwoord was Jennifers moeizame ademhaling.

'Wie spreekt daar?' vroeg hij nogmaals.

Geen reactie.

'Dat is vreemd,' zei Rush. 'Ik heb nog nooit problemen gehad met de inleiding.' Hij keek weer op zijn meters, tilde voorzichtig een van Jennifers oogleden op en tuurde met zijn oftalmoscoop in haar oog. 'Ik geef nog een beetje propofol bij, dan wordt de verdoving iets dieper. En ik geef de corticale stimulatie een klein zetje extra.'

Logan bleef zwijgend zitten terwijl de arts bezig was en vervolgens opnieuw de hypnotiserende tekst uitsprak. Ditmaal werd Jennifers ademhaling ondieper, sneller.

'Ontspan je gedachten,' zei Rush rustig, bijna vleiend. 'Laat je gedachten vrij. Laat je bewustzijn uit je lichaam ontsnappen. Maak er een leeg omhulsel van, een hol vat.'

Een leeg omhulsel. Zonder precies te weten waarom werd Logan plotseling bang. Instinctief deed hij een stap naar voren alsof hij de procedure wilde onderbreken; maar even later had hij zich weer in de hand.

Rush pakte de recorder weer op. 'Wie spreekt daar?'

Geen antwoord.

Rush boog zich over Jennifer heen. 'Wie spreekt daar?'

Jennifers lippen bewogen. 'Zegsman... van Horus.'

'En weet jij wie ik ben?'

'De grafschenner. De... ongelovige.'

'Vertel eens wat meer over dat ornament op de wandschildering. Dat ornament dat de farao, of hogepriester, op zijn hoofd heeft.'

'Geen... priester. Alleen voor... kind van Ra.'

Kind van Ra. De farao. Logan fronste zijn wenkbrauwen. Die benaming was pas tijdens de vierde of vijfde dynastie ontstaan, honderden jaren na Narmers dood. Kon dit een bewijs temeer zijn voor Tina Romero's theorie – een historisch anachronisme, een soort collectieve amnesie voor rituelen en religie na Narmers dood?

Rush hield de recorder vlak voor Jennifers lippen. '"Dat wat leven brengt aan de doden, en dood aan de levenden," zei je eerder. Wat bedoelde je daarmee?'

'Het... grote geheim... geschenk van Ra... Mag niet... bezoedeld worden... door de hand van de ongelovige.'

Jennifers ademhaling werd nog sneller en oppervlakkiger.

'Hou het kort,' zei Logan op gedempte toon tegen Rush.

'Wat ligt er achter de derde poort?' vroeg Rush.

Jennifer grimaste pijnlijk. 'Snelle dood. Uw ledematen worden... verspreid over de uithoeken der aarde. Gij... gij allen... U zullen waanzin en dood ten deel vallen...'

De vloek van Narmer, dacht Logan.

Tot zijn onuitsprekelijke afgrijzen zag hij Jennifer plotseling, nog onder invloed van de verdovende middelen, langzaam overeind komen op de onderzoekstafel. Maar ze bewoog op een vreemde manier, alsof ze door een onzichtbare macht overeind getrokken werd.

Ineens vlogen haar ogen open: met een starende, nietsziende blik keek ze strak vooruit. 'Waanzin en dood!' riep ze met angstaanjagende stem.

En toen vielen haar ogen weer dicht en zakte ze ineen op het bed. Op dat moment begon de apparatuur te piepen.

'Wat is er?' vroeg Logan geschrokken. Maar Rush reageerde niet; hij had het veel te druk met de medische instrumenten. Hij liep naar haar toe en onderzocht haar even. Na een paar minuten rechtte hij zijn rug.

'Ze lijkt een soort toeval te hebben gehad,' zei hij. 'Dat valt niet te zeggen zonder verdere tests. Maar nu ligt ze te rusten. Ik laat de propofol nog een paar minuten lopen, en dan breng ik haar weer bij.'

Logan fronste. Deze hele procedure was veel verder gegaan dan hem lief was. 'En dat was de laatste keer. Ja, toch?'

'Precies. Hierna zou ik haar nooit vragen om dit nog eens te doen. Zelfs niet als Stone erop staat.'

'Gelukkig. Want nu ik dit gezien heb, moet ik zeggen dat er geen enkele rechtvaardiging is voor dit soort behandeling. Zeker niet na mijn eerdere aanbeveling. En al helemaal niet gezien haar achtergrond.'

Rush keek hem aan. 'Wat voor achtergrond bedoel je?'

'De achtergrond die ik zonet ontdekt heb in de documenten die ik van je had gekregen. Haar psychologische achtergrond.'

Rush bleef hem aankijken; zijn blik werd steeds harder. Toen hij niet reageerde, vervolgde Logan. 'Ik heb het over haar diagnose van een schizoaffectieve stoornis.'

'Dan heb je het over een diagnose van twintig jaar geleden,' zei Rush op verdedigende toon. 'En het was een foute diagnose. Jen had geen schizoaffectieve stoornis; het was gewoon puberaal gedrag.'

Logan reageerde niet.

'In het ergste geval was het een stemmingsstoornis. Een lichte, tijdelijke stoornis, die verdwenen is toen ze ouder werd.'

'En dan nog – hoe kon je haar dit aandoen, gezien die geschiedenis? Hoe kon je haar zoiets traumatiserends laten meemaken?'

Rush trok zijn voorhoofd in rimpels en opende zijn mond om hem van repliek te dienen. Maar hij hield zich in en haalde diep adem. 'Stone vond het belangrijk. Ikzelf vond het belangrijk. Ik dacht dat dit een kans was om ons CTO-onderzoek te promoten, om onze bevindingen in de praktijk toe te passen. En zoals ik je al eerder heb verteld: ik dacht echt dat het Jen goed zou doen. Als ik dit geweten had… laten we het erbij houden dat het nooit meer zal gebeuren.'

Even bleef het stil. De twee liepen weg van de tafel, maar hielden hun blik op Jennifers roerloze gestalte gericht.

'Ik heb zitten denken aan wat je zei,' merkte Rush gedempt op. 'Dat Jen zo lang hersendood is geweest, dat haar BDE zo lang heeft geduurd, dat ze in wezen haar, tja, haar ziel kwijtgeraakt kan zijn.'

'Dat heb ik niet gezegd,' wierp Logan tegen.

'Het klonk in je woorden door. Dat ze een hol vat was. En dat de geest van farao Narmer, als die hier nog intact rondwaarde, dat die dan… tijdelijk bezit van haar kon nemen.'

'Sinds ons laatste gesprek heb ik zelf ook het nodige onderzoek verricht. In theorie kan het, wat je zegt. Maar dat is hier niet aan de hand.'

'Een hele opluchting. Maar hoe weet je dat zo zeker?'

Logans blik rustte nog op Jennifer. 'Twee redenen. Ik geloof inderdaad dat de levenskracht van iemand wiens fysieke vorm dood is, kan postvatten in het levende lichaam van iemand wiens ziel op het randje balanceert. Maar zo'n intieme fysieke band is zeldzaam. Ik heb de literatuur doorgespit, en er zijn maar een handvol gevallen van bekend, stuk voor stuk slecht beschreven. Er is echter één ding waarover ze het allemaal eens zijn: de geest van de overledene kan geen bezit nemen van het lichaam van iemand van het andere geslacht.'

'Dan is dit dus niet Narmer,' zei Rush zichtbaar opgelucht.

'Niet als wat ik hier als hypothese opwerp inderdaad het geval is.'

Rush knikte langzaam. 'Twee redenen, zei je.'

'De andere reden heb ik al genoemd. Je herinnert je ongetwijfeld dat de primaire reden waarom een farao in zijn graf werd begraven was om zijn reis naar de volgende wereld te vergemakkelijken. Als de mummie zelf niet aanwezig is, kan de ka, de essentie van de geest, nergens heen. Die blijft dan voorgoed bij het graf spoken. Maar als er een fysiek lichaam aanwezig is, zoals Narmer in zijn graf had, dan kan de ka de reis door de onderwereld maken met zijn ba; dat is dat deel van de ziel dat mobieler is en makkelijker kan reizen. Alles wat we in het graf hebben gezien diende als voorbereiding voor Narmer. Zodat zijn reis zou slagen.'

'En omdat we Narmers mummie intact hebben aangetroffen, weten we dat zijn ka hier niet langer is,' concludeerde Rush.

'Daar ziet het naar uit.'

'Maar als dit Narmer niet is,' begon Rush aarzelend, 'met wie hebben we hier dan gesproken?'

Daar gaf Logan geen antwoord op.

44

O m twee uur in de ochtend was het Station onder een gezwollen gele maan in een rusteloze slaap gedompeld. Een paar laboranten waren aan het werk in Operations, bezig met de voorbereidingen voor de missie van de volgende ochtend: het verbreken van de laatste zegels zodat ze de derde poort door konden. Er stonden bewakers bij de Muil, onder aan de basis van de Navelstreng en bij de communicatieapparatuur. Verder was alles rustig.

Een eenzame gestalte liep door de verlaten gangen van Rood, gehuld in een witte laboratoriumjas, net als zo vele anderen die overdag de laboratoria bemanden. Alleen bewoog deze figuur zich anders: voorzichtig, bijna steels. Bij iedere kruising bleef hij staan om zich ervan te vergewissen dat er niemand in de buurt was. Daarna pas liep hij verder.

De gestalte kwam aan bij de hoofdingang van het archeologisch laboratorium. Die zat op slot, maar de figuur had al tijden geleden een loper bemachtigd en opende met behendige vingers geruisloos het slot. Hij keek de gang af, bleef even staan luisteren en glipte vervolgens naar binnen, de deur zachtjes achter zich dicht trekkend.

Zonder het licht aan te doen glipte hij door de vertrekken vol onderzoekstafels, kluizen en restauratieapparatuur heen tot hij aankwam bij de opslagruimte achter in het lab. Hij opende de zware deur en liep het kille interieur binnen. Nu pas knipte hij een lantaarntje aan. De lichtbundel streek over de oppervlakken van het kleine vertrek en bleven uiteindelijk rusten op een kastenwand met een handvol grote laden, als in een mortuarium.

Met versnelde passen liep de figuur naar voren. Hij liet zijn hand langs de ladefronten glijden, greep een handvat en trok de la zo onhoorbaar mogelijk naar buiten. De geur van de kamer – stof, schimmel, chemicaliën en de vage rottingsgeur van het moeras buiten – kreeg nu een extra dimensie: de geur van de dood.

In de lade lag de mummie van farao Narmer. De figuur trok de la helemaal naar buiten en scheen met zijn lantaarn over het lijk. Dat was opvallend goed geconserveerd, gezien de leeftijd van vijfduizend jaar. Wat ook opvallend was, was de manier waarop de mummie in doeken was gewikkeld. En dat hij überhaupt in doeken was gewikkeld: zo'n mummie zou pas weer gevonden worden in het nieuwe rijk, zo'n vijftienhonderd jaar later. Verbluffend om te zien hoeveel er was vergeten en pas meer dan duizend jaar na Narmers dood opnieuw was geleerd. Kwam dat deels door de enorme moeite die de farao had genomen om iedereen om de tuin te leiden met zijn schijngraf, en door zijn lijk zo ver van zijn thuisland te laten begraven?

Maar op dat moment was de figuur niet geïnteresseerd in theoretische vragen. Hij was geïnteresseerd in de windsels rond het lijk – en wat daarin zat.

De lijkwade van de mummie was verwijderd en de linnen wikkels waren zichtbaar, nog licht glinsterend van de eeuwenoude zalf. De figuur stak een hand in de zakken van zijn witte jas en haalde er snel een aantal ziplockzakjes en een zwaar scalpel uit. Snel sneed hij de banden door waarmee de papyrusrol – met daarop de spreuken voor een veilige doortocht door de onderwereld – vastzat aan de handen van de mummie, en legde de papyrus weg. Daarna maakte hij de zwarte scarabee op de borstkas van de mummie – op het hart geplaatst en ook weer voorzien van magische spreuken – los van de gouden ketting waaraan hij hing en stopte zowel de ketting als de scarabee in een van de plastic zakjes. Daarna begon hij de afzonderlijke stroken linnen rond de vingers van de mummie los te wikkelen. En daarbij verscheen een groot aantal kunstvoorwerpen: gouden ringen, edelstenen en kralen, mat glinsterend in het schijnsel van de lantaarn.

De gestalte lachte verheugd maar binnensmonds bij de aanblik van die vondsten. Snel borg hij ze in het zakje op.

Nu begaf hij zich naar het hoofd van de mummie en sneed, met nog snellere bewegingen, de buitenste verbanden los uit het hars. Hij begon ze af te pellen, en er verschenen nog meer schatten: een valkenkraag van goud, een tweede van aardewerk. Ook die waren, net als alle andere voorwerpen die waren weggestopt in de zwachtels van de mummie, bedoeld als magische bescherming, om de koning te helpen bij een snelle oversteek naar de volgende wereld. De figuur scheurde ze ruw los uit de windsels en stopte ze in de plastic zak. Na al die jaren zaten ze nog dik onder de balsem – maar een ander soort balsem, leek het, dan in de buitenste wikkels had gezeten. Het zou wel een of ander primitief conserveringsmiddel zijn, nog niet zo geraffineerd van samenstelling als bij de latere dynastieën. De figuur ging door met het afwikkelen van de bandages rond het hoofd. Er verschenen meer kunstvoorwerpen: een scarabee van barnsteen, een schitterende met juwelen ingelegde diadeem. Beide verdwenen in de zak. De eerste ziplockzak was nu vol; de figuur schoof hem dicht en stopte hem in de zak van zijn witte jas. De indringer moest zo snel mogelijk werken, en durfde niet langer in de opslagruimte te blijven. Hij had al een tiental voorwerpen tussen de windsels van de mummie uit gevist – nog tien, en dan ging hij ervandoor.

Hij liep terug naar de borstkas van de mummie. Op de lijkwade was nog een vage schildering van Osiris zichtbaar geweest – en als zo'n bizar anachronisme mogelijk was, dan lagen de kromstaf en de vlegel van de farao misschien ook nog wel ergens tussen het linnen. Dat zou pas een echt vorstelijke vondst zijn.

De indringer pakte het scalpel met vingers die kleverig geworden waren van de balsem – zijn bewegingen voelden wat traag en loom aan – en zonder de minste eerbied voor de eeuwen geleden gestorven farao maakte hij een diepe snee in de wikkels van de borstkas. De geur van de dood werd sterker. Meteen fonkelde er goud tussen de doorgesneden lagen linnen. De figuur zag een dolk, een gouden ketting, een paar rijk bewerkte beschermende armbanden. En... wat was dat daar, net zichtbaar tussen de onderste lagen van het verband? Was het mogelijk, was het ook maar in de verste verte mogelijk, dat dit een grote, gouden *ba*-vogel was, met vleugels rijk bespikkeld met talloze edelstenen...?

Koortsachtig groef de figuur tussen de wikkels. Hij tastte in het rond, plukte het ene na het andere amulet uit de mummie en stopte ze in de tweede plastic zak. Ook die zaten dik onder de een of andere primitieve zalf, een beetje zandkleurig bruin... Walgelijk, maar dat kon later schoongemaakt worden.

De figuur wreef zijn handen over elkaar en veegde de kleverige pasta af aan zijn witte jas. Toen pakte hij het scalpel weer op, boog zich over de mummie heen en maakte zich op om de laatste wikkels los te snijden.

Maar wacht – er was iets mis. Wat was dat eigenaardige gevoel van prikkelende hitte, dat van binnenuit leek te komen? Wat was die walgelijke stank, zwavel of iets nog ergers, die steeds sterker werd tot de hele kamer ermee gevuld was?

Geschrokken deinsde de figuur achteruit. Maar op datzelfde moment veranderde het gevoel van hitte in de ervaring van een steekvlam, van opwervelende rook. De figuur opende zijn mond om naar adem te happen, maar dat gebaar veranderde in een snel aanzwellend gekrijs, steeds hoger en harder, toen de sensatie zich met razende snelheid verspreidde en de grafschenner in een bankschroef van ondraaglijke pijn klemde.

45

Toen Jeremy Logan ditmaal afdaalde naar het perron bij de luchtsluis onder aan de Navelstreng, was het daar zo druk dat hij amper een staanplaats vond. Hij telde tien anderen, onder wie Tina Romero, Ethan Rush, Stone, Valentino – voor de verandering in hoogsteigen persoon –, twee archeologen uit March' team, twee sjouwers en twee bewakers. Hij knikte naar de aanwezigen. Enkelen – Rush, Stone, de archeologen – zagen er bedrukt uit, met grauwe gezichten. Er heerste een ernstige, gespannen sfeer, waarin maar weinig over was van de verwachtingsvolle houding die hij tijdens zijn eerste afdaling naar het graf had opgemerkt.

Logan begreep waarom Rush overstuur was – Jennifer verkeerde nog steeds in coma en was in een soort hypnotische trance geraakt waaruit ze niet gewekt kon worden. Maar de anderen?

'Waar is dr. March?' vroeg hij met een blik in het rond. Niemand antwoordde.

'Zijn we zover?' vroeg Stone even later. Er werd geknikt, er ging een instemmend geprevel op.

'Dan beginnen we.' Nog voordat hij uitgesproken was, had Stone Logan bij de arm genomen en was voor de anderen uit de eerste kamer in gelopen. Toen ze een paar stappen gezet hadden, boog hij zich naar Logan over. 'March is dood,' fluisterde hij.

Logan keek hem geschrokken aan. 'Dood?'

Stone knikte. Zijn lippen waren bijna onzichtbaar, zo strak zaten ze opeengeklemd. 'Hij is gisteravond laat het archeologielab binnengeslopen en heeft Narmers mummie geplunderd; de zwachtels losgewikkeld, het lijk ontdaan van de schatten die tussen de windsels zaten. Er heeft iets van een explosie plaatsgevonden, er is brand uitgebroken…'

'Een explosie?' herhaalde Logan.

'Tussen de lagen van Narmers windsels zaten twee verschillende chemische stofjes. Ik heb me laten vertellen dat die elk afzonderlijk inert zijn, maar als ze met elkaar in aanraking komen... dan werken ze als een soort voorloper van napalm.'

'Een valstrik, bedoel je? Wat voor stofjes? Hoe kan het dat die na al die eeuwen nog werkzaam waren?'

'Mijn mensen zijn de zaak nog aan het analyseren, maar de componenten waren kennelijk uitermate stabiel. Een soort kaliumderivaat, schijnt het, met een primitieve vorm van glycerol of glycol als antagonist.' Stone keek om naar de anderen, die nu aan kwamen lopen. 'Hoor eens, Jeremy – bijna niemand weet dit. We houden het stil, vanwege het moreel en... om andere redenen.'

'Enig idee wat zijn motief was?' informeerde Logan. 'Het kan toch niet alleen hebzucht geweest zijn.'

'Dat valt nog niet te zeggen. Maar misschien is het inderdaad zo deprimerend simpel. Ik laat momenteel in Amerika wat dingen navragen. Het blijkt dat March het afgelopen jaar gigantische schulden heeft gemaakt, dat hij veel meer geld uitgaf dan er binnenkwam. Misschien werkte hij voor een van mijn rivalen, probeerde hij onze medewerkers bang te maken, simuleerde hij delen van de vloek. Of misschien hoopte hij gewoon zo veel mogelijk goud en juwelen mee te ratsen.' Stone zuchtte. 'Ik had hem weer moeten laten natrekken, zoals ik met iedereen heb gedaan. Maar ik had al zo vaak met hem gewerkt, ik vertrouwde hem.'

Logan knikte naar het graf dat voor hen lag. 'Wil je hier dan niet liever even mee wachten?'

Weer schudde hij bruusk met zijn hoofd. 'Dat gaat niet. Nu die dam zo ver op het schema voorligt, kunnen we ieder moment een delegatie verwachten om te bespreken wanneer wij onze bezigheden hier afsluiten. En we zijn te ver gevorderd om ze nog een rad voor de ogen te draaien. We moeten weghalen wat we kunnen, voordat het te laat is.'

Weghalen wat we kunnen. Logan keek even in de richting van Tina Romero. Het leek wel of March' hebberigheid vanuit het hiernamaals op Stone was overgegaan. Logan vroeg zich af wat zij hiervan zou vinden.

Toen de anderen zich bij hen hadden gevoegd, keek Logan rond in de eerste grafkamer. Zijn blik bleef rusten op het zware, schitterend bewerkte bed dat nu in stukken in de hoek stond, de hemel ingezakt op het plateau. Er zaten nog een paar opgedroogde bloedvlekken op de plek waar de ongelukkige Robert Carmody aan zijn eind was gekomen. De zware gouden deuvels waarmee de hemelconstructie op zijn plek had gezeten, waren opzettelijk losgetrokken. Was dat ook March' werk geweest, had hij ze later willen weghalen? *De hand die mijn onsterfelijke gestalte aanraakt zal branden met onblusbaar vuur.* Narmers woorden. Alweer. En opnieuw leek de vloek uit te komen. Ironisch, dacht hij: als March inderdaad hier en daar een kleine bijdrage had geleverd aan Narmers vloek, was de uiteindelijke uitkomst iets wat de archeoloog van zijn levensdagen niet had kunnen wensen.

Zwijgend begaf het groepje zich naar de open poort achtern, die toegang gaf tot de volgende kamer. Ook kamer 2 was vrijwel helemaal leeggehaald. Het enige wat er nog stond waren de twee schrijnen – die waren fysiek in de kamer ingebouwd – en de immense, blauwgranieten sarcofaag in het midden. Logan keek even naar Tina Romero. Haar gezicht stond strak, ondoorgrondelijk.

Rush kwam aanlopen en Logan vroeg hem: 'Hoe is het met Jennifer?'

De arts zag eruit of hij in geen tijden had geslapen. 'We hebben haar naar de ziekenboeg gebracht. Haar vitale functies zien er goed uit en ze is stabiel. Ik heb geen idee waarom ze niet allang weer bij bewustzijn is.'

'Zou het kunnen komen door de stress van die laatste oversteek? Een soort hysterische catatonie?'

'Dat betwijfel ik. Zoiets heeft ze nog nooit gehad.'

Logan keek om zich heen. 'Ik neem aan dat jij March hebt doodverklaard, klopt dat?'

Rush' sombere blik werd nog donkerder. 'Mijn god. Wat een toestand.'

Stone was naar de met goud beklede achterwand van de tweede kamer gelopen. Die zag er hetzelfde uit als de andere drie muren, afgezien van de grote zegels langs een deurpost en het motief dat in het goud was aangebracht. Logan liep erheen en zag wat het voorstelde: een enorm, grijnzend gezicht dat hem – verontrustend, en heel anders dan de normale profielen in de Egyptische kunst – rechtstreeks aanstaarde. Het leek een wezen dat half jakhals, half mens was. De rest van de muur was, zag Logan nu, overdekt met vage hiërogliefen, heel fraai en heel kunstig aangebracht in het edelmetaal.

'Tina?' zei Stone zachtjes. 'Kun jij lezen wat daar staat?'

Romero kwam dichterbij. 'Het laatste deel van de vloek, eindeloos herhaald,' zei ze nadat ze er even naar gekeken had. '*Mocht iemand in zijn vermetelheid de derde poort passeren, dan zal de zwarte god uit de diepste diepte hem grijpen, en zijn ledematen zullen in de verste uithoeken der wereld wor-*

den verstrooid. En ik, Narmer de Eeuwiglevende, zal hem en de zijnen kwellen, bij dag en bij nacht, wakend en slapend, tot waanzin en dood zijn eeuwige tempel worden.'

Er viel een korte stilte over het groepje.

'En die afbeelding?' vroeg Stone. 'Dat godengezicht?'

'Zoiets heb ik nog nooit gezien,' antwoordde Romero.

'De zegels?'

'Koninklijke zegels. Net als de andere die we gezien hebben, maar dan veel groter en rijker versierd. Serekhs, met echo's van de vloek tussen de primitieve symbolen voor de farao's naam door geweven.'

Superzegels, dacht Logan bij zichzelf.

'De bodemradarsignalen voor de ruimte hierachter vertoonden een afwijkend patroon,' zei Stone. 'Volgens de scans lijkt het of de kamer leeg is – maar dat kan natuurlijk niet.' Hij bleef even, in gedachten verzonken, naar de muur staan kijken. Toen herpakte hij zich. 'Oké,' zei hij, terwijl hij zich naar Rush omdraaide. 'Ga je gang, Ethan.'

De anderen bleven zwijgend staan wachten terwijl de arts een proefgaatje in het goud boorde; hij stak er zijn instrumenten in, nam een monster van de lucht in de kamer en verklaarde die veilig. Daarna liep Stone zelf naar de zegels toe en sneed – met Romero aan zijn zijde, die een kistje voor de vondsten in haar handen had – heel voorzichtig door het bovenste grafzegel heen. Daarna verbrak hij het lager gelegen, nog rijker versierde koninklijke zegel. Terwijl hij behoedzaam de delen loswrikte uit het omliggende goudfineer, klonk er een luide klik, gevolgd door een zuchtend, knarsend geluid. En tot Logans verbazing kantelde de hele muur ruim een halve meter naar binnen, een deur die op scharnieren draaide. Als één man deden ze een stap achteruit, en er ging een kreet van schrik op. Maar toen er verder niets gebeurde, liep Stone weer naar voren, zij het voorzichtig, en scheen met zijn lantaarn de donkere ruimte van de derde kamer in. Even later keek hij om naar de sjouwers.

'Deze ingang stabiliseren,' zei hij. 'En dan gaan we naar binnen.'

46

Opnieuw ging Stone als eerste naar binnen; hij had amper gewacht tot de sjouwers klaar waren met het testen van de doorgang. Zijn bewegingen waren snel, bruusk zelfs, alsof de problemen van de afgelopen dagen – en het tikken van de klok – hem een dringend gevoel van haast hadden bezorgd. Hij wrong zich tussen de werkers door de smalle opening in en verdween achter de muur van de derde poort. Even was het stil, en was slechts aan de weerkaatste lichtbundel van Stones zaklamp, heen en weer flitsend door het donker, te zien dat er iemand binnen was. Na een tijdje hoorde Logan hem even kuchen.

'Tina? Ethan? Dr. Logan? Valentino?' riep hij op vreemde toon. 'Kom eens binnen.'

Logan volgde de anderen door de spleet in de muur, de laatste kamer in. Eerst dacht hij dat zijn lantaarn het niet meer deed: er leek geen licht uit te komen. Maar plotseling besefte hij: de hele kamer was bekleed met een materiaal dat wel onyx leek: de wanden, de vloer en het plafond waren matzwart. Het steen leek het licht uit de lantaarns te absorberen, van hen weg te trekken zodat het in het kamertje zo schemerig was dat er amper iets te zien viel.

'Jezus,' zei Tina met een huivering. 'Griezelig.'

'Is dat je professionele mening, Tina?' vroeg Stone.

'Kowinsky,' riep Valentino door de opening in de derde poort. 'Breng eens een van die natriumdamplampen.'

Even stonden ze allemaal zwijgend om zich heen te kijken. In Logans ogen was het een opmerkelijk kale ruimte, zeker vergeleken met de overdaad in de eerste twee kamers. Er stond één siertafel langs de linkermuur, met goudemail, waarop een tiental papyri lag, zorgvuldig opgerold en op een rij gelegd. Achter in de ruimte stond iets wat een klein bed leek, heel smal, en ooit overdekt geweest met een soort linnen laken en een kussen, nu tot rafels vergaan. Tegenover de tafel, aan de andere muur, stonden drie kleine kistjes, zo te zien van massief goud, met één enkele urn. Maar bijna iedereen keek algauw naar het voorwerp midden in de kamer. Dat was een enorme kist, ruim een meter in het vierkant, gemaakt van een zwarte steensoort, misschien ook onyx, op een schitterend gebeeldhouwde sokkel van zwaar, donker hout. De randen waren afgewerkt met stroken goud. De zijden van de kist waren versierd met motieven die ze in de eerste kamer al gezien hadden: het doosvormige voorwerp met een ijzeren staaf erbovenop; het komvormige voorwerp met slierten goud aan de randen. Maar ditmaal waren de afbeeldingen gemaakt van een enorm aantal felgekleurde edelstenen die in het oppervlak waren gezet. Bovenop was een rijk bewerkte serekh te zien.

'Tina?' vroeg Stone bijna fluisterend terwijl hij naar de serekh wees. 'Dat is toch de rebus van Narmers naam?'

Tina knikte langzaam. 'Ja. Volgens mij wel.'

Stone keek haar aan. 'Hoezo, volgens jou wel?'

Ze had haar videocamera op de grond gezet, want het was te donker om te filmen. Nu boog ze zich naar de kist over. 'De gliefen komen overeen. Maar die krassen hier, door de kop van de meerval heen... Ik weet het niet. Dat is iets heel ongebruikelijks. Het is allemaal ongebruikelijk. Dat bedje achterin, de schrijnen in kamer 2, het feit dat deze ruimte zo vreemd leeg is...' Ze zweeg weer. 'Ik heb het al eerder gezegd: het lijkt wel of dit hele graf een soort oefensessie was voor Narmers dood, voor zijn overtocht naar de volgende wereld, de Velden van Offerandes.'

'Ben jij ooit eerder zoiets tegengekomen?' vroeg Stone.

'Nee.' Met rimpels van verbazing in haar voorhoofd keek ze in de schemerige ruimte om zich heen. 'Het is bijna alsof... Maar nee, dat kan niet.' Ze keek weer naar de kist. 'Ik wou dat ik deze hier beter kon bekijken.'

'Kowinsky!' brulde Valentino. 'Komt er nog wat van die lampen?'

'We krijgen ze niet door de opening, meneer,' klonk Kowinsky's ontzielde stem. 'Ze zijn te groot.'

'Kijk eens naar die papyri,' zei Stone tegen Tina. 'Misschien kunnen die enig licht op de zaak werpen.'

Ze knikte en liep erheen met haar lantaarn.

Nu liep Stone, op de voet gevolgd door Rush, naar de rij gouden kistjes langs de rechtermuur. Stone hurkte en haalde voorzichtig met zijn handen in latexhandschoenen het deksel van het eerste kistje weg.

Met stijgende ontzetting, en met zijn armen om zijn bovenlichaam geslagen tegen de kou, keek Logan toe. Vanaf het moment dat ze de kamer binnengegaan waren, was hij zich bewust geweest van de boosaardige geest die er heerste. Die had zijn aanwezigheid gevoeld, dat wist hij zeker, maar het overweldigende kwaad dat hij een paar maal eerder had gevoeld werd voorlopig in toom gehouden. Het leek wel of de geest keek, wachtte... zijn tijd beidde. Hij stak zijn hand in zijn weekendtas en haalde er de luchtionenteller uit. Hij bewoog de teller langzaam in het rond en keek: de lucht hier was aanzienlijk meer geïoniseerd dan normaal. De telling was zelfs steeds hoger geworden naarmate ze dieper in het graf doordrongen. Hij wist niet goed wat dat betekende.

Stone had het deksel van het kistje gehaald. Heel voorzichtig stak hij zijn hand naar binnen. Hij pakte er iets uit: een krul van heel dun gedreven metaal. 'Dit lijkt me zuiver koper,' zei hij. 'Er zit minstens een handvol van die dingen in.' Hij richtte zijn aandacht op de volgende kist, haalde het deksel eraf, tuurde naar binnen en haalde er iets uit wat in het schemerlicht wel een kleine bajonet leek, bruin, zwaar verroest. 'Dat lijkt me ijzer,' zei hij.

'In dat geval moet het ijzer van een meteoriet zijn,' zei Tina, die was komen aanlopen van de tafel met papyri. 'En dat zou dan het eerste ijzer bij de Egyptenaren zijn, ettelijke honderden jaren voordat het alom in gebruik kwam.'

Maar Stone was al naar de derde kist gelopen. Hij opende hem, stak zijn hand erin en haalde hem weer naar buiten. In zijn handpalm lagen tientallen dunne sliertjes gedreven goud, verstrengeld als kerstboomslingers.

'Wat is dat nou?' prevelde hij.

Tina Romero stapte naar de urn met de zwarte rand. Ze tilde hem voorzichtig op en scheen er met haar lantaarn in. 'Leeg,' zei ze. Toen bracht ze hem naar haar neus en snoof even, voorzichtig. 'Raar. Het ruikt zuur, het lijkt wel azijn.'

Stone liep naar haar toe, nam de urn over en rook eraan. 'Je hebt gelijk.' Hij gaf haar het kruikje terug.

'Stroken koper, ijzeren staken, gouden slingers,' zei Logan. 'Wat kan dat betekenen?'

'Geen idee,' antwoordde Stone. 'Maar dáárin zit het antwoord op al jouw vragen. En meer.' Hij wees naar de onyxkleurige kist in het midden van de grafkamer. 'Dat wordt de kroon op al onze carrières; daardoor ga ik de geschiedenis in als de grootste archeoloog aller tijden.'

'Denk je…' Rush onderbrak zichzelf even. 'Denk je dat in die kist de kronen van Egypte zitten?'

'Dat denk ik niet, dat wéét ik. Het is de enige mogelijkheid. Het laatste geheim van de laatste kamer van Narmers graf.' Stone richtte zich tot Valentino. 'Frank? Laat je mannen even helpen.'

Langzaam, als bezield door één gedachte, dromde het groepje samen in een zwijgende kring rond de diepzwarte kist.

47

Amanda Richards liep het lab voor forensische archeologie binnen en knipte met een nonchalant gebaar het plafondlicht aan. Even bleef ze in de deuropening staan kijken naar de rijen instrumenten, de zorgvuldig schoongeschrobde bureaus en tafels, en toen liep ze naar een tafel in de hoek. Er heerste een flauwe geur van formaldehyde en andere conserveringsmiddelen in de ruimte. Verontrustender was dat het er ook naar zwavel rook.

Ze ging aan de tafel zitten, nam een map onder haar arm vandaan en sloeg hem open. Een paar minuten lang bekeek ze de documenten die erin zaten: rapporten van röntgenfluorescentieonderzoek, de cruciale CT-scans, radiografische scans, en een beknopte analyse door Christina Romero, allemaal over hetzelfde onderwerp: de mummie van farao Narmer.

Richards sloeg de map dicht en bleef even zitten om in gedachten een checklist af te werken. Daarna stond ze op en begon de instrumenten te verzamelen die ze nodig zou hebben: scalpels, extra sterk linnen garen, een tang, teflonnaalden, bladen van glasvezel, stukjes oude vlaszwachtels, afkomstig van gemummificeerde lijken die te zeer vergaan of beschadigd waren voor forensische ingrepen. Toen ze alles bijeen had, liep ze naar de lade in de muur, pakte het handvat en trok behoedzaam de gemummificeerde resten van farao Narmer tevoorschijn.

Deze lade was bijna identiek aan de laden in de opslagruimte waar Fenwick March was omgekomen tijdens zijn poging om Narmers mummie te plunderen, op één verschil na: deze lade had een atmosfeer van inert gas, nitrogeen. Omdat March de mummie zo bruut had geschonden, de wikkels kapot had gescheurd en het inwendige microklimaat had verstoord, moesten ze alles doen wat ze konden om verder verval of bederf te voorkomen. Daarom was Richards hier: om zo goed en zo kwaad als het ging de schade te herstellen die March had aangericht, en om de mummie klaar te maken voor verzending tot een zorgvuldiger en uitgebreider restauratie kon worden verricht in Porter Stones laboratoria buiten Londen. Ze zette de stabilisatiepoot van de lade uit en haakte hem vast in de vloer. Ze trok latexhandschoenen aan en zette een mondkapje op, en toen bekeek ze de mummie uitgebreid. Eerder die dag hadden laboranten de chemicaliën verwijderd uit de wikkels van de mummie die de eeuwenoude landmijn hadden gevormd; dat hadden ze gedaan door de mummie bloot te stellen aan atmosferische onderdruk. Desalniettemin behandelde Richards het lijk met de grootste omzichtigheid.

Ze zette haar onderzoek van de mummie voort; ze zag de schade aan de verbonden handen, het hoofd en met name de borstkas. Ze had nog steeds moeite met de gedachte dat Fenwick March, een van de meest gerespecteerde archeologen ter wereld, zoiets gedaan kon hebben. Niet alleen had hij een mummie geplunderd, maar op zo'n ruige, onprofessionele manier. Verbijsterend, de aantrekkingskracht van eeuwenoude rijkdommen. March had er zijn leven lang onderzoek naar gedaan, had talloze schatten in handen gehad. Misschien was deze vondst, farao Narmer, hem uiteindelijk te veel geworden. Misschien was dit de laatste druppel vloeibaar goud die de emmer deed overlopen.

Ze trok een uv-lamp aan het plafond op zijn plek boven de mummie. Het was misschien niet mooi gedacht van haar, maar ergens was ze opgelucht dat March uit de weg was. Hij had als een tiran door de archeologische laboratoria rondgewaard, had commentaar gehad op alles en iedereen, had erop gestaan dat de dingen op zíjn manier gebeurden, had zich over de kleinste dingen beklaagd en mensen aan het hoofd gezanikt. Dit was de tweede keer dat Amanda Richards met hem had samengewerkt, en ditmaal was hij veel onhebbelijker geweest dan die eerste keer. Misschien maakte het deel uit van wat hem ook bezield had om die mummie te willen beroven. Ze schokschouderde even. Het enige wat ze zeker wist, was dat hij, als hij in leven gebleven was en als iemand anders Narmers lijk geschonden had, op ditzelfde moment misprijzend over haar schouder had staan kijken, commentaar had geleverd op alles wat ze deed, en haar duidelijk had gemaakt dat ze het volkomen verkeerd aanpakte.

Maar nu heersten er weldadige rust en stilte in het lab.

Ze bewoog het uv-licht langzaam over de mummie. Restanten vernis fonkelden bleekgoud in het schijnsel. Hier en daar zaten donkerder vlekken in de bovenste verbandlagen die March op zijn koortsachtige zoektocht naar grafvondsten had opengescheurd; daar hadden de laboranten de kleverige glycerol gestabiliseerd met een inerte stof waardoor hij onschadelijk werd. Richards knipte de lamp uit en schoof hem opzij. Narmers borstkas was het hevigst beschadigd; daar zou ze haar restauratiewerk beginnen.

Ze trok een krachtige operatielamp op wielen naar haar werkplek toe, richtte het licht op de borstkas en begon de schade door een juweliersloep op te nemen. March had dwars door de linnen windsels heen gesneden en had talloze lagen blootgelegd, die nu zichtbaar waren als geologische bodemlagen. De scarabee zonder inscriptie had March weggehaald, maar tussen de lagen textiel waarin de mummie was gewikkeld glinsterden talloze andere kleinoden: kralen en aardewerk amuletten, gouden snuisterijen en de andere voorwerpen die het 'magische harnas' vormden dat Narmer moest beschermen op zijn reis naar de volgende wereld.

Ze schudde haar hoofd en klakte even afkeurend met haar tong. March had zo'n janboel gemaakt van de wikkels rond Narmers borstkas dat ze nog meer zou moeten weghalen voordat ze ook maar kon beginnen ze in de juiste volgorde terug te plaatsen.

Ze pakte de tang en trok voorzichtig de randen van de vernielde windsels weg, zodat de diepere lagen in het zicht kwamen, slordig aan flarden gescheurd door Narmers boobytrap. Ze legde de tang weg en pakte het scalpel; daarmee sneed ze een eerste strook linnen door, en een tweede, die ze uit de wirwar van textiel viste en wegtrok. Ze vond het vreselijk om te doen, maar het was de enige manier om de schade te herstellen. Narmers lichaam was zo keurig ingepakt geweest, en March had zo haastig en roekeloos aan het linnen staan sleuren dat het leek of je probeerde een berg elastieken rond een gouden golfballetje te rangschikken.

Ze pakte het scalpel steviger beet en sneed nog een laag van het linnen verband door. Nu was Narmers huid te zien in het licht, afgedekt met een dunne doek en een gouden borststuk dat zelf ook van zijn plaats was geschoten, waarschijnlijk door de chemische reactie. Dat was niet goed; als het op de verkeerde plekken tegen het lichaam drukte, kon het nog verdere schade veroorzaken. Ze zou het terug moeten leggen op Narmers borst. Daarna kon ze dan beginnen de lagen verband te herstellen met haar linnen naaigaren, en waar de oorspronkelijke windsels te zeer beschadigd waren of te broos waren geworden, kon ze ze vervangen door haar oude vlasverband. Als dat klaar was, kon ze beginnen met het hoofd en de handen, waar het werk veel sneller zou gaan. Binnen drie, hoogstens vier uur, zou Narmers mummie hersteld zijn, gestabiliseerd voor de overtocht naar Engeland.

Ze legde het scalpel neer, reikte heel voorzichtig tussen de lagen stukgescheurd verband door en greep voorzichtig de randen van het gouden borststuk beet. Tot haar opluchting zag ze dat het omringende weefsel gezien zijn grote ouderdom in uitstekende conditie verkeerde: grijs en verdord, maar zonder enig teken van bederf. Maar het borststuk liet zich niet makkelijk verplaatsen, en ze moest even kracht zetten. Uiteindelijk schoot het met een droge tik los.

Richards tilde het iets op om het op de juiste plek te kunnen terugleggen, zodat ze het verband kon dichtnaaien. Maar plotseling verstarde ze, als aan de grond genageld van verbazing en schrik.

Nu het borststuk niet meer op Narmers borst zat, lag het lichaam open en bloot. En toen Richards ernaar keek, zag ze bij het genadeloze licht van de laboratoriumlampen, een rimpelige, verschrompelde, uitgedroogde maar onmiskenbare vrouwenborst.

48

Terwijl de rest van de groep in ademloze stilte toekeek, liep Stone naar de grote onyx kist. Valentino's sjouwers kwamen aan weerszijden van hem staan. Na een korte aarzeling knielde Stone voor de sokkel. Met zijn gehandschoende hand streek hij zachtjes langs het oppervlak van de kist. Zijn schouders beefden zichtbaar. Hij trok de handschoenen van zijn handen – het viel Logan op dat Rush niet protesteerde – en streelde opnieuw de kist. Ondanks zijn eerdere suggestie dat deze de sleutel tot al Narmers geheimen bevatte, leek hij geen haast te hebben hem te openen.

Logan, op de achtergrond in het donker, begreep hem. Hij dacht terug aan de speech die Stone had gehouden voor de voltallige bemanning van het Station, waarin hij zijn eerste archeologische vondst had beschreven: het indianenkamp dat alle anderen over het hoofd hadden gezien. Hij dacht terug aan de glans in Stones ogen bij hun eerste ontmoeting, die dag in het museum in Caïro, toen Stone vermomd als Egyptische geleerde op leeftijd had gezegd dat er haast bij was. In de loop van zijn illustere loopbaan had Stone bijna onweerlegbaar bewijs gevonden voor het bestaan van Camelot. Hij had sporen gevonden van Hippolyta, de koningin der Amazonen, die volgens historici een fabeltje was geweest. Maar met zijn ontdekking van Narmers graf had Stone zichzelf overtroffen. Logan wist dat Stone een groot, aan eerbied grenzend, respect had voor Flinders Petrie, de vader van de moderne archeologie. En nu had Stone bereikt wat zelfs Petrie niet gelukt was. Met de ontdekking van Narmers kroon zou hij zijn plaats innemen binnen de hoogste kring van zijn beroep – een kring met plaats voor één. Zijn criticasters zouden voorgoed zwijgen. Stone zou de grootste archeoloog aller tijden worden.

Zwijgend liet Stone zijn handen langs de bovenkant van de kist glijden, langs de flanken. Zijn magere spinnenvingers dansten alle kanten uit, bijna als een frenoloog die een schedel analyseert. 'Tina,' zei hij uiteindelijk te midden van de stilte, 'een scalpel, graag.'

Tina liep naar voren en gaf Stone het korte, rechte mesje aan. Hij knikte naar haar en plaatste het scalpel zachtjes tegen de gouden banden waarmee de kist was afgewerkt. Logan had aangenomen dat die een ingelegde versiering waren; het bleken echter stroken edelmetaal te zijn, rituele zegels waarmee de kist was afgesloten. Toen hij die doorgesneden had, nam hij ze weg van de kist en legde ze zorgvuldig naast zich neer. Er was nu nog één gouden strook over, en die hield de schitterend met edelstenen ingelegde serekh op zijn plaats op het oppervlak van de kist. Nog een behoedzaam duwtje met het scalpel en ook die was doormidden. Stone legde de band en de serekh aan de voet van de plint, en daarna kwam hij overeind en knikte naar de sjouwers. De twee gingen aan weerszijden van de kist staan en grepen op Stones teken elk aan een kant de rand van het deksel beet om dat op te tillen. Hoewel het niet meer dan vijf centimeter dik geweest kon zijn, kregen ze het amper van zijn plek. Valentino en een van de bewakers kwamen helpen. Met grote moeite tilden ze met hun vieren het deksel van de kist, brachten het naar een open plek in het graf en legden het kreunend van de inspanning op de vloer, waar het met een doffe dreun die door de hele kamer galmde, neerkwam.

In de grote onyx kist lag een zwarte doek met ingeweven goudkleurige draden. Stone raakte hem voorzichtig aan, maar net als tevoren verging de lap tot stof zodra hij hem aanraakte: alleen door een gril van de natuur was hij vijfduizend jaar lang bewaard gebleven.

Daaronder lag een blad gehamerd goud, overdekt met eenvoudige hiëroglief en.

'Tina?' vroeg Stone, terwijl hij een van de lampen op het goud richtte. 'Wat is dit volgens jou?'

Romero liep naar de kist en bestudeerde de gliefen. 'Ze lijken te verwijzen naar die papyri op tafel,' zei ze even later. 'Maar die heb ik nog niet uitgebreid bekeken. Het lijken wel…'

'Wát lijken het?' drong Rush aan.

'Het lijken wel toverspreuken. Maar niet van het gebruikelijke soort.'

'Wat voor soort?' wilde Stone ietwat ongeduldig weten.

Ze haalde haar schouders op. 'Het lijken me instructies.'

'Wat is daar ongebruikelijk aan?' vroeg Stone. 'Het hele Dodenboek uit het Nieuwe Koninkrijk kun je beschouwen als een soort handleiding.'

Romero gaf geen antwoord.

Stone draaide zich naar de kist om. Hij knikte dat Valentino's mannen het blad van gehamerd goud konden weghalen, tuurde gretig naar wat daaronder lag en richtte het licht zodat hij beter kon kijken.

Logan liep naar de kist en zag een tweede blad van edelmetaal, ditmaal met aardewerk en edelstenen ingelegd, en dicht beschreven met hiërogliefen. Ook dit dekte het hele oppervlak van de kist af. Stone gebaarde dat de sjouwers ook dit blad moesten weghalen.

'Hier, graag,' zei Romero. Ze instrueerde Valentino's mannen om beide bladen op de vloer te leggen, vlak bij de tafel met de papyri.

Nu het tweede gouden dekblad weg was, lag er een ruw, oneffen oppervlak voor hun ogen. Logan keek in het schemerlicht de kist in – het leek wel of die vol zat met een overdaad aan kleine, iele, verdroogde botjes, allemaal door elkaar en verknoopt in een bizar wanordelijke hoop.

Stone gromde van verbazing. Hij stak zijn hand uit, bedacht zich, trok een nieuwe latexhandschoen aan en stak een hand in het materiaal.

'Wat is dat allemaal?' vroeg Logan.

'Wel potverdorie,' antwoordde Stone na een tijdje. 'Vlas.'

Rush bukte zich, viste met een tang een plukje uit de hoop en bestudeerde het bij het licht van zijn lantaarn. 'Je hebt gelijk.'

Stone knikte naar Valentino's mannen en begon handenvol oude plantenstengels uit de kist te halen – aanvankelijk nog voorzichtig, maar gaandeweg met steeds grotere plukken, tot de hele vloer van kamer 3 vol lag. Toen het vlas verstoord werd, stegen er ijle wolkjes stof op, en Logan rook een vreemde geur – de geur van een vijfduizend jaar oude oogst.

Te midden van de vlasvezels lagen twee zakken, elk iets groter dan een basketbal, en gemaakt van gouddraad dat zo strak en zo schitterend was geweven dat het materiaal soepel als zijde aanvoelde. Voorzichtig – voorzíchtig – tilde Stone ze uit het beschermende materiaal en legde ze op de vloer voor de sokkel.

Opnieuw dromden de anderen zwijgend samen. Logan keek naar de twee ronde voorwerpen die daar in de lichtbundels uit een handvol lantaarns lagen te glanzen. Voor zijn geestesoog zag hij de twee Egyptische kronen: de konische kroon van Opper-Egypte, smetteloos en blinkend wit; en die van Neder-Egypte, met zijn agressief aandoende spitse punt. Van welk materiaal waren ze gemaakt? Beschilderd goud? Een onbekende of onverwachte legering? Wat voor magische krachten hadden ze? Hij was bijna buiten zichzelf van nieuwsgierigheid naar wat er in die soepele plooien van geweven goud zat. Twéé bundels. Het stond nu vast: dit waren de dubbele kronen van de eerste Egyptische farao. Wat kon Narmer anders zo angstvallig, zo voorzichtig en tegen zulke gigantische kosten – niet alleen voor hemzelf maar voor zijn nakomelingen – bewaakt hebben?

Stone leek vervuld van een soortgelijke nieuwsgierigheid. Hij pakte een van de gouden zakken, maakte de opening los, keek even naar de anderen, stak zijn hand erin en haalde de inhoud eruit.

Wat tevoorschijn kwam was geen kroon maar iets heel anders: een komvormig voorwerp, zo te zien van wit marmer gemaakt, met lange, gouden draden aan de rand hangend.

Er ging een gemompel van verbazing en ontzetting op.

Stone fronste zijn voorhoofd. Hij bleef even, niet-begrijpend, naar het ding kijken voordat hij het op de nu lege gouden zak legde en zijn hand in de tweede zak stak.

Wat hij daaruit opdiepte was nog eigenaardiger: een constructie van rood email, met bovenop een ijzeren staaf die op zijn beurt weer was omwikkeld met een opgerold blad koper. Verbijsterd leunde Logan voorover om het van dichterbij te bekijken. De ijzeren staaf die wegliep van de emaillen constructie was verzegeld met een stopper van, zo leek het, asfalt. Het was het sprekend evenbeeld van de wandschildering in kamer 1.

Dit waren geen kronen. Dit waren… apparaten, dat kon niet anders.

Stone keek met een holle blik naar het rode voorwerp in zijn rechterhand. Toen pakte hij met de linkerhand het witmarmeren voorwerp op. De groep keek zwijgend toe terwijl hij van de een naar de ander en terug keek.

'Wat…?' bracht hij schor uit.

49

I n de achterste onderzoekskamer van de bescheiden ziekenboeg van het Station lag Jennifer Rush te woelen op het bed waar ze ter obser- vatie was opgenomen. Het was schemerig in de kamer, en de ver- pleegkundige die haar in de gaten moest houden was even weggeslopen – Jennifers vitale functies gaven een normale REM-slaap aan, en de ver- pleegster had een kappersafspraak die ze niet wilde missen. Het was stil, afgezien van de medische apparatuur die af en toe knipperde of piepte.

Jennifer bewoog zich. Ze haalde diep, huiverend adem. Even lag ze stil. Toen, voor het eerst in meer dan dertig uur, gingen haar ogen open. Met vage, ongerichte blik keek ze naar het plafond. Maar even later krabbelde ze overeind tot ze rechtop in bed zat.

'Ethan?' riep ze schor.

In het gedempte licht, te midden van het omringende woud van licht- jes en displays, leek de kamer een vreemd, bijna exotisch mozaïek van rood en geel en groen, alsof de goden een spoor van edelstenen hadden getrokken door de nachthemel, zodat de normaal zo witte sterren nu felle kleuren hadden gekregen. Jennifer knipperde met haar ogen, en knipper- de nogmaals, niet-begrijpend. Plotseling viel haar blik op iets bekends: het oude zilveren amulet, dat Ethan aan zijn ketting aan een van de vele beeldschermen had laten hangen.

Jennifer trok rimpels in haar voorhoofd.

Het amulet was een voorstelling van een van de bekendste taferelen uit de Egyptische mythologie: Isis die de fragmenten van de doden had ver- zameld en Osiris had afgeslacht, waarna ze zijn lichaam middels een to- verspreuk had gereanimeerd en hem had veranderd in de god van de on- derwereld.

Het amulet fonkelde in het knipperlicht van de instrumenten. Jennifer staarde ernaar, en haar lichaam verstrakte. Haar ademhaling werd geleidelijk oppervlakkiger, onregelmatiger. Plotseling, met een zwakke zucht alsof er lucht ontsnapte uit een blaasbalg, zakte haar onderkaak omlaag, rolden haar pupillen weg en viel ze neer op het bed.

Er vergingen tien, vijftien minuten; het was doodstil in de onderzoekskamer. En toen ging Jennifer Rush weer rechtop zitten. Een voorzichtige, ondiepe ademhaling, gevolgd door een tweede, diepere. Ze kneep haar ogen dicht en opende ze weer. Ze likte voorzichtig, bijna tastend, over haar lippen.

En toen slingerde ze met één werktuiglijke beweging haar benen over de rand van haar bed tot haar voeten de kille tegelvloer raakten.

Ze deed een stap, aarzelde, deed nog een stap. De klem waarmee de zuurstofmeter vastzat schampte tegen de dichtstbijzijnde rij instrumenten en viel van haar pink af. Ze bracht haar arm omhoog, voelde het netwerk van elektroden op haar hals en voorhoofd en plukte ze weg als evenzovele spinnenwebben. Daarna keek ze om zich heen. Haar blik was dof maar gericht.

Voor haar lag de deur. Ze liep erheen, maar bleef even staan toen haar voortgang opnieuw geremd werd. Ditmaal lag het aan de infuuslijn van de zak met zoutoplossing. Jennifer probeerde door te lopen en zag de infuuspaal kantelen; met haar blik volgde ze de infuuslijn naar haar pols, greep de naald en trok die ruw uit haar ader.

Ditmaal hield niets haar tegen op weg naar de uitgang.

Ze liep de ziekenboeg uit, de centrale gang van Rood in; ze keek links, rechts: de gang was verlaten. Het merendeel van het personeel dat geen dienst had zat ofwel in hun eigen kamers ofwel in de openbare ruimtes, waar ze vol spanning de berichten uit kamer 3 afwachtten.

Heel even aarzelde Jennifer in de deuropening, misschien om haar richting te bepalen, misschien simpelweg om haar evenwicht te hervinden. Toen liep ze linksaf de gang in. Bij de eerste kruising sloeg ze rechtsaf. Nog steeds had ze die holle blik in haar ogen, en ze liep met aarzelende tred – als iemand die een hele tijd op bed had gelegen. Maar gaandeweg werden haar passen vaster, haar ademhaling steeds regelmatiger.

Bij een deur met het opschrift OPSLAG GEVAARLIJKE MATERIALEN – EXPLOSIEF EN VLUCHTIG – VERBODEN TOEGANG bleef ze staan. Ze draaide aan de knop en merkte dat de deur op slot zat. Maar het identiteitskaartje om haar nek, zo fris, zo licht, zo glanzend blauw, gleed soepel door de lezer naast het slot; dat sprong open en ze glipte de ruimte binnen, uit het zicht.

50

In kamer 3 heerste een geschrokken, verbijsterde stilte. Logan zag Porter Stone langzaam op zijn knieën zakken voor de grote onyx kist – van vermoeidheid of van teleurstelling of door een andere emotie bevangen, dat kon hij niet zeggen. Zonder iets te zeggen liet Stone de twee voorwerpen op de grond glijden.

Logan keek om zich heen naar de zwarte muren, mat glanzend in het licht van de lantaarns. Hij keek naar de bundeltjes eeuwenoud vlas, over de vloer verspreid als een wanordelijke stralenkrans. Hij keek naar het lage bed achter in de kamer, bijna onzichtbaar in het donker, met het ooit schitterende dek en kussen. Hij keek naar de in goud gevatte tafel, overdekt met keurig gerangschikte papyri. Hij keek naar de gouden kistjes, ooit verzegeld terwijl de inhoud nu uitpuilde: koperkrullen, een staak van meteoritisch ijzer, gouddraad. Uiteindelijk bleef zijn blik rusten op de twee instrumenten, want een ander woord had hij er niet voor, die naast Stone lagen: het witte, komvormige en het holle rode van rood email. Ze lagen op de zakken van geweven goud waarin ze waren aangetroffen: vijfduizend jaar oude raadselen die de toeschouwers bijna uitdaagden om hun geheimen te ontsluieren.

Het was allemaal onvoorstelbaar vreemd.

Vanaf het eerste begin was alles aan Narmers graf al vreemd geweest. Het leek sprekend op de graven van farao's die hem eeuwen later waren opgevolgd, maar toch was het in vele opzichten volslagen anders. Narmers mummie was gevonden in de tweede kamer, niet in de derde: het leek redelijk om aan te nemen dat de derde kamer dus iets bevatte wat nog crucialer, nog belangrijker was voor het hiernamaals. Maar terwijl hij naar de papyri en de stukjes metaal keek, kon Logan zich onmogelijk voorstellen wat dat kon zijn.

Hij richtte zijn blik opnieuw op de twee instrumenten. Een rood, een wit, net als de kronen van Opper- en Neder-Egypte.

'Kronen,' prevelde hij. Hij was de eerste die de stilte doorbrak. Een handvol hoofden draaide zich naar hem toe, maar niet dat van Stone.

'Die twee instrumenten. We weten dat ze, wat het ook is, op het hoofd gedragen worden. Dat zien we tenslotte op de muurschildering in kamer 1.'

Stone antwoordde niet. Hij schudde zwijgend zijn hoofd.

'Het moeten wel kronen zijn,' ging Logan verder. 'Ze zijn rood en wit – de juiste kleuren. Ze lijken zelfs in de verte op de elementen van de dubbele kroon, gebaseerd op de afbeeldingen die we allemaal gezien hebben.'

'Dit zijn geen kronen,' zei Stone op matte, afstandelijke toon. 'Dit is het gepruts van een gestoorde koning, die in alles zijn zin kreeg van zijn priesters. Speelgoed, meer niet. Geen wonder dat zijn nakomelingen zijn voorbeeld niet volgden.'

'Ik geef toe, ze zien er bizar uit,' zei Logan. 'Het zijn geen kronen in decoratieve of gestileerde zin. Maar ze móéten van waarde geweest zijn. En van grote waarde. Waarom liggen ze anders in de heiligste kamer van het graf? Waarom zijn ze verzegeld achter zulke schitterende poorten? Waarom rust er zo'n vreselijke vloek op?'

'Omdat Narmer doorgedraaid was,' antwoordde Stone bitter. 'Ik had het kunnen weten. Waarom heeft hij zich anders hier laten begraven, in dit godvergeten oord, mijlen van zijn eigen vorstendom? Waarom brak hij met een traditie die duizend jaar voort zou duren?'

'Narmer wás de traditie,' merkte dr. Rush zachtjes op. 'Zijn nakomelingen braken met hem, niet andersom.'

Tijdens dit gesprek was Tina Romero teruggelopen naar de in goud gevatte tafel en stond geconcentreerd van de ene papyrus naar de andere te kijken. Plotseling rechtte ze haar rug en draaide zich naar de anderen om. 'Ik denk dat ik het begrijp,' zei ze.

Alle blikken werden op haar gevestigd.

'Ik zei al eerder dat de oude Egyptische farao's belangstelling hadden voor bijna-doodervaringen,' vervolgde ze. 'Wat zij "de tweede zone van de nacht" noemden. Maar als ik deze teksten goed begrijp, ging het om méér dan belangstelling. Het ziet ernaar uit dat de farao's, of althans Narmer, ook daadwerkelijk dat soort ervaringen opriepen.'

'Wat bedoel je?' vroeg Stone. 'Hoe kun je een bijna-doodervaring oproepen?'

'Ik geef alleen door wat er in die rollen staat,' antwoordde ze, terwijl ze een papyrus optilde als om haar woorden kracht bij te zetten. 'Keer op keer gaat het hier over *ib*. Dat is het oud-Egyptische woord voor "hart". De Egyptenaren dachten dat het hart, niet de hersenen, de zetel was van kennis, emotie, gedachten. Het hart was de sleutel tot de ziel, cruciaal voor overleving in het hiernamaals. Maar *ib*, zoals in deze teksten geschreven staat, wordt niet in religieuze termen beschreven. De beschrijving is eerder...' Ze aarzelde, op zoek naar het juiste woord. 'Eerder klinisch.' Ze legde de papyrusrol weg. 'Ik zei het net al, deze rollen lijken me eerder instructies dan toverspreuken.'

'Instructies?' vroeg Stone met een stem die droop van scepsis. 'Instructies waarvoor?'

Hierop volgde een korte stilte.

'Het klinkt paradoxaal.' Logan wendde zich tot Romero. 'Je zegt net dat het hart volgens de oude Egyptenaren van kritiek belang was voor het overleven in de volgende wereld.'

Romero knikte. 'Als de farao eenmaal in de onderwereld aankwam, werd zijn hart geïnspecteerd en door Anubis getest, in een ceremonie die het Wegen van het Hart werd genoemd. Althans, dat geloofden de latere Egyptenaren.'

'Maar je gaat dood als je hart stopt. Hoe kon een hart dat niet meer sloeg van nut zijn voor Narmer in zijn volgende...' Plotseling onderbrak Logan zichzelf. 'Wacht eens even. Wat zei je daarnet? Je zei dat dit hele graf bijna een oefening leek voor Narmers dood, voor zijn overtocht naar de volgende wereld. Zo is het toch?'

Romero knikte.

Logan keek van haar naar de inhoud van het graf, en terug naar haar. Plotseling, met een klap als van een donderslag, was het hem duidelijk.

'O, mijn god,' fluisterde hij. 'De Bagdad-batterij.'

Even heerste er diepe stilte. Toen stond Stone, even langzaam als hij zich op zijn knieën had laten zakken, op, draaide zich om en keek Logan aan.

'Vlak voor de Tweede Wereldoorlog,' vervolgde Logan, 'is er een stel voorwerpen gevonden in een dorpje vlak buiten Bagdad. Het waren bijzonder oude artefacten, en niemand wist wat ze voorstelden. Een terracotta pot; een blad koper, in de vorm van een cilinder gedreven met een ijzeren staaf erbovenop; en nog een paar zaken. Niemand deed er iets mee, tot de directeur van het Nationaal Museum van Irak ze in de collecties van het museum tegenkwam. Hij schreef een artikel over zijn theorie: dat deze voorwerpen, wanneer ze gevuld werden met bijvoorbeeld citroenzuur of azijn, of een andere vloeistof met elektrolytische eigenschappen, oorspronkelijk dienst hadden gedaan als een primitieve galvanische cel. Een batterij.'

Iedereen bleef zwijgen, alle ogen waren op Logan gevestigd.

'Daar heb ik van gehoord,' zei Stone. 'Dat was een kleine, zwakke batterij, misschien gebruikt om voorwerpen ceremonieel te verzilveren.'

'Inderdaad,' zei Logan. 'Dat was een zwakke batterij. Maar het kan ook anders.'

'Jezus.' Romero wees naar de voorwerpen aan Stones voeten. 'Wou je daarmee zeggen…'

Heel voorzichtig pakte Logan het rood geëmailleerde voorwerp op, met de ijzeren staaf en de koperkrul. Daarna pakte hij het komvormige marmeren voorwerp, met de lange gouddraden die van de rand bungelden. Heel behoedzaam zette hij het rode instrument boven op het witte. Het paste precies.

'De dubbele kroon,' zei Romero.

'Precies,' zei Logan. 'Maar een "kroon" met een wel heel bijzondere, goddelijke, bedoeling. Kijk eens waar hij van gemaakt is. Koper. IJzer. Goud. Voeg daar citroensap of azijn aan toe en je hebt een batterij; maar dan een veel sterkere dan die in Mesopotamië is gevonden.'

'Die urn in de hoek,' zei Romero. 'Die rook naar azijn.'

'En die gouden draden,' voegde dr. Rush daaraan toe. 'Denk jij dat die dienst kunnen doen als… elektroden?'

'Ja,' zei Logan. 'Als ze op de juiste wijze op de borstkas worden geplaatst, kunnen ze gebruikt worden om het hart stop te zetten.'

'Om het hart stop te zetten,' herhaalde Stone. 'Als generale repetitie voor de dood.'

'Misschien meerdere repetities,' zei Logan. 'Kijk eens naar de extra materialen in die gouden kisten.'

'Misschien is het meer dan dat,' merkte Romero op. 'Bedenk eens hoe verschrikkelijk belangrijk het hart was voor de oude Egyptenaren. Door het hart stop te zetten en dan weer te starten was dit niet alleen een repetitie voor farao Narmer, maar ook het bewijs van zijn goddelijke aard.'

'Natuurlijk,' zei Stone. 'Een manier om vast te stellen, te bewijzen, dat hij goddelijk was; en zijn dynastie dus ook.'

Logan keek naar de directeur van de expeditie. In de afgelopen paar minuten was Stones stem weer wat enthousiaster gaan klinken, waren zijn bewegingen wat geanimeerder geworden. Inderdaad, hij had geen met juwelen bezette kroon gevonden, maar in zekere zin was dit nog bijzonderder.

'En dat zou verklaren waarom de "kronen" hier bewaard werden,' zei Romero, 'op de heiligste, de geheimste plek van het graf, het heilige der heiligen. Het verklaart waarom er zo'n gruwelijke vloek op de derde poort rustte. Narmer moet bang geweest zijn dat als iemand anders die kroon in handen kreeg, als iemand ging experimenteren met de overtocht naar het hiernamaals, dat diegene dan zíjn macht zou verkrijgen, hem misschien zelfs van de troon zou stoten... zowel in deze wereld als in de volgende.'

Logan keek naar de dubbele kroon in Stones handen. Wat had Jennifer ook weer gezegd bij haar laatste oversteken? *Dat wat leven brengt aan de doden... en dood aan de levenden.*

Hoe kon ze dat in godsnaam geweten hebben?

Hij schraapte zijn keel. Er was zojuist een gedachte bij hem opgekomen die hij eigenlijk liever niet wilde delen.

Stone keek zijn kant uit, nog steeds met de dubbele kroon in zijn handen. 'Jeremy?'

Logan haalde even zijn schouders op. 'Ik kan er niets aan doen, maar ik vraag me af: als dit instrument een vinding van Narmer was, iets waarmee de farao kon oefenen voor wat hij na de dood van zijn lichaam zou meemaken, een voorbereiding op de volgende wereld...' Hij zweeg. Alle ogen waren op hem gericht.

'Gezien de overtuigingen van de oude Egyptenaren,' ging hij verder, 'over de aard van de ziel, bedoel ik... Hadden ze dan niet kunnen geloven dat zo'n apparaat de ziel kan bevrijden, de levenskracht uit het lichaam kan losmaken? En dat je daarmee dan onmiddellijk onsterfelijk wordt?'

De stilte die hierop volgde, werd doorbroken door een schel gekwaak. Een van de bewakers haalde een radio van zijn riem, sprak er even in en luisterde naar het antwoord, voor de anderen onverstaanbaar door de ruis. Toen hield hij Stone de radio voor.

'Dr. Stone?' zei hij. 'Een bericht van boven. Belangrijk, zeggen ze.'

51

et zijn voeten op een van de computers zat Cory Landau in Operations te lurken aan een grote fles Jolt Wild Grape. Hij had *The House on the Borderland* net uit en had nu goed de zenuwen. Nog vier uur, dan zat zijn dienst erop; hij had niets anders te lezen bij zich en de stille grafsfeer van Operations begon hem de stuipen op het lijf te jagen. Ter afleiding was hij videobeelden gaan bekijken van diverse locaties van het Station, maar het was bedroevend rustig. Bij de Muil was het behoorlijk druk, maar voornamelijk met mensen die naar computerschermen zaten te kijken of rond de open Muil stonden. En in het graf zelf stond de camera in kamer 2 uit – kennelijk op verzoek van Porter Stone – dus daar viel ook niets te zien. Een paar minuten tevoren was er enige opwinding geweest bij de archeologielabs in Rood, maar de toestand leek gekalmeerd te zijn. In wezen voelde het hele Station aan als een vliegtuig dat cirkelde voordat het landen mocht, in afwachting van berichten van de ploeg die net grafkamer 3 was binnengegaan.

Hij nam nog een grote slok, slaakte een zucht, draaide zijn Zapatasnorretje op en bekeek een nieuw stel videobeelden alsof hij voor de tv zat te zappen. Hij merkte niet dat Jennifer Rush binnenkwam. Hij merkte niet dat ze langzaam naar een rij computers toe liep, even aarzelde en ze schijnbaar opnam. Hij merkte niet dat ze een rood kunststoffen afdekplaat op een van de terminals optilde en de schakelaar daaronder uitzette. Hij merkte haar aanwezigheid pas op toen ze zich afwendde van de computer en op weg naar buiten tegen een rek vol diagnostische apparatuur aan struikelde, zodat er een rol kabels op de vloer viel.

'Ho daar!' zei Landau toen hij zich snel omdraaide, waarbij de Jolt over zijn ene hand klotste. Met een glimlach herkende hij Jennifer, de vrouw van de arts. Dat was, zoals hij gezien had, een kanjer van een vrouw, maar tamelijk afstandelijk, met een gereserveerde houding die hem volledig geïntimideerd had. Vreemd genoeg ging ze gekleed in een ziekenhuishemd, maar dat stoorde Landau niet; het was een dracht met behoorlijk veel inkijk, zag hij.

'Hallo,' zei hij. 'Je man zit met de rest van het team in het graf, geloof ik? Kom je de terugkeer van de zegevierende helden bekijken? Ik zit hier eersterang.' En hij gebaarde naar een lege stoel dicht bij hem, met uitzicht op de centrale rij computerschermen.

Jennifer Rush gaf geen antwoord. Ze kwam zijn richting uit, maar liep hem straal voorbij, de deur door. Ze had iets in een van haar handen.

Eerst nam Landau aan dat ze in gedachten verzonken was, of gewoon onbeleefd – hij had haar maar zelden met wie dan ook zien praten; had haar sowieso niet vaak gezien. Maar toen merkte hij haar holle, matte blik op; haar vreemde, aarzelende, bijna robotachtige manier van lopen, alsof het lopen zelf iets was wat ze pas geleerd had.

Ze verdween de gang in, en Landau knikte begrijpend in zichzelf. 'Zo lam als een kanarie,' zei hij bij zichzelf. Niet dat hij haar dat kwalijk nam: hier zo aan het einde der wereld opgesloten zitten was genoeg om iedereen naar de fles te doen grijpen.

Jennifer Rush liep langzaam en ietwat wankel door, een stel vergaderzalen voorbij, tot ze bij de afscheiding stond die toegang gaf tot de pontonbrug naar Bruin. Ze draaide zich om en opende de laatste deur voor de afscheiding, van zwaar metaal met het opschrift ONDERSTATION – WIT.

Het was bomvol in het vertrekje, een woud van dikke slangen en kleine knipperlichtjes. Langs een van de wanden waren rijen meters en knoppen te zien, en een van de laboranten stond bevreemd naar een paar van die meters te kijken, onderwijl aantekeningen makend op een klembord. Toen hij de deur hoorde opengaan, draaide hij zich om. In het schemerlicht herkende hij de vrouw die op de drempel stond.

'O, mevrouw Rush,' zei hij. 'Kan ik u ergens mee helpen?'

Jennifer gaf geen antwoord, maar deed een stap naar binnen. In het vage licht was haar gezicht niet goed te zien.

'Ik kom zo bij u,' zei de technicus. 'Even de laatste meters controleren. Ik heb dienst bij Methaanverwerking, en een paar seconden geleden begonnen er vreemde foutberichten door te komen.' Hij richtte zijn aandacht weer op de meters. 'Het lijkt wel of de beveiligingsprotocollen zijn uitgeschakeld. Maar dat kan niet, dan zou je opzettelijk…'

Toen hij weer iets achter zich hoorde, draaide hij zich opnieuw om. Meteen verdween de glimlach van zijn gezicht, om plaats te maken voor een blik van verbazing en schrik. Jennifer Rush had de spullen die ze bij zich had op de grond gelegd, zat bij een rij zware stopkranen geknield en begon – ook nu weer traag en onbeholpen, maar weloverwogen – een van die kranen open te draaien.

'Hé!' zei de man. 'Dat kan niet – zo gaat de overloop open! Die is alleen voor noodgevallen!'

Hij liet zijn klembord vallen en holde op haar af. Jennifer Rush liet zich zonder protest zachtjes opzij duwen.

'Dat moet je niet doen,' zei hij, terwijl hij de kraan greep en hem weer wilde dichtdraaien. 'Als dat gebeurt, loopt er geconcentreerd methaan door de kruipruimte onder deze vleugel. En dan is het een kwestie van minuten totdat...'

Een daverende klap tegen zijn schedelbasis, een schokgolf van pijn, en toen een verblindende lichtflits die zijn hele gezichtsveld opvulde voordat hij het bewustzijn verloor.

Jennifer Rush keek naar de technicus, die op de metalen vloer van het onderstation in elkaar zeeg. Ze liet de moersleutel vallen die ze had opgeraapt, boog zich over de stopkraan en begon die langzaam open te draaien, en verder, en nog verder...

52

Logan zag Porter Stone de radio teruggeven. Het was een kort gesprekje geweest; Stone zelf had nog geen handvol woorden gezegd. Toen hij naar de stem aan de andere kant had staan luisteren, was zijn gezicht in eerste instantie wit weggetrokken. Maar nu, terwijl hij de expeditieleden een voor een aankeek, liep het rood, bijna paars, aan. Zijn pupillen knepen zich samen tot glinsterende speldenpunten. Uiteindelijk bleef zijn blik op Tina Romero rusten.

Onverwachts deed hij een stap naar voren. 'Kútwijf!' blafte hij, en hij haalde uit om haar een klap te geven. Meteen holden dr. Rush en Valentino op hem af en hielden hem tegen.

'Idioot!' brulde hij, terwijl hij probeerde zich los te worstelen. Romero deed instinctief een stap achteruit.

Logan keek geschokt toe. Het leek wel of Stone, normaal zo onaangedaan, door alle tegenslagen en nare lotgevallen van de hele expeditie – met als bekroning de ontdekking van enkele ogenblikken geleden, dat Narmers kroon iets volledig onverwachts en bizars bleek te zijn – plotseling was doorgedraaid, en nu lucht gaf aan zijn frustratie en woede.

'Nietsnut!' schreeuwde hij tegen de Egyptoloog. 'Dankzij jou is al mijn werk, al mijn geld… verspild! En nu hebben we geen tijd meer. Geen tijd!'

Logan liep op hem af. 'Dr. Stone, rustig aan,' zei hij. 'Wat is er precies aan de hand?'

Met grote inspanning wist Stone zichzelf in de hand te krijgen. Hij schudde Rush' en Valentino's handen af, hoewel die in de buurt bleven.

'Ik zal je vertellen wat er aan de hand is,' zei hij, luid hijgend. 'Dat was Amanda Richards aan de lijn. Zij was de schade aan Narmers mummie aan het herstellen – en daarbij kwam ze erachter dat het Narmer níét is.'

Even heerste er een verbijsterde stilte.

'Wat bedoel je, niet Narmer?' vroeg dr. Rush.

'Die mummie was een vrouw. We hebben dus de hele tijd aan het verkeerde graf zitten werken.' Hij richtte zijn blik weer op Romero. 'Geen wonder dat alles anders is dan verwacht. Je hebt ons naar de verkeerde plek gebracht – een tweederangs grafkelder voor zijn koningin, of voor een bijvrouw. Mijn god!' Hij balde zijn handen tot vuisten en leek haar opnieuw te willen aanvliegen. Rush en Valentino deden een stap dichterbij.

'Wacht eens even,' zei Logan. 'Er is geen vergissing mogelijk. De zegels, de inscripties, de schat, en zelfs de vloek… Alles wijst erop dat dit de laatste rustplaats van een farao is. Dit móét Narmers graf zijn.'

Even zei niemand iets. Stone stond naar adem te happen. 'Als dit Narmers graf is,' zei hij, 'waar is dan goddomme zijn mummie?'

'Ho,' zei Logan. 'Even een stap terug. Niet zo haastig; laten we hier goed over nadenken.' Hij richtte zich tot Tina Romero. 'Jij zei toch meteen al dat er dingen in dit graf zijn die niet kloppen, die niet logisch zijn?'

Ze knikte. 'Details, voornamelijk. Ik schreef ze toe aan het feit dat dit het graf is van de eerste farao. Het lag voor de hand dat we onverwachte zaken zouden aantreffen. De latere traditie stond nog niet helemaal vast.'

'Uitvluchten,' zei Stone. 'Smoesjes, meer niet. Je probeert gewoon je stommiteit weg te redeneren.'

Romero negeerde hem en zei tegen Stone. 'Het begon toen jij het over die schedel had; de schedel die jij had bestudeerd, de schedel van een van Narmers priesters, ritueel gedood om de locatie van Narmers graf geheim te houden, zodat het niet geschonden kon worden. Weet je nog dat je vertelde dat een van de oogkassen, de linker, krassen vertoonde?'

Logan knikte.

'En dat was nog maar het eerste teken dat er iets mis was. De rest van de tekenen is hier te vinden, hier waar we staan. De serekhs die we op de koninklijke grafzegels aantroffen: volgens de gliefen is het Narmer, maar ze zijn niet helemaal juist. Ze hebben ongebruikelijke kenmerken, bijvoorbeeld de vrouwelijke uitgang *niswt-biti*. En dan die inscripties in kamer 1, waarbij de rituele volgorde omgekeerd is, het geslacht verkeerd. En de gliefen op die kist hier, met de kop van de meerval, het symbool voor Narmer: doorgekrast.'

'Je zei dat de gliefen veranderd waren,' merkte Logan op. 'Beschadigd.'

'Waar wil je naartoe?' grauwde Stone.

'Die kras in de oogkas van de schedel van de priester,' zei Romero.

'Eerst dacht ik dat het door de ouderdom kwam. Maar in feite is dat de rituele manier waarop een priester of priesteres van een koningin werd gedood: een mes door het oog de hersenen in. Die methode was symbolisch voor het feit dat de koningin dan na de dood niet gezien zou worden. Bij de begrafenis van een koning werden de priesters gedood met een hauw tegen de schedelbasis; dan ging de ruggengraat doormidden.'

'Dus dit is het graf van Narmers koningin,' zei Stone. 'Niethotep. Dat zeg ik toch! Het is het verkeerde graf!'

'Nee, nee, u begrijpt het niet,' antwoordde Romero met een nieuwe, dringende klank in haar stem. 'De bewijzen spreken elkaar tegen. Alles in dit graf suggereert dat het voor Narmer is gebouwd, op zijn koninklijke instructies, afgezien van die rituelen die na zijn dood moeten zijn uitgevoerd. Daar beginnen de dingen elkaar tegen te spreken. De koninklijke zegels met de vrouwelijke uitgangen. De laatste, ritualistische inscripties – weet u nog dat ik zei dat die er onbeleefd uitzagen? En de mummie zelf – ik heb er maar heel even naar kunnen kijken, maar het viel me op dat de snee boven de mond onnauwkeurig was, onvolledig.'

'Alsof het begrafenisritueel haastig is uitgevoerd,' zei Logan.

Er rolde een vaag rommelend geluid, bijna onhoorbaar laag, door de kamer. De bewakers en een stel sjouwers wierpen ongemakkelijke blikken op de steigerconstructie. Maar het geluid leek van de oppervlakte te komen, alsof het naar hen toe gerold kwam via de Navelstreng. Vrijwel meteen werd de discussie hervat.

'Dat slaat nergens op,' vond Stone. 'Gespeculeer. Geen harde argumenten.'

'Dat weet ik niet zo zeker,' zei Logan langzaam, terwijl hij nadacht over wat Tina Romero had gezegd. 'Bekijk het eens vanuit een ander gezichtspunt. Als ze met de kroon die we hier in kamer 3 hebben gevonden de dood konden simuleren, oefenen, om een farao onsterfelijk te maken en zijn goddelijke aard te waarborgen... Zou een koningin dat dan niet evenzeer wensen als een koning? Zeker een koningin die zo machtig en zo koppig was als Niethotep?'

Stilte.

'Je bedoelt...' begon Stone. 'Je bedoelt dat Niethotep, Narmers koningin, Narmers plek in het graf heeft ingenomen?'

'Dat is de enige aannemelijke verklaring,' zei Romero, 'gezien de conflicterende bewijzen die ik net opgenoemd heb.'

'En het kan mede verklaren waarom toekomstige generaties Narmers symbolen en praktijken verkeerd interpreteerden,' voegde Logan daaraan toe. 'Het wás Narmer niet in dat graf, en hij wás niet op de juiste wijze begraven. Niethotep zal zijn plaats ingenomen hebben – en zo te zien vrij haastig, voortijdig zelfs.'

'Maar wat is er dan met Narmer gebeurd?' vroeg dr. Rush.

'Wie zal het zeggen?' antwoordde Romero. 'Gif. Een dolk in de keel, diep in de nacht in het echtelijk bed. Misschien samen met zijn harem omgebracht. Je kent de verhalen over Niethotep, hoe koppig, bloeddorstig en zelfzuchtig dat mens was. Dit is net iets voor haar. Je ziet het toch voor je? Misschien heeft ze zelfs op hem gewacht, tot hij een natuurlijke dood stierf. En daarna zal ze met zijn lichaam mee hiernaartoe gereisd zijn, met hun dubbele gevolg, om aanwezig te zijn bij de rituelen van zijn bijzetting. En dan, volgens het vooraf beraamde plan, overmeesteren haar bewakers de zijne... en nu ligt zijn skelet ergens in de modder van de Sudd, verstrengeld met alle andere, terwijl haar mummie de plek heeft ingenomen die hem toekwam.'

Stone keek de Egyptoloog zwijgend aan. De woede, de opwinding, waren uit zijn blik verdwenen. 'Maar als je gelijk hebt over de... de kroon,' zei hij, 'dan had maar één persoon die mogen gebruiken. Als jij Narmer was, en je was overgegaan naar de onderwereld, dan zou je niet willen dat iemand anders je plek innam, dat jouw levenskracht en jouw onsterfelijkheid in gevaar werden gebracht. De kroon zou gekoppeld zijn aan de ziel van degene die hem ophad.'

'En dat is precies wat Niethotep gedaan moet hebben,' zei Romero. 'Ze bedroog Narmer, ze liet hem doden en gebruikte zelf de kroon. En toen, omdat ze geloofde dat ze onsterfelijk was, heeft ze zich in zijn graf laten bijzetten. Een graf dat haastig is verbouwd – zegels, inscripties – voor haar.'

'Maar kán dat überhaupt?' vroeg Logan. 'Het graf voor een farao is toch gebouwd als rustplaats voor één specifieke koning, en niemand anders?'

'Dat is nu juist het probleem,' zei Romero. 'We hebben veel meer tijd nodig om de bewijzen te bestuderen. Misschien vond zij de gok – eeuwig leven als opperste godheid – het risico waard.'

'Maar vanwaar dan die haast?' wilde Stone weten. 'Toen Narmer eenmaal uit de weg was, kon ze er rustig alle tijd voor nemen.'

Romero dacht even na. 'Ik kan ettelijke redenen verzinnen. Misschien dat Narmers hoofdpriesters, met hun particuliere leger, nog onderweg waren naar het graf. En die zouden niet positief gereageerd hebben. Ze moest het graf zo goed en zo kwaad als het ging herinrichten en verzegelen voordat die priesters arriveerden. Een andere mogelijkheid is dat zij en haar gevolg niet wisten hoe de batterij werkte – de dubbele kroon. Misschien waren ze... overenthousiast.'

'Wat een bijna-doodervaring moest zijn, werd een echte dood,' zei Logan.

Romero knikte. 'Als dat zo was, als de koningin onverwacht is overleden, dan hadden ze zich moeten haasten om haar gemummificeerd en bijgezet te krijgen. Zo erg zelfs dat ze sommige details van de doodsrituelen afraffelden. Zoals we bij sommige van die inscripties hier hebben gezien – de inscripties over die specifieke rituelen.'

'En als de koningin zichzelf zonder voldoende voorbereiding had laten begraven?' vroeg Rush. 'Zonder voldoende riten?'

'Onmogelijk te zeggen. Ik noemde die wat slordige snede in de mond van de mummie al. Dat is een belangrijk element in de begrafenismagie van de Egyptenaren: de ceremonie van het Openen van de Mond. Zo kan de ba het dode lichaam uit om zich bij de ka in het volgende leven te voegen. De mond wordt ermee vrijgemaakt om eten en drinken in te nemen zodat de ziel gevoed kan worden – en dus overleven – in het hiernamaals.'

'Ga verder,' zei Stone.

'Als zo'n belangrijk ritueel als het Openen van de Mond is afgeraffeld, dan moeten de laatste fasen van de begrafenis in enorme haast zijn uitgevoerd. Wie weet wat voor andere belangrijke stappen voor de reis van Niethoteps ziel naar de volgende wereld zijn ingekort, of zelfs overgeslagen?'

'Die ceremonie van het Openen van de Mond,' zei Logan. 'Als de ziel van de koningin geen voedsel kon innemen in de volgende wereld – wat zou er dan gebeuren?'

Romero dacht even na. 'Als ik op de oude teksten afga, denk ik dat haar levensvonk, de ziel die het lichaam na de dood verlaat, hier vast zou zitten.'

Rush schudde zijn hoofd. 'Als ze echt zoiets vreselijks heeft gedaan, als ze haar echtgenoot heeft vermoord of op zijn minst zijn plek in de volgende wereld heeft ingenomen, dan denk ik dat ten minste een deel van haar ka hier zou willen blijven. Om de kroon te bewaken, om haar onsterfelijkheid te bewaken, om te zorgen dat niemand haar kon aandoen wat zij Narmer had geflikt.'

'De vloek,' zei Romero peinzend.

Dan zou haar ziel hier vastzitten… om de kroon te bewaken… om te zorgen dat niemand haar kon aandoen wat zij Narmer had geflikt… Plotseling kwam er een afgrijselijke gedachte bij Logan op.

'O, mijn god,' zei hij hardop.

Plotseling klonk er opnieuw een gerommel van boven, krachtiger dan de eerste keer. De papyrusrollen op de tafel trilden als door een windvlaag.

'Wat is dat?' vroeg Stone.

Valentino draaide zich om naar twee van de sjouwers. 'Kowinsky. Dugan. Ga naar boven, kijken wat er aan de hand is.'

Toen de twee naar buiten liepen, nam Logan Rush apart. 'We vergeten één ding,' zei hij zachtjes, zodat de anderen het niet zouden horen.

De arts keek hem aan. 'Wat dan?'

'Weet je nog van ons eerdere gesprek? Toen we het erover hadden dat Jennifer zo lang hersendood was geweest, dat ze zo lang overgegaan was, dat ze misschien haar ziel was kwijtgeraakt? Jouw woorden, niet de mijne.'

De arts fronste zijn voorhoofd en knikte.

'Ik zei je dat de levenskracht van iemand die al is overgegaan, bezit kan nemen van iemand die nog leeft; maar alleen als de levenskracht van die persoon zelf, zijn eigen ziel, beschadigd is. Maar dat in alle beschreven gevallen de geest van de overledene alleen bezit kan nemen van iemand van hetzelfde geslacht.'

'Dat herinner ik me,' zei dr. Rush. 'Zo wisten we dat Narmer, of een soort schaduw van Narmer, onmogelijk kon spreken via… niet aanwezig kon zijn in… Jennifer.'

'Precies. Maar als het niet Narmers levenskracht is, hier in het graf… als het de levenskracht van een vrouw is…'

'Niethotep.' Langzaam bracht Rush zijn hand naar zijn mond. 'O, jezus…'

Op dat moment kwamen de Kowinsky en Dugan terugrennen, beiden met hun radio in de hand.

'Noodtoestand boven,' zei Kowinsky. 'De overloopkranen van het hogedruk-methaansysteem zijn opengezet.'

'Wat?' zei Stone. Zijn toon klonk scherp van de schrik. 'Waarom?'

Kowinsky schudde zijn hoofd. Zijn gezicht stond angstig.

'Kranen, zei je. Hoeveel? Meer dan één?'

'Minstens drie. In Rood, Wit en Bruin.'

'Dat kan niet,' zei Stone. 'De veiligheidsprotocollen...'

'Die zijn op de een of andere manier omzeild. Daarom komen we er nu pas achter. Er is brand uitgebroken in de kruipruimtes onder de vleugels, er zijn explosies, de vlammen reiken al tot in het Station zelf. En als ze niet bij die kranen kunnen om ze dicht te draaien...'

Stone gebaarde met zijn duim in de richting van de uitgang. 'Allemaal naar buiten, naar boven. Nú!' Hij pakte Kowinsky's radio en zette hem aan. 'Porter Stone hier. Wie is daar?'

'Menendez, bij het duikplatform.' Op de achtergrond hoorde Logan mensen roepen, en iets wat als een vlammenwerper klonk. 'We sturen een team omlaag met touwen.'

'We zitten hier met ruim tien man,' zei Stone. 'Je zult...'

Maar hij werd onderbroken door een reeks koortsachtige kreten uit de radio, stemmen die door elkaar heen riepen, soms wegvielen door het geknetter.

'Wat heeft ze daar? Nitroglycerine?'

'Weg daar! Wég!'

'Hou haar weg bij de Muil, anders...'

En toen een felle lichtflits uit de richting van de Navelstreng, honderd zonnen sterk, een explosie waarvan Logans oren barstten. Hij viel op de grond van het graf, en alles werd donker. Zijn wereld hield op te bestaan.

53

L ogan wist niet of hij een uur buiten bewustzijn was geweest, of een dag. Maar toen hij zijn ogen opendeed, besefte hij dat het maar een paar seconden geweest konden zijn. Hij schudde met zijn hoofd en probeerde rechtop te gaan zitten. In het graf klonken schreeuwende stemmen en het geluid van hollende voetstappen. Er brandde noodverlichting, een handvol kleine lichtjes die het graf in een somber rood licht hulden. Rush stond over hem heen gebogen zijn polsen te masseren, en probeerde hem overeind te krijgen.

'Kom op, Jeremy,' zei hij. 'We moeten hier weg.'

Dichte wolken verstikkende, scherpe rook begonnen het graf in te kolken. Er hing een vreemde geur in de lucht: een combinatie van brandend rubber, ozon en, onheilspellend, methaan.

'Wat is er aan de hand?' brulde een van de sjouwers hysterisch, met gebroken stem. Hij had een snee over zijn slaap waar het bloed uit gutste. 'Wat is er aan de hand?'

Wat er aan de hand is? De woorden van Narmers vloek schoten Logan te binnen. *Wie het waagt mijn graf te betreden kan een zeker en snel einde verwachten. De hand die mijn onsterfelijke gedaante aantast zal branden met onblusbaar vuur. Maar mocht iemand zo vermetel zijn de derde poort te passeren, dan zal de zwarte god van de diepste diepte hem verzwelgen en worden zijn ledematen verspreid over de verste uithoeken der aarde.*

'Het is Narmers koningin,' zei hij. 'Niethotep. Ze probeert haar onsterfelijkheid te handhaven door haar graf, het graf dat ze van haar man heeft gestolen, opnieuw te begraven. Ze vermoordt iedereen die probeert haar laatste rustplaats te schenden, iedereen die kan proberen de kroon te gebruiken. Het is de koningin – en Jennifer Rush helpt een handje mee.'

Logan besefte dat hij die woorden had gedacht, dat hij ze niet hardop

248

had uitgesproken. Ethan Rush stond nog naast hem, probeerde hem te bepraten om op te staan. Met enige inspanning hees hij zich overeind; de wereld tolde even, en kwam toen tot stilstand. Rush keek hem strak aan, gromde even en ging hem voor, het graf uit.

Ze liepen de inktzwarte nachtmerrie van kamer 3 uit, door de tweede kamer en de ruimere kamer 1 in. Hier stond het hele team samengedromd rond de Sluis en het perron daarachter. Er was geen noodverlichting, en een aantal mensen stond met lantaarns in de hand; de gele lichtbundels priemden door de steeds dikkere lucht heen. Er klonk een gekwaak van vele radio's, een achtergrond van gestage elektronische herrie. Logan zag Stone op het perron van de luchtsluis staan, bezig mensen de oplopende tunnel van de Navelstreng in te dirigeren. Een van de bewakers drong aan dat Stone zelf de tunnel in moest, en even later gaf Stone toe en verdween de buis in, gevolgd door twee laboranten. Daarna drong een van de sjouwers, Kowinsky, zich naar voren en begon omhoog te klimmen, ondanks de protestkreten van Valentino, die zelf achteraan stond om de anderen tot spoed te manen.

En nu bukte Logan zich de zware deur van de Sluis door, schuifelend met de anderen, langs de granietwand die de ingang van Narmers graf vormde, het dichte metalen rek van het perron op. Vlak voor hem stond Tina Romero; ze keek om, glimlachte heel even, en begon omhoog te klimmen. Daarna was het zijn beurt. Hij greep de eerste sport, keek op voordat hij ging klimmen, en verstarde.

De gele buis die de Navelstreng vormde, normaal zo overzichtelijk van indeling, was een totale puinhoop. De zware kabels die de hele tunnel door liepen waren losgeschoten en bungelden doelloos boven de monding als uitgerukte ingewanden. Het houten frame van steunbalken was op diverse plekken verbrijzeld, de overlappende zeshoekige balken waren een doolhof van brandhout, en de klimmers boven hem moesten voorzichtig een weg zoeken tussen de planken door. De mensen die boven op het platform stonden, hadden touwen neergelaten, maar in de wirwar van kabels en versplinterd hout viel daarmee weinig te beginnen. In de verte, boven aan de Navelstreng, meende Logan de Muil zelf te bespeuren, maar die zag er zwart en misvormd uit, de metalen randen eigenaardig omgekruld als door een zware explosie. Maar het was te ver, en er hing te veel rook in de lucht, om dat met zekerheid te kunnen zeggen.

Wat hem echter als aan de grond nagelde, was de Navelstreng zelf. De gele huid, normaal zo glad en effen, was verwrongen tot een afzichtelijke massa van bizarre rimpels en bulten. Waar de houten stutten waren ingestort drukten de wanden angstaanjagend dicht naar de handvol mensen boven zijn hoofd toe, die zich als bergbeklimmers moeizaam naar de oppervlakte vochten. De loodzware Sudd kneep hen aan alle kanten samen, tastte de beschadigde buis af op zoek naar een manier om hen, hoe dan ook...

Logan voelde een gewicht op zijn schouder. 'Kom op, man!' hoorde hij Valentino roepen. 'Klimmen! *Sbrigati!*'

Romero zat nu een meter boven hem. Logan dwong zich naar niets anders te kijken dan naar de metalen sporten, en wat boven hem lag te negeren. Hij begon te klimmen en weigerde weer op te kijken. Geconcentreerd plaatste hij de ene hand boven de andere, eerst links, dan rechts. Beneden zag hij vanuit zijn ooghoek een technicus de eerste sport grijpen, beginnen te klimmen...

En toen voelde hij Romero's voet langs zijn hoofd schampen. Zonder erbij na te denken keek hij op om te zien waarom zij niet verder klom. En op dat moment hoorde hij kreten en gevloek van de klimmers verderop.

Hij keek langs Tina heen – en de moed zakte hem in de schoenen. Zo'n zeven meter boven zijn hoofd, niet ver van het uiteinde van de tunnel, zat een van de houten stutbalken, doormidden gebroken en met uiteinden als spiesen, tegen de tunnelwand geperst. Het materiaal was verzwakt door de explosie die de balken had versplinterd, en bolde vervaarlijk naar binnen. Hij kon zijn ogen niet van het tafereel afwenden en zag tot zijn afgrijzen de gele stof tegen de vlijmscherpe houtsplinters drukken. Er ontstond een scheur; eerst klein, maar steeds groter toen de buitendruk van het moeras de zwakke plek vond.

'Nee!' brulde de sjouwer boven, Kowinsky. 'Jezus, néé!'

En op dat moment begaf de wand van de Navelstreng het. Er klonk een vreemd geluid, half zuchtend en half krijsend, toen de stof scheurde, en meteen gulpte de Sudd naar binnen: een brakende eruptie van drijfzand. Als water door een tuinslang kwam het hun kant uit stromen. Onder de onweerstaanbare druk werd de Navelstreng van boven tot onder opengereten, een lange naad van zwart die met schrikbarende snelheid verder scheurde, terwijl de walgelijke blubber naar binnen en omlaag hoosde. Er steeg een gekrijs en gegil op van de klimmers hoger in de tunnel, een kakofonie van ontzetting en angst.

Logan deed het enige wat hem te binnen schoot. Instinctief, zonder erbij na te denken, greep hij Tina Romero's voeten, liet de ladder los, gleed langs de omhoog klimmende technicus naar beneden en viel met een plof op de vloer van het perron bij de luchtsluis.

Ze verzette zich uit alle macht. 'Wat doe jij nou?' gilde ze.

'Tina!' brulde hij boven haar protesten uit. 'Ogen dicht!'

Er klonk een geruis, een vreemde trilling als een aanrollende aardbeving, een kil zuchtje rioollucht, en toen werden ze in plakkerig, verstikkend, duizelingwekkend zwart gehuld.

54

In de plotselinge duisternis heerste een baaierd aan gewaarwordingen: gehuil; kreten van pijn en angst, het gevoel van spartelende ledematen; de koude, afstotelijke greep van de stinkende blubber die aan alle kanten rond hen oprees. Logan wist niet zeker waarom hij zich had laten terugvallen op de bodem van de luchtsluis, helemaal onder aan de Navelstreng. In een elektriserende flits van zelfbehoud had hij intuïtief willen wegrennen voor de aanstormende doodsdreiging van de Sudd, had hij die koste wat kost vóór willen blijven. Maar bijna even snel als die gedachte opgekomen was, was het besef doorgedrongen dat dat waanzin was: ze zaten meer dan twaalf meter onder het oppervlak, ze hadden geen zuurstoftanks of duikuitrusting bij zich, de genadeloze onderzeese druk van het moeras zou binnen de kortste keren het hele graf opvullen, van de ene kamer naar de andere als een stomazak... Snel schudde hij dat vreselijke beeld van zich af, evenals het beeld dat meteen daarop volgde: in paniek, samen met een handvol anderen, naar de achterwand van het graf rennen om daar te gaan staan wachten op het rottende riool dat naar hen toe gekolkt kwam, steeds hoger en hoger rees...

Onder hem voelde hij iets bewegen; hij hoorde een schelle kreet. Hij besefte dat het Tina Romero was, die zich probeerde los te worstelen. Hij liet haar los en hield zijn hand boven zijn ogen tegen de neergutsende, traagvloeibare nachtmerrie. Hij tastte in zijn zak naar zijn lantaarn en knipte die aan. Boven waren een paar steunbalken van hun oorspronkelijke positie, waar de onderkant van de Navelstreng was vastgemaakt aan de granieten muur van Narmers graf, ingestort en rondom hen neergevallen: een primitieve speeltuin van hout die tot aan het plafond van de grafingang net boven hun hoofd reikte.

Terwijl hij met de zaklamp om zich heen scheen, viel hem op dat de zwarte prut van de Sudd met grote snelheid de hele, aan flarden gescheurde, Navelstreng door stroomde. Balken en kabels en mensen werden onder het gewicht verpletterd. Vlak boven hem verdween iemand, een van de laboranten, in een kolkende, zwalpende golf van modder, houten palen, rollen metaaldraad; even waren zijn bebloede handen nog zichtbaar, toen verdwenen ook die in de zwarte storm. De Navelstreng beefde als door een aardschudding, alsof hij zich door de druk van de tonnen moeras die erdoorheen gutsten als een spiraal oprolde.

Hij wendde zijn blik af, wilde Tina iets toeschreeuwen. Een klodder bagger vloog in zijn gezicht, zijn mond in. Hij spuwde de smurrie uit, kokhalzend van de smaak – duizenden jaren rotting en bederf –, greep haar hand en zag kans haar te roepen.

'Tina!' brulde hij, terwijl hij aan haar hand rukte en naar de wirwar van balken vlak boven hun hoofden wees. 'Klimmen! Klímmen!'

Monteur Frank Kowinsky had geluk gehad. Toen de Navelstreng uiteen begon te scheuren en de Sudd naar binnen gutste, was de technicus die vlak boven hem omhoogklauterde uitgegleden en gevallen, waarbij hij verstrikt raakte in de overal rondbungelende kabeldarmen. Kowinsky had zijn lichaam gebruikt als loopbrug-annex-springplank en had zo kans gezien zichzelf door de steeds bredere scheur in de gele tunnelwand naar buiten te katapulteren. Hij wist dat het hem nooit zou lukken om door de restanten van de Navelstreng zelf omhoog te komen – één blik op de chaos van hout, lichamen en voortkruipende zwarte derrie boven zijn hoofd had hem dat duidelijk gemaakt. Maar als hij zich omhoog kon werken uit het moeras, zou het lukken zich zwemmend en klauwend een weg naar de oppervlakte te banen. Hij zou moeten vechten tegen de opzettende modder, maar met het lichaam van de technicus als steunpunt tegen wil en dank was het hem gelukt het gescheurde textiel van de Navelstreng beet te grijpen en zich naar buiten te hijsen. Trappend en met zijn armen zwaaiend belandde hij in het moeras.

En nu was hij vrij. Vrij van de krijsende, spartelende dood in die tunnel. Maar waar hij niet op had gerekend, was hoe dik en zwart het hier onder in de Sudd was; hij had er niet bij stilgestaan dat de afgrijselijke stroperigheid – dik als teer, maar tegelijkertijd korrelig als schuurpapier – zijn huid zou openschuren, zou branden in zijn ogen. Snel kneep hij zijn ogen dicht, maar er zat al zand in en dat kon hij onmogelijk wegspoelen.

Hij had geen tijd om zich daar zorgen over te maken: hij moest naar boven. Hij nam even de tijd om zich in het donker te oriënteren en begon zich omhoog te werken.

Zo snel als hij kon klom Logan omhoog door de ruïnes van balken en latten die tot aan het plafond van de grafingang reikten. Het hout was zwart en glibberde van de modder, en het leek wel of hij voor iedere balk die hij op klom, er minstens twee onderuit glipte. Nu en dan keek hij omlaag om te kijken of Tina hem volgde.

Weer voer er een vreselijke huivering door de ondergrondse vertrekken, en de complete aan flarden gescheurde tunnel die ooit de Navelstreng was geweest leek met een gekreun van protesterend metaal weg te vallen van het graf. De kreten, het gegil, het geroep om hulp waren nu verstomd – en dat vervulde hem met nog meer wanhoop. Nu was er alleen nog het natte, plenzende geluid van de Sudd die langs de restanten van de gele buis droop en met grote snelheid het graf rondom hen opvulde.

Met de lantaarn tussen zijn tanden geklemd hees hij zich naar de bovenste balk, zodat hij met zijn hoofd op maar enkele centimeters van de bovenkant van de aansluiting met het graf zat. Boven zijn hoofd boog de bovenkant van de Navelstreng, waar het laagste segment van de buis aansloot op de luchtsluis, vervaarlijk door. Rechts van zich zag hij de geïmproviseerde constructie van houten balken, wankel en instabiel, maar op zijn plek gehouden door de dikke, stroperige modder die in het graf omhoog kroop en al tot over zijn enkels reikte. Hij hield zich in evenwicht tegen de bovenste metalen staander van de sluis, stak zijn arm omlaag en hees Tina naast zich op de balk.

Bij het matte licht van zijn lantaarn was ze amper herkenbaar; haar gezicht, haar en kleren zaten dik onder de blubber, haar ogen waren witte puntjes in een verder ononderbroken masker van prut.

'Wat nu?' schreeuwde ze. 'Wachten tot we verzuipen in die stront?'

'We verzuipen niet!' riep Logan terug.

Nog voordat hij uitgesproken was volgde er een zoveelste, nog heviger beving; ze klemden zich aan elkaar vast terwijl de hele constructie huiverde en langzaam kapseisde.

Logan richtte zijn lantaarn omhoog, op het punt waar het textiel van de Navelstreng vastzat aan de sluis. 'Dat kan ieder moment vallen,' zei hij. 'Als dat gebeurt – nu even goed luisteren – raak je níét in paniek. Het moeras komt omlaag zetten, en wat er ook gebeurt: je houdt je aan mij vast. Uit alle macht. Ik grijp zelf deze pylon hier vast – die zit verankerd in graniet en basalt, die houdt het wel.'

Hij scheurde zijn overhemd af, gespte zijn riem los en trok zijn broek uit. Hij stak zijn arm uit, greep Tina's blouse en trok die van haar lijf. De knopen spatten in het rond, en ze zat in haar beha.

'Wat doe jij nou?' riep ze.

'Trek je broek uit,' zei hij. 'Snel. Je kleren werken als gewichten. Daarmee haal je het niet naar de oppervlakte.'

Ze begreep hem meteen, ritste haar spijkerbroek open en wrong zich eruit.

'Zodra de druk aan beide zijden gelijk is, gaan we omhoog. Hou me vast. Wat je ook doet, zorg dat je je richtingsgevoel niet kwijtraakt. Doe je ogen dicht voordat we omhoog gaan – dan kun je je makkelijker oriënteren in de modder.' Hij keek even omlaag naar de houten constructie waarop ze zaten, en maakte een snel hoofdrekensommetje. 'We moeten omhoog door bijna dertien meter modder. Doe rustig aan. Verbruik niet al je zuurstof in één keer. Begrepen?'

Tina zweeg. Ze keek naar de modder die nu tot aan hun middel reikte en nog verder rees, dik als een afstotelijke, zwarte milkshake.

'Tina!' brulde hij. 'Begrépen?'

De witte rondjes in haar verder zwarte gezicht draaiden zich naar hem toe, knipperden en bewogen toen even op en neer – ze knikte. Logan greep haar hand stevig beet en kneep er even in.

'Niet loslaten,' zei hij.

Op dat moment was er een laatste, apocalyptische aardbeving – een stijgend gegil van metaal onder ondraaglijke spanning – en toen scheurde de zoldering boven hen weg en daalde het zwarte hart van de Sudd op hen neer, nam hen op in zijn dodelijke omhelzing.

Frank Kowinsky vocht zich omhoog door de blubber en het slijm. Zijn ogen prikten van het zand, en zijn oren en neus zaten vol slib. Het moeras leek aan hem te trekken, met reusachtige, onzichtbare handen die aan zijn kleren plukten en probeerden hem de diepte in te sleuren. En er zaten díngen hier in die modderige duisternis: stokken en plantenresten en zachtere, glibberige dingen waar hij niet aan wilde denken. Sommige kon hij gebruiken om zich omhoog te worstelen, en langzaam kwam hij hoger door het aalgladde universum van modder.

Hij zat nu misschien – wat zou het zijn, zestig seconden? – in die blubber en zijn borstkas begon al te branden. Hij had dieper adem moeten halen toen hij zich vanuit de Navelstreng het moeras in smeet. Er was kostbare zuurstof verspeeld met pogingen om de tunnel uit te komen. Was dat een vergissing geweest? Had hij moeten proberen omhoog te klimmen door de ineengestorte hel van de Navelstreng? Nee, dat was een zekere dood geworden. Er sijpelde modder langs zijn nek, langs zijn rug, zijn armen. De smurrie leek overal in te kruipen, in zijn buik, in zijn kruis. Het was te afgrijselijk voor woorden, die duisternis, niet weten waar hij was, niet weten hoe ver hij nog moest, en met steeds minder zuurstof...

Plotseling stootte er iets met een harde klap tegen zijn hoofd. Even zag hij sterren, maar het maakte ook een eind aan zijn opkomende paniek. Eerst dacht hij, hoopte hij, dat het een van de drijvende pontons van het Station kon zijn. Maar toen hij zijn hand uitstak en er blindelings naar tastte, besefte hij dat het een stuk hout was, een boomtak die vastzat in het drijfzand van de Sudd. Hij schudde zijn hoofd om het helder te krijgen, althans voor zover dat mogelijk was in al die modder, en duwde zich weg van de stronk. Hij bepaalde zo goed mogelijk zijn richting en klauwde zich verder omhoog door de inktzwarte nachtmerrie.

Op één ding was Logan niet voorbereid geweest: de gigantische, niet-aflatende druk van de Sudd. Die perste hem als een kille bankschroef samen, van boven, van onderen. De druk op zijn borstkas dwong de lucht bijna uit zijn longen. Even bleef hij roerloos hangen, een insect in hars gevangen, verbijsterd door de overweldigende, vreselijke, claustrofobische sensatie. En toen trapte hij zich met een enorme krachtsinspanning naar boven, aan Tina's hand sleurend. Hij voelde haar hand heen en weer bewegen toen ook zij naar boven begon te zwemmen. Hij pakte haar steviger vast, vlocht zijn vingers door de hare; op de een of andere manier voelde hij aan dat ze beiden ten dode opgeschreven waren als ze elkaar kwijtraakten.

Hij hield zijn mond en ogen stijf dicht en probeerde niet te denken aan de blubber die zijn oren in kroop; hij liet zijn lichaam een eigen evenwicht vinden terwijl ze zich naar het oppervlak worstelden. Hij hield zijn neus vrij door om de paar seconden zachtjes uit te blazen – zo blies hij de modder uit zijn neusgaten en bleef er niet te veel lucht in zijn longen. Nu en dan stootte hij met zijn rondmaaiende vrije hand tegen takken en twijgen aan, die vastzaten in de blubber van de Suddbodem; wanneer maar mogelijk gebruikte hij die als hand- en voetsteunen om zich aan omhoog te trekken, zonder daarbij Tina's hand los te laten. Eén keer kwam hij bijna vast te zitten in een stel rottende lianen. Hij streed tegen de opkomende paniek en duwde de plantenwirwar opzij, waarbij hij zorgde zijn opwaartse richting te handhaven.

Zo zwommen ze verder; hun gezamenlijke momentum leek de stijging gemakkelijker te maken dan als ze alleen geweest waren. Door het gebrek aan kleding werden hun lichamen overdekt met een olieachtige substantie die de verraderlijke zuiging van het moeras deels ongedaan maakte. Maar toch voelde Logan na een tijdje dat Tina's hand onrustig werd en beefde. Ze begon door haar zuurstof heen te raken. Hoe ver zaten ze al van de bodem af? Vijf meter? Zeven? Dat viel onmogelijk te zeggen in die zwarte vergetelheid. Weer kwam hij met zijn hand een tak tegen, hij trok zich eraan omhoog, tastte ernaar met zijn voet en zette zich af. Zijn longen begonnen te branden. Tina's handbewegingen werden urgenter; hij moest haar steviger vastgrijpen om te voorkomen dat ze losliet. Nog heel even, en dan zou ze ofwel inademen ofwel het bewustzijn verliezen. Hij kon haar onmogelijk meezeulen: zijn kracht was toch al aan het wegebben. Ze zouden samen wegzakken in de eindeloze duisternis, hun lichamen zouden deel worden van Narmers gevolg, want hij had...

Plotseling voelde hij iets vreemds. Zijn vrije hand had minder moeite om zich door de dikke blubber te banen. Hij pakte Tina's vingers nog steviger vast, trok haar naar zich toe en wrong zich met een slingerbeweging, met zijn allerlaatste krachten, omhoog, zijn benen tegen elkaar geperst als in een verticale vlinderslag. En plotseling had zijn hoofd dezelfde vrijheid als zijn hand – de bewegingen waren makkelijker, hij had geen last meer van de omringende modderlaag. Sputterend, kuchend en modder uitspugend hees hij Tina omhoog tot ook zij boven het oppervlak uit kwam. Ze zaten onder de zwarte derrie, ze leken eerder op modderwezens dan op landdieren, maar ze kregen weer lucht.

Ze hadden het oppervlak bereikt.

Kowinsky was het stadium van de wanhoop voorbij. Hij zat nu al anderhalve minuut, misschien wel twee minuten, onder water. Hij was behoorlijk fit, hij trainde regelmatig, maar iedere atoom in zijn lichaam schreeuwde langzamerhand om zuurstof. Hij worstelde zich nog razender door de modder. Het oppervlak kon niet ver weg meer zijn, het kón niet. Hij had zijn ogen intussen wijd opengesperd en lette niet meer op de pijn. Er moest toch een beetje licht doordringen in die godvergeten hel. Het kon haast niet anders of die onverdraaglijke duisternis zou heel binnenkort lichter worden, en dan nog wat lichter, tot hij uiteindelijk lucht kon happen.

Slechts met de grootste moeite slaagde hij erin zijn mond dicht te houden. Lucht, lucht moest hij hebben. Bij iedere beweging gingen er pijnscheuten door zijn lichaam. Hij was zich niet meer bewust van de modder of de stank of hoe het moeras in al zijn lichaamsopeningen binnendrong, in openingen waarvan hij het bestaan niet geweten had. Lucht had hij nodig. Lúcht. O, god, dit was te erg. Waar was hij? Waarom was het allemaal zo zwart? Waarom zat hij nog niet boven water?

Wanhopig sloeg hij om zich heen, en daarbij voelde hij iets onder zijn handen. Met wijd open maar nietsziende ogen, terwijl er olieachtige belletjes uit zijn neus dreven, betastte hij het. Een hand... een arm... een hoofd. Het was een menselijk lichaam, nog maar pas dood. Maar in zijn doodsnood schonk Kowinsky daar geen enkele aandacht aan. Hij duwde het lijk van zich af en zwoegde verder.

Nu voelde hij iets anders onder zijn graaiende handen, iets hards ditmaal: hard en glad. Metaal! Hij was er, eindelijk had hij het Station bereikt! De hoop, die hij al bijna opgegeven had, vlamde opnieuw in hem op. Nog vijf seconden, tien misschien, en dan was het hem te veel geworden. Zo dicht had hij erbij gezeten. Hij stak zijn andere hand uit en probeerde zich in het donker te oriënteren, zette zich schrap om zich omhoog te hijsen, het moeras uit...

En toen merkte hij iets. Het harde, gladde stuk metaal eindigde in een tweede stuk. En dat was rond, met zware moeren. Wat voor deel van het Station was dit? De pontons waren glad, en de kruipruimtes onder de diverse vleugels hadden alleen...

Op dat moment voelde hij iets anders, iets wat aan een van de moeren vastzat: een stuk dik textiel, glibberig, met ruwe randen alsof het met grote kracht was losgescheurd.

Met een klap drong de werkelijkheid tot hem door. Dit was het Station niet. Dit was de Luchtsluis. Toen hij zijn hoofd gestoten had aan die boomstronk was hij op de een of andere manier zijn richtingsgevoel kwijtgeraakt. Hij had rechtsomkeert gemaakt, en was naar de bodem gekrabbeld. Naar het graf.

Nee. Néé. Dat kon niet waar zijn. Dit moest een hallucinatie zijn. Het kwam door de paniek – door de paniek, en het gebrek aan zuurstof. Hij moest die illusie negeren, zichzelf omhoog hijsen en dan eindelijk die heerlijke ademteug...

Hij greep de metalen balk, hees zich omhoog tot die zijn borst raakte. Zijn bewegingen waren traag, als een vlieg in stroop, en hij zag niets. Maar dat deed er niet toe. Hij zat aan de oppervlakte. Dat kón niet anders. Hij opende zijn mond...

En die zat meteen vol met een mengeling van modder, slib en plantenresten, doorspekt met een rottende smaak, zo oud als het oudste graf. En ondanks zijn kokhalzende walging sperde Kowinsky in opperste nood zijn mond open en verrichtte de allerlaatste daad van zijn leven: hij ademde in.

55

Zodra ze zich uit de gevangenis van modder hadden bevrijd, bevonden ze zich in een wereld van vuur. Logan hield Tina dicht bij zich en zwom langs de rand van het Station, grote happen lucht inademend. Vier vleugels van het Station – Rood, Bruin, Wit en kennelijk ook Geel – stonden in lichterlaaie, met hoog opschietende vlammen die van onder de zware canvas zeilen tevoorschijn likten en de muskietennetten boven de pontonbruggen wegvraten alsof het zijden draadjes waren.

De laboratoria en de medische afdeling van Rood leek wel heel fel te branden – de opblaasbare koepel die die vleugel afdekte vertoonde een eigenaardige gloed, alsof hij van binnenuit werd verlicht met een hels oranjerood schijnsel. Voor zijn ogen barstte er een gigantische vuurbal uit het dak van Rood naar buiten, waardoor de canvas afdekking weggepeld werd; kolkende wolken zwart en rood slokten het Kraaiennest op. Minstens een handvol boten – sloepen, een van de grote catamarans, andere vaartuigen – cirkelden om het Station heen en richtten grote waterstralen op de vlammen. Maar het vuur was te intens en er was niet genoeg water – de Sudd zelf was veel te dik om door de drukslangen geperst te worden. Logan voelde de hitte van het vuur op zijn gezicht – het voelde aan of de reeds opdrogende modder van de Sudd op zijn huid werd gebakken, en hij wendde zijn gezicht af.

Nu werd hij ook andere gestalten gewaar die half zwemmend, half kruipend door het moeras naar het brandende Station toe kropen, overdekt met dezelfde bruinzwarte modder, onherkenbaar. Een van hen was Stone, dacht Logan, een tweede kon Ethan Rush zijn. Ze leken op weg te zijn naar Groen, waar Onderhoud en het botenhuis lagen – het brullende inferno was daar nog niet aangekomen. Een jetski die om het vuur heen cirkelde, ontdekte hen en kwam aanvaren. De bestuurder hees eerst Tina, daarna Logan achter op de ski, maakte rechtsomkeert en voer terug naar Groen, onder het beschermende zeil, de beschutte haven in. Logan bedankte de man en hielp Tina de jetski af, de steiger op. Hij liep in zijn ondergoed, maar dankzij de blubber die hem van top tot teen overdekte, leek het wel of hij een ruimtepak aanhad. De jachthaven was een tafereel van amper beheerste chaos. De herrie van geschreeuwde bevelen, krijsende alarmen en malende machines was onverdraaglijk. De lucht was dik van de scherpe rook. Laboranten, onderzoeksassistenten, sjouwers en zelfs koks kwamen aanhollen uit andere delen van het Station, velen met beroete kleding en gezichten, hun handen vol documenten, voedsel, en zo veel mogelijk vondsten uit het graf als ze konden meetorsen. Logan zag minstens een tiental kisten voor bewijsmateriaal lukraak tegen een muur opgestapeld staan. Zelfs de grafkistvormige container met Narmers mummie – Niethoteps mummie, corrigeerde hij zichzelf – stond schuin in een hoek. Anderen waren druk bezig allerhande voorwerpen op de grote catamaran te laden die bij de dichtstbijzijnde steiger afgemeerd lag. Plowright, de kapitein van het schip, stond naast de loopplank bevelen te blaffen.

Intussen kwam een ploegje mannen en vrouwen in ambulancekleding de haven uit lopen, terug naar de dieper gelegen delen van het Station, waarschijnlijk op zoek naar achterblijvers. Een man met een witte jas die een blauwe plastic kist bij zich had, struikelde over een rol touw en plofte op zijn knieën, zodat de container viel. Het deksel sprong open en talloze edelstenen, ringen, snuisterijen en gouden beeldjes rolden eruit, elk in een verzegeld ziplockzakje met een gedrukt etiket. Vanuit het niets holde Porter Stone erheen, en ging op zijn knieën, met onhandige, tastende gebaren de zakjes weer in de kist zitten proppen. Hij zat nog van top tot teen onder de modder, maar zweetdruppels of, waarschijnlijker, tranen trokken iele witte spoortjes door het verder zwarte masker voor zijn gezicht.

Logan keek om zich heen en zag Valentino staan, in opgewonden gesprek met een stel bewakers. Instinctief liep hij op het groepje af. Vanuit zijn ooghoek zag hij ook Ethan Rush komen aanlopen. Rush, Stone en Valentino – er waren dus ten minste drie anderen uit het graf ontkomen.

'Hoeveel slachtoffers zijn er?' vroegen Logan en Rush gelijktijdig, toen ze bij Valentino aankwamen.

Die keek hen aan; het zweet droop van zijn vlezige wangen. 'Ze kunnen me geen exacte cijfers geven. Vijftien, misschien twintig, ingesloten door het vuur.'

Iemand gooide Logan een witte jas toe; hij trok hem haastig aan en bond hem rond zijn middel vast.

'De explosies kwamen zo snel,' zei een van Valentino's mannen. 'Het methaan had zich verzameld in de kruipruimtes onder de vleugels – en toen vloog het zomaar in brand.'

'Wat was er nou eigenlijk met dat methaansysteem gebeurd?' informeerde Logan.

'Gesaboteerd,' antwoordde de man.

'Kunnen we die overlopen niet afdichten?' vroeg Rush.

Valentino schudde zijn hoofd. 'Daar is het al te ver voor heen. De enige route naar de handmatige besturing is via Rood of Wit – en dat zijn allebei inferno's. Onmogelijk. Het vuur nadert de centrale converter en de opslagtank. We hebben nog vier, hooguit vijf minuten. Dan kunnen we maar beter maken dat we hier weg zijn.'

'Hoe kon dit gebeuren?' vroeg Logan – maar nog voordat de woorden zijn mond uit waren, vreesde hij het antwoord al te kennen.

'Dat weten we nog niet zeker,' zei Valentino's medewerker. 'Maar volgens ons was het mevrouw Rush.'

'Jennifer?' vroeg Rush, en zijn bemodderde gezicht trok wit weg.

'Zij was opgedoken bij het duikplatform toen jullie allemaal in kamer 3 zaten. Met twee jerrycans vol nitro. Een daarvan heeft ze naar de Navelstreng gemikt. De andere heeft ze nog.'

'Zit ze daar dus nog binnen?' vroeg Logan. 'Bij de Muil?'

'Ze houdt iedereen op afstand met die tweede jerrycan,' zei de man.

'Dat doet de deur dicht,' zei Valentino. 'Ik geef mijn laatste team opdracht om terug te trekken – we moeten onmiddellijk evacueren. Dat mens is volledig geschift.' Hij keek even naar Rush. 'Scusi!'

Maar Rush stond er al niet meer. Hij was de loopplank op gehold in de richting van Geel.

'Ethan!' riep Logan hem na. Zonder om te kijken baande de arts zich een weg door de menigte die de haven in stroomde.

Nu kwam de tweede gigantische catamaran, alsof hij zijn nederlaag tegen de uitslaande brand erkende, op de haven aanvaren. Een oorverdovende stoot op de hoorn kondigde zijn komst aan. Er ontstond een klonterig soort rij op de kade, van mensen die zo veel mogelijk van de onbetaalbare antieke schatten meesjouwden als ze maar konden. Een paar kleinere bootjes was al begonnen met de evacuatie. Ze voeren in noordelijke richting zonder te wachten tot de grotere schepen een pad vrij hakten. Ze lagen diep in het water en de modder, overvol mensen en kunst-voorwerpen. Logan draaide zich om en zag dat Tina naast hem stond. Ook zij had een witte jas aangetrokken.

'Ik ben zo terug,' zei hij, en hij wilde ervandoor – maar haar hand greep de zijne met een wanhopig gebaar.

'Néé!' riep ze met wijd opengesperde ogen.

Hij pakte haar schouders. De schok van wat ze meegemaakt hadden begon nu pas door te dringen. 'Zie dat je aan boord van een van die cata-marans komt,' zei hij. 'Ik ben zo terug.' Hij draaide zich om, greep de ra-dio van Valentino's medewerker en rende achter Rush aan de loopbrug op.

56

Hij rende langs de verlaten kantoren, hokjes en voorraadkamers van Groen. De evacuatie leek zo goed als voltooid; het doolhof van gangen was bijna geheel verlaten. Nog geen twee minuten later was hij de vleugel door gerend naar de afscheiding aan het einde. Met beide handen schoof hij de stroken plastic opzij en holde via de overdekte pontonbrug naar Geel. Het was hier veel erger, veel heter. Even later was hij de andere afscheiding door en stond hij bij het duikplatform.

Daar hield hij halt. De enorme ruimte zag eruit alsof er een tornado had huisgehouden. Rekken met instrumenten waren omvergetrokken en hadden hun geavanceerde apparatuur uitgebraakt over het beton. De kabels en snoeren die over de vloer kronkelden waren zwart verkoold; uit de rafelige uiteinden sprongen knetterende vonken. De rijen beeldschermen waren allemaal donker. En de Muil zelf, midden in de ruimte, was een walmende ruïne, met enorme lappen opgekruld metaal, de gescheurde en geblakerde flarden van de bovenring waren een zwijgend testament van de explosie die de laatste expeditie naar kamer 3 zo duur was komen te staan.

En daar, voor de Muil, stond Jennifer Rush. Haar ziekenhuishemd was gescheurd, haar normaal perfect opgestoken haar piekte wild om haar hoofd. In een van haar handen had ze een kleine rode jerrycan waarin, zo besefte Logan, nitroglycerine moest zitten.

Ethan Rush stond op anderhalve meter afstand met smekend uitgestrekte handen. 'Jennifer,' zei hij. 'Toe nou. Ik ben het, Ethan.'

Jennifer keek hem met bewolkte, roodomrande ogen aan.

Logan kwam achter hem aanlopen, maar Rush beduidde dat hij afstand moest houden. 'Jennifer, rustig maar. Zet die jerrycan neer en kom mee.'

Ze knipperde met haar ogen. 'Ongelovige,' zei ze.

Logan keek naar het tweetal en voelde een koude rilling. Hij herkende die stem: het was de droge, rauwe, afstandelijke stem die hij had gehoord bij de twee oversteken waarvan hij getuige was geweest. Zijn indruk van een boosaardige geest, die hij voor het eerst had gevoeld tijdens het ongeluk met de generator en sindsdien vaker dan hem lief was had bespeurd, nam plotseling sterk toe, en zijn hart begon te bonzen in zijn borstkas.

'Lieverd,' zei Rush, 'kom nou gewoon mee. Alsjeblieft. Het komt allemaal goed.' Hij deed nog een stap in haar richting, maar bleef staan toen Jennifer dreigend de jerrycan hief.

'Gij zijt de derde poort doorgegaan,' zei ze met diezelfde, vreselijke stem. 'Nu zult gij branden in onblusbaar vuur. En mijn graf zal opnieuw verzegeld worden – voor altijd.' Ze liep met uitgestrekte armen naar de Muil toe, alsof ze de jerrycan de diepte in wilde gooien.

De radio in Logans hand begon te kwaken. Hij begaf zich naar de deur en bracht het toestel naar zijn lippen. 'Ja, met Logan.'

'Logan!' klonk Valentino's ijle, krakende stem. 'Maak dat je hier terugkomt! Nú! Ik heb alle speur- en reddingsteams teruggeroepen. Het vuur heeft de centrale converter bereikt, de opslagtank kan ieder ogenblik ontploffen!'

Logan liet de radio zakken. 'Ethan,' zei hij zo rustig als hij opbracht, 'Ethan, we moeten ervandoor.'

'Nee!' reageerde de arts zonder hem aan te kijken. 'Ik laat haar niet achter. Ik laat haar niet doodgaan, niet weer!'

'Logan!' zei Valentino dringend. 'Die tank houdt het geen minuut meer! De laatste boten vertrekken nú!'

Logan zette de radio uit. Hij richtte zich tot Jennifer Rush.

'Koninklijke Hoogheid,' zei hij. 'Komt u alstublieft mee.'

Met roodomrande ogen draaide ze zich naar hem om, alsof ze hem nu voor het eerst zag.

'U kunt hier nu weg,' zei Logan. 'U bent vrij. U hebt gewonnen.'

Even wankelde ze, alsof ze dodelijk vermoeid was. Er verscheen een nieuwe uitdrukking op haar gezicht – een blik van onzekerheid en twijfel. Ze knipperde met haar ogen en keek Logan aan.

'Jen,' zei Rush, 'hij heeft gelijk. Kom, dan gaan we. Kom bij die put vandaan.'

Plotseling wervelde Jennifer weer om naar haar man. Terwijl ze hem aankeek werden haar ogen weer glazig, en er verscheen een vreemdsoortige glimlach om haar lippen.

'De put!' galmde ze. 'De zwarte god van de diepste put zal hem grijpen! En zijn ledematen zullen worden verspreid naar de verste uithoeken der aarde!' En toen, met een geluid dat een triomfantelijk lachen of een snik van wanhoop kon zijn, of misschien een combinatie daarvan, smeet ze de jerrycan vol nitroglycerine op de betonnen vloer tussen haar eigen voeten en die van haar echtgenoot.

Logan wendde zich meteen af, maar de explosie was zo hevig dat hij op zijn knieën viel. Hij voelde iets nats over zijn onderrug lopen.

'Nee!' prevelde hij.

Hij kwam wankelend overeind en strompelde zonder om te kijken zo snel hij kon naar de pontonbrug, de verwoeste gangen van Groen door. De rook was nu zo dicht dat hij geen hand voor ogen kon zien.

Wonderbaarlijk genoeg was de haven nu even verlaten als hij tien minuten geleden vol had gestaan. Alle schepen waren verdwenen. Op de steigers en pieren lag een chaotische bende papyri, scarabeeën, beeldjes, ziplockzakjes, gouden beelden, munten, edelstenen, computeruitdraaien, kapot gevallen kisten en nog veel meer, het meeste van onschatbare waarde.

Boven het toenemende gebrul van de vlammen uit hoorde hij de stoot van een scheepshoorn. Een kleine boot was net van het dok weggevaren, de laatste die het Station verliet. Een eind verderop zag Logan een lange rij boten, sommige groot, zoals de twee catamarans, andere minuscuul; allemaal voeren ze over de Sudd, zo snel mogelijk weg.

Weer loeide de hoorn van de boot – hij maakte rechtsomkeert en naderde de verste pier van de haven. Impulsief tastte Logan naar de grond, schepte een handvol kostbaarheden die aan zijn voeten lagen en propte die in de zak van zijn witte jas. Toen rende hij de loopbrug over, de pier af, en sprong aan boord van de boot. Het vaartuigje maakte rechtsomkeert en hervatte zijn koers in het kielzog van de wegvarende boten.

'Bedankt,' zei Logan, naar adem happend.

'Ik zou maar bukken,' zei de kapitein.

Logan dook het ruim in: een kleine ruimte, amper groot genoeg voor een paar reddingsvesten en een reserveblik benzine. En plotseling, met een geweld dat hij hooguit bij Armageddon en nergens anders verwacht had, scheurde het Station zichzelf achter hem doormidden met een gebrul dat het heelal aan stukken leek te sleuren en de hemel en het omringende land nachtzwart kleurde.

57

Bij het wegstervende namiddaglicht voer het rattige bijeenraapsel van boten in noordelijke richting. Eindelijk hadden ze de moeras-hel van de Sudd achter zich gelaten en waren ze op weg naar de eerste watervallen van de Nijl. Logan wist niet of de boten zouden proberen langs de watervallen te komen om Egypte zelf in te varen, of dat ze ergens halverwege aan land zouden gaan om de expeditie over te laden in vrachtwagens of vliegtuigen. En het kon hem ook niet echt schelen. Nadat hij van de kleine op een van de grotere boten was overgestapt, een catamaran, had hij de rest van de reis somber uit een patrijspoort zitten kijken. In een ruwe scheepsdeken gewikkeld had hij naar het langstrekkende landschap zitten kijken zonder echt iets te zien. De algehele stemming aan boord leek aan te sluiten bij zijn eigen emoties: schok, verdriet, onzekerheid. De aanwezigen klitten samen in kleine groepjes die op gedempte toon praatten of elkaar troostten.

Tegen zonsondergang kwam Logan in beweging. Hij stond op, legde de deken weg en liep het dek op. Niet eenmaal had hij tijdens de reis omgekeken naar de vernieling en de brandende puinhoop die ze hadden achtergelaten; en ook nu keek hij niet om. Hij ging op zoek naar koffie. Die vond hij in een kleine kombuis niet ver van de boeg. Daar stonden ook Valentino en een paar van zijn mensen, in een halve kring rond een espressoapparaat. Valentino knikte naar hem en gaf hem zonder iets te zeggen een kopje aan.

Met de koffie in zijn handen geklemd liep Logan naar de achtersteven en klom de trap op naar het bovendek. Daar zat Tina Romero in een deckchair, in haar eigen deken gehuld. Ze had kans gezien zichzelf schoon te boenen, maar hier en daar zaten er nog plakkaten opgedroogde modder in haar haar.

Hij ging naast haar zitten en gaf haar de espresso. Ze glimlachte even en nam een slok.

Toen hij zich in de stoel naast haar installeerde, voelde hij iets in zijn zij prikken. Hij stak zijn hand in de zak van zijn witte jas en haalde een handvol voorwerpen tevoorschijn. In zijn handpalm glinsterden carneolen en robijnen in het licht van de ondergaande zon. Hij was helemaal vergeten dat hij die op zijn wanhopige vlucht had meegegrist. Nu hij erop neerkeek kon hij zich niet indenken wat hem bezield had om dat te doen. Was het een verlangen, een behoefte, om toch íéts te redden van die onfortuinlijke expeditie? Of was het iets diepers, iets primitievers, iets wat te maken had met het verlies van Ethan en Jennifer Rush?

Tina keek naar hem. Ze had met matte blik in de verte zitten kijken, maar nu leek ze iets op te monteren. Ze stak haar hand uit en betastte de artefacten; ze pakte een klein aardewerk amuletje op en hield het in het wegstervende licht. Het was een oog – zoals te doen gebruikelijk in de oude Egyptische kunst niet en profil maar en face gezien – omringd door sierlijke krullen.

'Een *wadjet*,' zei ze boven de kreten van watervogels uit.

'Een wadjet?'

'Volgens de overlevering lag Horus een keer te slapen toen Seth, die op dat moment zijn grootste vijand was, naar hem toe sloop en een van zijn ogen stal. Toen Horus wakker werd, ging hij naar zijn moeder Isis, en vroeg haar om een nieuw oog. Dit was het oog dat ze voor hem maakte: een wadjet, of geheeld oog. Het bevat naar verluidt grote magische krachten.' Ze staarde ernaar. 'Dit moet afkomstig zijn van Niethoteps mummie.'

'Hoe weet je dat?'

'Wadjets werden in de wikkels van mummies gestopt als een soort magische bescherming.' Ze draaide het op zijn kant en wees.

Logan bracht zijn gezicht naar het amulet. Daar stonden twee afbeeldingen gegraveerd: een meerval en een dissel.

'Narmer,' zei hij zachtjes.

'Zelfs dat heeft ze zich toegeëigend,' zei Tina. Hoofdschuddend slaakte ze een zucht en gaf hem de wadjet terug.

'Hou maar,' zei Logan.

Een tijdlang zaten ze in de trage, helende stilte, terwijl de boot verder naar het noorden voer.

'Wat gaat Stone doen, denk je?' vroeg Logan uiteindelijk. Hij had de expeditieleider niet meer gezien sinds het begin van hun reis.

Tina keek hem aan. 'Met al die toestanden hier? Daar gaat hij goede sier mee maken. Dat doet hij altijd.' Hij komt ongetwijfeld met een spannend verhaal – en hij zal voetstoots aannemen dat iedereen dat gelooft. Maar voor zover ik kan zien, hebben we kennelijk een groot aantal van de belangrijkste grafgiften kunnen redden.'

'Redden? Ik dacht dat dat woord taboe was voor jou.'

Ze glimlachte vreugdeloos. 'Normaal wel, ja. Maar hier hadden we geen keus. De ontdekking was té belangrijk om in vlammen te laten opgaan – vooral het grote aantal papyri die we hebben gevonden. Die bevatten informatie van onschatbare waarde – ook al werpen ze meer vragen op dan ze beantwoorden.'

'Je bedoelt, waarom Narmer zijn tijd zo ver vooruit was.'

'Ja. Waarom zijn zo veel ceremoniën en zo veel overtuigingen, waarom is zo veel kunst met hem begonnen – terwijl we altijd gedacht hebben dat die pas eeuwen na zijn tijd tot ontwikkeling kwamen? En wat is ermee gebeurd? Waarom zijn al die zaken zo lang verloren geweest?'

'Het antwoord op die laatste vraag kan ik misschien raden,' zei Logan. En hij wees naar het wadjetoog dat ze nog in haar hand had.

Tina knikte langzaam en sloot haar vingers rond het kunstvoorwerp. 'Ik hoef me tenminste geen zorgen te maken om mijn baan. Ik heb jaren onderzoek voor de boeg.'

Er viel een tweede, langere stilte. De zon kroop dieper en zonk uiteindelijk achter de horizon weg.

'Waarom deed ze het?' vroeg Tina uiteindelijk, heel zachtjes.

Hij draaide zich in de invallende duisternis naar haar om.

'Wat is er met Jennifer Rush gebeurd?' vroeg ze.

Even bleef Logan zwijgen. En toen begon hij te antwoorden – een antwoord waarop hij, naar hij besefte, onbewust had zitten oefenen sinds het vertrek vanaf het Station. Het gerieflijke, orthodoxe antwoord. 'Jennifer had een paar... psychologische problemen,' antwoordde hij. 'Maar daar heeft Rush tegen niemand over gesproken. Hij vond dat ze dankzij haar unieke gaven, de duur van haar bijna-doodervaring, zo waardevol was voor de expeditie dat dat belang groter was dan haar problemen.'

'Waardevol voor zijn geliefde Centrum, bedoel je,' merkte Tina bitter op. 'Stel je eens voor wat dat aan publiciteit had opgeleverd.'

'Nee,' zei Logan. 'Ik geloof niet dat hij in zulke termen dacht. Hij hield van haar. Heel veel. Maar volgens mij was hij verblind door zijn hang naar de wetenschap. Hij kon, of wílde, niet zien hoe zwaar die oversteken waren voor Jennifer.'

'Nou, dan was hij blind. Dat kon ik zelfs zien. Dat héb ik ook gezien, die keer dat ik erbij was. Als Ethan wist dat ze emotioneel onevenwichtig was, had hij haar niet moeten dwingen zoiets nog eens te ondergaan. Niet één keer, en zeker niet keer op keer. Vooral na haar persoonlijke trauma – veertien minuten klinisch dood. Geen wonder dat ze uiteindelijk ging geloven dat ze bezeten was door een geest uit het dodenrijk.'

Toen Logan geen antwoord gaf, slaakte ze een diepe zucht. 'Die keer dat we zagen hoe Ethan haar onder hypnose bracht, hoe hij haar al die vragen stelde… toen moest ik me wel afvragen: hoe moet dat voor haar geweest zijn? Ik bedoel, toen ze na afloop terugkeerde? Arme Jennifer.'

Logan bleef zwijgen. Hij dacht terug aan een eerder gesprek, een heel ander soort gesprek, met Ethan Rush. *Ik heb zitten denken aan wat je zei*, had de arts hem gezegd. *Dat Jen zo lang hersendood was geweest – dat haar* BDE *zo lang had geduurd… dat ze in wezen haar ziel kwijtgeraakt kon zijn.*

Veertien minuten…

'Toen ze na afloop terugkeerde?' zei hij uiteindelijk. 'We weten niet wát er toen terugkeerde.' Maar zijn stem klonk zo zacht dat Tina zijn opmerking niet hoorde boven het dreunen van de motor en het klotsen van de golven uit.

NAWOORD

Bij het onderzoek voor *De vloek* heb ik gebruikgemaakt van een groot aantal werkelijke bronnen, maar Egyptologen zullen zien dat ik niet heb geaarzeld voor dit boek een groot aantal relatieve data, riten, geloofsovertuigingen en vele andere facetten van de oud-Egyptische geschiedenis – in algemene en specifieke zin – te veranderen. En hoewel de Sudd wel degelijk bestaat, heb ik ook de diverse geografische, politieke en temporele elementen van het moeras aangepast en het teruggezet naar het soort onwereldse omgeving dat zo kleurrijk wordt beschreven in *The White Nile* door Alan Moorehead.

Maar hoe het ook zij, *De vloek* is een fictief werk, en alle personages, gebeurtenissen en details die hier beschreven worden, zijn volledig denkbeeldig.

Een groot aantal mensen heeft me geholpen bij dit boek. Ik wil met name de eindeloos geduldige en enthousiaste Jason Kaufman bedanken, evenals Rob Bloom, Douglas Preston, Greg Tear en Eric Simonoff.